U. G. E.   **10|18**
12, avenue d'Italie - Paris XIIIe

CHRONIQUES 2
1er mars 1882 - 17 août 1884

PAR

Guy de MAUPASSANT

10 | **18**

« Fins de Siècles »
créé par Hubert Juin

Si vous désirez être régulièrement tenu au courant
de nos publications, écrivez-nous :
Éditions 10/18
12, avenue d'Italie
75627 Paris Cedex 13

L'ensemble des Chroniques *a été
préfacé par Hubert Juin dont le texte
se trouve dans le tome 1.*

ISBN 2-264-01976-X

LES HÉROS MODESTES

Que d'hommes ne sont point modestes, qui ne sont pas des héros! Le temps des héros est passé, disait-on; nous sommes dans le siècle des avocats et des financiers. Montrez-moi donc un héros! Il en existe, et qui méritent autant ce nom que les plus illustres porteurs de gloire. Seulement ils sont inconnus.

Qu'est-ce qui constitue le héros, selon l'acception ancienne de ce mot démodé? Suffit-il d'être brave, très brave, téméraire? D'être bon et dévoué jusqu'à la dernière abnégation? Non certes. Sauf les très rares exceptions de lâcheté native et inguérissable, tout homme peut être très brave à un moment donné, quitte à ne plus l'être le lendemain. La bravoure, fréquemment, dépend de l'estomac, qui règle l'état de l'esprit. On est souvent capable, après dîner, d'un acte téméraire qu'on n'aurait pas osé à jeun. Qui donc, souffrant d'un violent malaise, risquera sa vie pour sauver quelqu'un? Qui donc, dans l'excitation de l'appétit satisfait reculerait devant un péril, même excessif?

Ce qui est rare, par exemple, c'est la bravoure constante, sans défaillances, unie au constant dévouement! C'est cette sorte d'instinct qui pousse l'homme à risquer sa peau toutes les fois que celle des autres est en danger, et cela sans hésiter, sans réfléchir, sans se demander ce que deviendraient, s'il mourait, sa femme et ses enfants — car sacrifier les siens, c'est encore se sacrifier soi-même.

Je dis qu'il existe beaucoup de ces hommes-là qui sont intrépides sans spectateurs et dévoués sans rémunération.

J'en sais plusieurs. Il en est un dont je veux dire aujourd'hui quelques mots, d'autant plus qu'un peu d'appui lui peut être en ce moment fort utile pour une modeste place qu'il sollicite.

*

Il s'appelle Alexandre Poret. Il est pilote à Fécamp. Voici sa vie, en quelques mots. Depuis sa jeunesse, il navigue, et sauve des hommes quand l'occasion se présente, de sorte qu'il a aujourd'hui quatre cent dix mois de mer, dont vingt-deux ans de pilotage, et trois ans au service de l'Etat, et qu'il est porteur d'une médaille d'or de première classe, de deux autres médailles, et de deux certificats de sauvetage pour actes de bravoure. Il est en outre patron du canot de sauvetage du port et... père de neuf enfants bien vivants.

Que peut-on demander de plus à un homme pour le service du pays? Ne pas plus reculer devant le danger que devant le nombre des enfants, n'est-ce pas accomplir jusqu'à l'excès tous ses devoirs de citoyen?

Mais ce qu'il y a de particulier chez ce terre-neuvien, c'est qu'il ne sait pas nager.

Cette vie, passée au milieu des tempêtes et des drames marins, a commencé par un drame. Nous ne connaissons guère, nous autres gens des villes, cette existence accidentée sur les flots, cette lutte incessante avec la vague, ce coudoiement continu de la mort. La mort nous apparaît, à nous, comme une chose possible à tout instant, mais que nous croyons toujours éloignée, cachée en tout cas par des rêves de bonheur; et nous n'y songeons pas volontiers. Ces gens-là, les sauveteurs, ont pour mission de la combattre sans cesse, de la voir en toute occasion. Lutter avec elle est leur métier; ils y pensent donc à chaque minute, sans la redouter d'ailleurs, comme chacun pense à la profession qu'il a prise. Tout matelot commence par être mousse. Le jeune

Poret fut donc mousse à bord d'un bateau de pêche. Or, en ce temps-là, les droits d'entrée sur les marchandises étrangères donnaient de gros bénéfices aux fraudeurs; et la contrebande se faisait largement tout le long de la côte normande.

Comme le patron et les hommes du bateau de pêche craignaient les indiscrétions du mousse, on le laissa seul, par un soir de brouillard, en pleine mer dans le petit canot de l'embarcation, pour aller sans doute opérer sans lui le transport de marchandises prohibées d'un navire anglais à la terre.

Mais la brume, faible d'abord, augmenta bientôt; la marée montante entraîna la barque où dormait l'enfant, et, quand on le voulut reprendre, on ne le trouva plus. La nuit se passa, le jour vint, puis la nuit encore. Le petit mousse, mourant de faim et de soif, se mit à pêcher, allant toujours à la dérive. Il prit quelques poissons, qu'il mangea crus. Je laisse à deviner ce qu'il but.

Ce n'est que le troisième jour qu'il fut rencontré au large par un navire qui passait.

Voilà un début dans la vie maritime.

Le sauvetage qui lui valut sa grande médaille d'or est particulièrement dramatique.

Par une furieuse tempête, un navire en détresse, se voulant réfugier dans le port de Fécamp, manqua la passe et se brisa sur les roches. Une partie de l'équipage gagna la terre; mais, sous la grande voile abattue et que chaque vague couvrait d'une masse d'eau, un homme enseveli se débattait; on voyait de loin ses efforts, et personne n'osait tenter de lui porter secours. Le pilote Poret se dévoua, et se mit à chercher anxieusement quatre matelots qui oseraient sortir par cet ouragan pour le jeter à bord du navire naufragé. Beaucoup refusèrent de l'accompagner; enfin il rencontra quatre gaillards déterminés, qui montèrent avec lui dans un canot et partirent. Vingt fois on les crut perdus; enfin ils abordèrent le navire : Poret saisit une corde, et entre deux lames grimpa sur le pont. Il portait entre ses dents un couteau grand ouvert, et, cramponné aux moindres objets, il laissait passer sur lui les flots monstrueux. Enfin il s'engagea sous la voile; mais soudain le plancher se déroba sous lui et il tomba dans la cale inondée, dont il n'avait pu voir l'ouverture. Il se crut perdu; il put cependant, à force d'énergie, ressaisir l'orifice du trou et remonter. Mais, dans sa chute, son couteau lui avait échappé, et, quand il atteignit l'homme alors sans connaissance, c'est avec ses dents qu'il fut obligé d'ouvrir les doigts crispés sur un cordage.

Son courage ne servit à rien cette fois-là, l'homme qu'il rapporta était mort. Ce fut, pour le sauveteur, un gros chagrin.

Un autre jour, un navire encore s'était brisé sur la jetée où le pilote se trouvait de garde; il aperçut soudain dans l'écume des vagues un matelot qui se noyait. Oubliant sa consigne et bien qu'il ne sût pas nager, il se précipita dans la mer, saisit le naufragé et le sauva.

Il n'eut en cette occasion aucune récompense, car il avait abandonné son poste!

Maintenant il commence à se sentir vieillir, la famille est nombreuse à soutenir; et la mer rapporte moins que la Bourse, bien que les naufrages soient aussi fréquents dans l'une que dans l'autre.

Enfin le brave homme sollicite une petite place qui dépend de l'ingénieur et du préfet. Je voudrais que ces lignes leur tombassent sous les yeux, et qu'on lui tînt compte autant de son œuvre de repopulation que de son œuvre de dévouement. A ce dernier titre, ses concurrents peuvent être aussi méritants que lui, car nos ports de mer sont remplis de ces sauveteurs modestes et héroïques; mais en est-il beaucoup qui réunissent, comme lui, des mérites aussi *divers* que *complets*.

**

Il n'est pas bon, parfois, de raconter en quelques mots la vie de ces humbles. Chaque jour les journaux consacrent des colonnes entières à des cabotins sans talent, à des hommes politiques inconnus la veille, oubliés le lendemain, à tous les QUELCONQUES qui traînent dans Paris. Nous lisons tous les jours des PORTRAITS de n'importe qui : de peintres dont l'art consiste surtout à mystifier le public ; de mondains dont les noms semblent des rébus et que personne ne connaît, et qui n'ont rien fait ; de tous les escamoteurs de réputation qui opèrent sur les boulevards. Les simples dévoués ne valent-ils pas ces farceurs ?

Et, puisqu'on décore si facilement ceux-ci, pourquoi oublier si longtemps ceux-là ?

Je sais bien qu'on a fait à l'homme dont je viens de parler des promesses qui seront tenues, et que le bout de ruban ne tardera guère à lui venir. Mais il est timide, toujours rougissant, n'osant rien demander, ne sachant point frapper aux portes. Il attend qu'on aille à lui.

Il a eu cependant son jour d'orgueil. Quand l'impératrice d'Autriche vint passer un été près de Fécamp, elle pria qu'on lui désignât un marin expérimenté pour conduire le petit vapeur mis à sa disposition, par un riche Normand, pour les promenades qu'elle voudrait faire le long des côtes ; et c'est au pilote Alexandre Poret que fut donné le commandement du yacht impérial.

(*Le Gaulois*, 1er mars 1882.)

EN LISING

Nous ne connaissons guère que deux romans du XVIIIᵉ siècle : *Gil Blas* et *Manon Lescaut*. Tous deux sont baptisés chefs-d'œuvre, bien que le second soit à mon avis incomparablement supérieur au premier, en ce sens qu'il nous renseigne sur les mœurs, les coutumes, la morale (?) et les manières d'aimer de cette époque charmante et libertine. C'est le roman naturaliste du temps. *Gil Blas,* au contraire, n'est point documentaire malgré sa grande valeur. On y sent partout les conventions de l'écrivain, l'aventure d'ailleurs se passe au-delà des monts, et on n'y voit pas percer beaucoup de l'humanité d'alors. Les admirables contes de Voltaire ne nous en apprennent point davantage. Les polissonneries peu littéraires de Crébillon fils et autres ne nous troublent même pas l'esprit, et c'était surtout par la tradition, par les mémoires et l'histoire, que nous pouvions nous figurer cette société exquise et corrompue, raffinée, débauchée, artiste jusqu'aux ongles, gracieuse et spirituelle avant tout, pour qui le plaisir était la seule loi et l'amour la seule religion.

Or, voici qu'un petit roman d'alors, peu connu, bien que souvent réimprimé, nous apporte, grâce à la réédition que vient d'en faire l'éditeur Kistemaeckers, des renseignements inestimablement précieux. Cela s'appelle *Themidore,* et porte en sous-titre : « Mon histoire et celle de ma maîtresse. »

Oh! c'est polisson à l'excès, immoral à outrance,

pimenté de détails scabreux, mais si jolis, si jolis! Un vrai miroir enfin de la débauche spirituelle, élégante, bien née et bien portée de cette fin de siècle amoureuse. Nos prêcheurs doctrinaires, ces empêcheurs de danser en rond, farcis d'idées graves et de préceptes pudibonds, rougiraient jusqu'aux cheveux s'ils entr'ouvraient seulement ce petit volume délicieux qui est un pur... non, un impur chef-d'œuvre.

Oui, un chef-d'œuvre! Et ils sont rares les chefs-d'œuvre. Et tout séduit dans cette merveille de grâce décolletée; et l'esprit y coule avec une abondance prodigieuse. C'est de ce bon esprit français, qui sonne clair, de cet esprit naturel, sautillant, pivotant, impertinent, léger, sceptique et brave, et il jaillit, cet esprit, dans un style exquis et simple, d'allure crâne et coquette, souple et finement méchante. Voilà de bonne prose de notre vieux pays, de la prose bien transparente qu'on boit comme nos vins, qui scintille comme eux, et monte aux têtes, et rend joyeux. C'est un bonheur de lire cela, un bonheur savoureux, une volupté presque sensuelle de l'intelligence.

L'auteur, qui cachait son nom, était un fermier général, Godard d'Aucourt. Vraiment, on eût aimé souper en sa compagnie.

Et le sujet? dira-t-on. Presque rien : l'histoire d'un jeune élégant dont le père fait enfermer la maîtresse, Rosette, et qui parvient à la délivrer. Et qu'il eut raison, l'heureux coquin!

Ce livre donne étrangement la sensation de ce temps déjà lointain, et des gens d'alors, et de leurs habitudes; c'est toute une résurrection.

M. Kistemaeckers n'a pas souvent la main aussi heureuse dans ses réimpressions.

**

De Bruxelles encore, nous arrive une bien singulière nouvelle de l'écrivain naturaliste J.-K. Huysmans. Elle a pour titre : *A Vau-l'Eau.*

Ce petit conte, qui me séduit profondément dans sa sincérité banale et navrante, a le don de faire dresser les cheveux sur la tête des amateurs de sentiment. Et j'ai vu des gens hors d'eux à son souvenir, ou bien abattus comme des porteurs d'Union Générale, ou bien frénétiquement furibonds. J'en ai vu gémir et j'en ai vu hurler. La donnée si modeste suffit à les exaspérer. C'est l'histoire d'un employé à la recherche d'un bifteck. Rien de plus. Un pauvre diable d'homme, forçat de ministère, n'ayant que trente sous à consacrer à chaque repas, erre de gargote en gargote, écœuré par la fadeur des sauces, l'insipide coriacité des viandes inférieures, les douteuses senteurs de la raie au beurre noir, et la saveur acide des liquides frelatés.

Il va de la table d'hôte au marchand de vin, de la rive gauche à la rive droite, retourne découragé aux mêmes maisons où il retrouve les mêmes plats, ayant toujours les mêmes goûts. C'est, en quelques pages, la lamentable histoire des humbles qu'étreint la misère correcte, la misère en redingote. Et cet homme est un intelligent, un résigné, qui ne se révolte que devant la bêtise acclamée. Cet Ulysse des gargotes, dont l'odyssée se borne à des voyages entre des plats où graillonnent les beurres rancis autour de copeaux de chair inavalables, est navrant, poignant, désespérant, parce qu'il nous apparaît d'une effrayante vérité.

Les gens dont j'ai parlé s'écrient : « Ne nous montrez pas les vérités hideuses ; ne nous montrez que les vérités consolantes ! Ne nous découragez pas ; amusez-nous ».

Il est certain que les esprits construits de façon à s'amuser à la lecture d'un roman de M. Cherbuliez s'ennuieraient mortellement au récit des découragements de M. Folantin. Je comprends à la rigueur l'opinion de ces gens ; mais je ne comprends plus qu'ils refusent à d'autres le droit de préférer infiniment l'œuvre du romancier naturaliste aux combinaisons d'aventures attendrissantes qu'imaginerait l'autre écrivain.

A côté des livres qui amusent, admettez-vous les livres

qui émeuvent? Oui, n'est-ce pas? Or, c'est à mon tour de ne pas admettre qu'on puisse être ému par le tissu d'invraisemblances des romans dits consolants. Quoi de plus émouvant, de plus poignant que la vérité? Et quoi de plus vrai que la toute simple histoire d'un employé pauvre à la recherche d'un dîner passable?

Pour être ému, il faut que je trouve, dans un livre, de l'humanité saignante; il faut que les personnages soient mes voisins, mes égaux, passent par les joies et les souffrances que je connais, aient tous un peu de moi, me fassent établir, à mesure que je lis, une sorte de comparaison constante, faisant frissonner mon cœur à des souvenirs intimes, et éveillent à chaque ligne des échos de ma vie de chaque jour. Et voilà pourquoi *l'Education sentimentale* me bouleverse, et pourquoi le roquefort avarié de M. Folantin fait courir en ma bouche des frémissements sinistres de remémorance.

D'autres peuvent se passionner aux aventures de *Monte-Cristo* ou des *Trois Mousquetaires,* dont jamais je n'ai pu achever la lecture, tant un invincible ennui me gagne à cette accumulation d'incroyables fantaisies.

Car comment être empoigné quand on ne peut pas croire? Et comment croire quand toutes les impossibilités s'entassent? Et pourtant c'est à peine si on oserait avouer son indifférence pour ces œuvres de clinquant, si l'inimitable maître Balzac n'avait écrit justement, au sujet des bouquins de Dumas père, cette phrase : « On est vraiment fâché d'avoir lu cela; rien n'en reste que le dégoût pour soi-même d'avoir ainsi gaspillé son temps ».

***

A Vau-l'Eau, certes, n'est point à recommander aux jeunes femmes qui veulent s'endormir avec un livre parfumé; à celles qui veulent croquer une nouvelle comme on croque une praline, et rester rêveuses sur un petit conte écrit pour elles. Mais voici *le Mal d'aimer*, de

13

René Maizeroy, un délicat, un raffiné et un féminin par excellence.

Quelques-uns des courts récits que contient ce volume sont des bijoux de grâce; quelques autres, comme *le Crucifié* se dressent grands et terribles. Ce *Crucifié* a toute une histoire, d'ailleurs. Publié d'abord dans un journal, il fut poursuivi et condamné, et quand on le relit dans le volume, on reste vraiment stupéfait des soudaines pudeurs de la justice. On serait tenté de croire à cette haine de la littérature dont parlait si souvent Flaubert exaspéré. Quand une simple obscénité apparaît dans quelque feuille immonde, le Parquet ferme les yeux. Il a ri, sans doute; mais dès qu'il croit voir une tendance littéraire, des cabrioles d'adjectifs et des sonorités de verbes, il sévit.

Citons, parmi les histoires les plus charmantes de ce volume, *Le Mariage du Colonel, Le Roman de Benoît Chanson, Les Demoiselles du Major, La Dernière Revue, l'Aubade.*

Mais pourquoi donc ce subtil conteur qu'est René Maizeroy, ce maniériste si souple, ce précieux désarticulateur de mots, ce sensitif qui paraît fait surtout pour dire les péchés délicats des chères adorées dans les boudoirs, dont l'air semble épaissi par des saveurs d'amour, veut-il aussi, de sa plume, qu'on disait parfumée, nous tracer de simples et brutales histoires de paysans? Ce sont des bergers Watteau qu'il nous fait, et qui parlent trop sa langue maladivement énervée. Ses paysans fleurent l'églogue; et toute la grâce de ses phrases exquisement contournées ne nous donne pas le rude coup de poing qu'il faut, la nette sensation du drame champêtre et violent, de cette Margot, brûlant la maison du père et tout le village natal, afin de pouvoir rejoindre son amant.

(*Le Gaulois,* 9 mars 1882.)

LES FOULES

Les uns adorent la foule; d'autres l'exècrent; mais bien peu d'hommes, à part ces psychologues étranges, à moitié fous, philosophes singulièrement subtils, bien qu'hallucinés, Edgar Poe, Hoffmann et autres esprits du même ordre, ont étudié ou plutôt pressenti ce mystère : une foule.

Regardez ces têtes pressées, ce flot d'hommes, ce tas de vivants. N'y voyez-vous rien que des gens réunis? Oh! c'est autre chose, car il se produit là un phénomène singulier. Toutes ces personnes côte à côte, distinctes, différentes de corps, d'esprit, d'intelligence, de passions, d'éducation, de croyances, de préjugés, tout à coup, par le seul fait de leur réunion, forment un être spécial, doué d'une âme propre, d'une manière de penser nouvelle, commune, et qui ne semble nullement formée de la moyenne des opinions de tous.

C'est une foule, et cette foule est quelqu'un, un vaste individu collectif, aussi distinct d'une autre foule qu'un homme est distinct d'un autre homme.

Un dicton populaire affirme que « la foule ne raisonne pas ». — Or, pourquoi la foule ne raisonne-t-elle pas, du moment que chaque particulier dans la foule raisonne? Pourquoi une foule fera-t-elle spontanément ce qu'aucune des unités de cette foule n'aurait fait? Pourquoi une foule a-t-elle des impulsions irrésistibles, des volontés féroces, des entraînements que rien n'arrête, et, emportée par un de ces *entraînements,* accomplit-elle des actes qu'aucun des individus qui la composent n'accomplirait?

Dans une foule, un inconnu jette un cri, et voilà qu'une sorte de frénésie s'empare de tous; et tous, d'un même élan auquel aucun n'essaie de résister, emportés par une même pensée qui instantanément leur devient commune, sans distinction de castes, d'opinions, de croyances et de mœurs, se précipiteront sur un homme et le massacreront sans raison, presque sans prétexte.

Et, le soir, chacun, rentré chez soi, se demandera quelle rage, quelle folie l'ont saisi, l'ont jeté brusquement hors de sa nature et de son caractère, comment il a pu céder à cette impulsion stupide, comment il n'a pas raisonné, pas résisté? C'est qu'il avait cessé d'être un homme pour faire partie d'une foule. Sa volonté individuelle s'était noyée dans la volonté commune comme une goutte d'eau se mêle à un fleuve. Sa personnalité avait disparu, devenant une infime parcelle d'une vaste et étrange personnalité, celle de la foule. Les paniques ne sont-elles pas aussi un autre saisissant exemple de ce phénomène?

En somme, il n'est pas plus étonnant de voir les individus réunis former un tout, que de voir des molécules rapprochées former un corps.

Combien de fois n'avons-nous pas constaté les étonnements des auteurs devant une salle de première.

Cette salle, disent-ils, est composée de Parisiens blasés, corrompus, de viveurs coudoyant chaque jour tous les vices, de sceptiques riant de tout, et de femmes qui font de l'aventure amoureuse un plaisir charmant quand elles n'en font pas un métier. Tous ces gens-là ne s'indignent jamais à la lecture des romans les plus salés. Eh bien, si une phrase, un mot, une situation dans la pièce paraît peu conforme à la morale enseignée — mais nullement pratiquée — par tout ce monde, qui ne cache même pas son indifférence dans les conversations intimes, une tempête furieuse éclate, avec des sifflets, des colères, des indignations véhémentes et *sincères*.

C'est que, par le seul fait de leur agglomération, toutes ces gens, tous ces blasés parisiens ont formé à leur insu et spontanément une société, et qu'en eux s'est développée tout à coup une sorte d'esprit social, cette âme collective des peuples qui enlève à chacun son propre jugement, ou plutôt le modifie au profit du jugement général ; qui fait que tous subitement, par suite d'une sorte de dégagement cérébral commun, pensent, sentent et jugent comme une seule personne, avec un seul esprit et une même manière de voir.

Or, la foule ne raisonne pas, dit-on, elle ressent, et, dans ce cas sa sensation participe de toutes les idées accumulées et courantes, de tous les sentiments préconçus, de tous les préjugés anciens, de toutes les opinions établies qui pèsent théoriquement sur les institutions sociales.

Faites une salle de forçats libérés : le résultat sera le même qu'avec une salle d'honnêtes gens.

Mais, quand une personne lit un livre en sa chambre, elle réfléchit sans cesse, s'arrête, reprend un chapitre, se fait une opinion lentement, pose l'ouvrage pour méditer, et souvent dépouille d'anciennes convictions que détruisent des raisonnements, se laisse séduire enfin par les hardiesses des novateurs originaux, ou dompter par la vigueur des écrivains audacieux et justes.

***

C'est au théâtre qu'on peut le mieux étudier les foules. Quiconque fréquente un peu les coulisses a entendu bien souvent les acteurs dire : « La salle est bonne, aujourd'hui », ou bien : « Aujourd'hui, la salle est détestable. »

C'est là une constatation dont on n'a pas donné l'explication. Telle scène, un soir, soulève spontanément les bravos des spectateurs. « Les effets portent », dit-on. Et le lendemain, au même passage, il n'y aura pas un applaudissement, pas une personne empoignée sur deux mille assistants. Parfois même on siffle le lendemain ce qu'on avait applaudi la veille.

Nous nous contentons de constater que « la salle est mauvaise ». Fort bien — mais pourquoi est-elle tout entière mauvaise? Le public d'une semaine est identique tous les jours, n'est-ce pas? Pourquoi ne se trouve-t-il plus cent, cinquante, ou dix personnes pour rire là où toute l'assemblée éclatait le jour précédent?

Et si l'on doute de cela, qu'on aille trois jours de suite à la même pièce, et, trois fois on aura des sensations différentes; on jugera l'œuvre de trois manières; on applaudira deux fois ce passage, une fois cet autre; deux fois on rira à cette situation qui, la veille, n'avait point ému.

Alors constatez qu'une sorte d'harmonie s'est établie chaque soir entre votre manière de sentir et celle du public. Essayez d'y résister en raisonnant, vous subirez malgré vous l'entraînement, la mystérieuse influence du Nombre; vous êtes mêlé à tous, enveloppé par l'Opinion confuse, éparse; vous entrez dans la combinaison inconnue qui forme « l'Opinion publique ». Vous vous en dégagerez une heure plus tard, c'est vrai, mais, au moment même, le courant établi vous emporte.

Et chaque soir le phénomène recommence. Car chaque salle de spectacle forme une foule, et chaque foule se forme une espèce d'âme instinctive différente par ses joies, ses colères, ses indignations et ses attendrissements, de l'âme qu'avait la foule de la veille et de celle qu'aura la foule du lendemain. Et dans la rue, chaque fois que vous vous trouvez mêlé à une émotion publique, vous la partagez un peu malgré vous, quelque intelligent que vous soyez. Car toute molécule d'un corps marche avec ce corps.

De là ces impressions soudaines, les grandes folies et les grands entraînements populaires, ces ouragans d'opinion, ces irrésistibles impulsions des masses, les crimes publics, les massacres inexpliqués, la noyade des deux pauvres diables jetés à la Seine, en 1870, parce qu'un farceur ou un forcené s'était mis à crier « A l'eau! ».

(Le Gaulois, 23 mars 1882.)

QUESTION LITTÉRAIRE

Le remarquable écrivain qui signe Nestor au *Gil Blas*
a consacré un long article à la discussion de ma dernière
chronique, où j'appréciais le volume de mon confrère
J.-K. Huysmans.

Mon contradicteur ayant, dans sa critique, mis en
cause tous ceux qu'il appelle les romanciers nouveaux,
apprécié leur méthode et jugé leur poétique, je reviens
sur ce sujet.

Et d'abord, en *principe,* je déclare à mon aimable
confrère que je crois tous les *principes* littéraires inutiles.
L'œuvre seule vaut quelque chose, quelle que soit la
méthode du romancier. Un homme de talent ou de
génie met en préceptes ses qualités et même ses défauts ;
et voilà comment se fondent toutes les écoles. Mais,
comme c'est en vertu des règles établies ou acceptées par
les écrivains d'un tempérament différent qu'on attaque
les livres du rival, les discussions ont cela d'excellent
qu'elles peuvent servir à expliquer les œuvres et faire
comprendre la légitimité des revendications artistiques,
le droit de chaque littérateur de comprendre l'art à sa
façon, du moment qu'il est doué d'assez de talent pour
imposer sa manière de voir.

Or, j'ai dit, en parlant des romans de Dumas père (et
de là vient la querelle de Nestor) qu'un invincible ennui
me gagne à la lecture de cette accumulation d'incroyables inventions ; et, sentant bien dans quelle colère
j'allais jeter les admirateurs des *Trois Mousquetaires,*

j'eus soin de me mettre à l'abri derrière cette phrase de Balzac : « On est vraiment fâché d'avoir lu cela. Rien n'en reste que le dégoût pour soi-même d'avoir ainsi gaspillé son temps. »

Et, là-dessus, mon confrère s'écrie que je montre un dédain transcendant pour les romans qui amusent; et que les récits merveilleux qui ont diverti déjà trois générations ne sont, à mes yeux, que des sottises.

J'admire infiniment l'imagination, et je place ce don au même rang que celui de l'observation; mais je crois que, pour mettre en œuvre l'un ou l'autre, de façon à faire dire aux vrais artistes : « Voici un livre », il faut un troisième don, supérieur aux deux autres et qui faisait défaut à Dumas, malgré sa prodigieuse astuce de conteur. Ce don, c'est l'art littéraire. Je veux dire cette qualité singulière de l'esprit qui met en œuvre ce je ne sais quoi d'éternel, cette couleur inoubliable, changeante avec les artistes, mais toujours reconnaissable, l'âme artistique enfin qui est dans Homère, Aristophane, Eschyle, Sophocle, Virgile, Apulée, Rabelais, Montaigne, Saint-Simon, Corneille, Racine, Molière, La Bruyère, Montesquieu, Voltaire, Chateaubriand, Musset, Hugo, Balzac, Gautier, Baudelaire, etc., etc., et qui n'est pas plus dans les romans de Dumas père que dans ceux de M. Cherbuliez, que je citais aussi l'autre jour. Mlle de Scudéry, le vicomte d'Arlincourt, Eugène Sue, Frédéric Soulié, ont affolé leurs générations. Qu'en reste-t-il? Ce qui restera de Dumas père quand son fils aura disparu. Rien qu'un souvenir, bien que Dumas soit, à mon sens, infiniment supérieur à ceux que je viens de citer.

Don Quichotte, ce roman des romans, est une œuvre d'imagination, et, bien que traduit, il nous donne la sensation d'une merveille d'art inestimable. Gil Blas est une œuvre d'imagination, Gargantua également, et aussi l'adorable livre de Gautier, Mademoiselle de Maupin.

Et ils vivront éternellement, parce qu'ils sont animés de ce souffle qui vivifie.

En dehors de l'art, pas de salut. L'art, est-ce le style?

dira-t-on. Non assurément, bien que le style en soit une large partie. Balzac écrivait mal; Stendhal n'écrivait pas; Shakespeare traduit nous donne des soulèvements d'admiration.

L'art, c'est l'art, et je n'en sais pas plus.

Opium facit dormire quia habet virtutem dormitivam.

L'art nous donne la foi dans l'invraisemblable, anime ce qu'il touche, crée une réalité particulière, qui n'est ni vraie, ni croyable, et qui devient les deux par la force du talent.

Mais il faut distinguer entre ce dieu et les Pygmalions d'aventure.

***

Partant de ce principe que nos sens ne peuvent nous rien révéler au-delà de ce qui existe, que les plus grands efforts de notre imagination n'aboutissent qu'à coudre ensemble des bouts de vérité disparates, les romanciers nouveaux en ont conclu que, au lieu de s'évertuer à déformer le vrai, il valait mieux s'efforcer de le reproduire tout simplement. Cette méthode a sa logique. Mon confrère Nestor l'admet parfaitement; mais, quand je prétends que M. Folantin, le personnage de Huysmans, ce triste employé à la recherche d'un dîner passable, est d'une navrante vérité, le rédacteur du *Gil Blas* me répond : « Non pas! il est de pure fantaisie, il me laisse froid. » Et Nestor en donne immédiatement la raison probante que voici : « Comme j'ai, grâce au ciel, une excellente cuisinière, ces angoisses ne m'intéressent pas du tout. » Or, mon cher confrère, comme la mienne est beaucoup moins bonne que la vôtre, je continuerai jusqu'à ce qu'elle soit formée, ce qui ne tardera pas, je l'espère du moins — je continuerai, dis-je, à être ému par les désagréments d'estomac qu'éprouvent les gens mal nourris.

Mais j'avoue que ce genre de critique me jette en un grand embarras. Si chaque lecteur exige que je le fasse coucher dans son lit, manger sa cuisine ordinaire, boire le vin qu'il est accoutumé de boire, aimer les femmes qui auront les cheveux de la sienne, s'intéresser aux enfants portant le petit nom de son fils ou de sa fille, et refuse de comprendre des angoisses, des douleurs ou des joies qu'il n'a point traversées, s'il arrive à proclamer : « Je ne m'intéresserai jamais à tout être qui n'est pas *moi* et *moi seul* », il faut renoncer à faire du roman.

Si un de mes personnages, monté dans un fiacre, verse et se casse un bras, vous me répondrez : « Cela m'est bien égal, j'ai un parfait cocher. » Si je fais subir à une jeune femme un accouchement douloureux, vous me répondrez : « Je m'en moque un peu, je ne suis pas femme. »

Si je fais se noyer un jeune homme, dans une promenade sur la Seine, direz-vous : « Que m'importe, je ne vais jamais sur l'eau »?

Mon confrère Nestor ajoute, il est vrai : « Ah! si vous m'eussiez raconté les déceptions de la vie d'un employé, ses ambitions, ses amours, ses craintes de l'avenir, bien que mes ambitions, mes amours, mes craintes, soient d'une autre nature, le point de contact serait trouvé. »

J'en doute un peu. L'ambition d'un employé, c'est l'avancement de 300 francs tous les trois ans. Ses déceptions viennent de la gratification rognée; ses amours sont à trop bon marché pour nous; ses craintes de l'avenir se bornent à ne pouvoir atteindre le maximum de la retraite. Voilà tout.

Et quand je vous aurai décrit cette vie, vous vous déclarerez satisfait? Et vous me refusez le droit de prendre un employé philosophe, résigné, qui se dit : « Je n'ai pas d'espoir, pas d'avenir. Je tournerai toujours dans le même cercle. Je le sais, je n'y peux rien : tâchons au moins de ne pas trop souffrir physiquement dans cette misère. »

Et il s'efforce inutilement de se faire une vie matérielle supportable. Il est à *vau-l'eau,* il le sait, ne résiste pas; mais il voudrait au moins avoir bonnes les heures de table, les autres étant si mauvaises. Et vous dites que cela n'est pas juste, pas humain, pas légitime?

Quand donc cessera-t-on de discuter les intentions,

de faire aux écrivains des procès de tendance, pour ne leur reprocher que leurs manquements à leur propre méthode, que les fautes qu'ils ont pu commettre contre les conventions littéraires adoptées et proclamées par eux?

(*Le Gaulois*, 18 mars 1882.)

COMÉDIE ET DRAME

Les nouvelles des pays voisins ont été cette semaine pleines de fantaisie.

Tout est à la pantomine. Pantomine en Prusse et pantomime en Italie.

Il était temps vraiment que M. de Bismarck apportât un peu de nouveauté dans la diplomatie. Cette vieille empaillée, ne changeant jamais ses coutumes surannées, faisait songer au sempiternel cirque Franconi, où l'on voit depuis l'origine des temps le même cheval tourner dans la même piste.

Le chancelier allemand qui semble tenir les représentants étrangers en mince estime — car jamais, sous aucun prétexte, pour aucune raison, il ne consent à causer deux minutes avec eux — vient d'inaugurer un genre nouveau de diplomatie muette, qui lui permet de faire connaître ses intentions aux ambassadeurs, sans ouvrir la bouche.

La première séance a eu lieu au moyen d'un grand dîner-pantomime à la façon des Hanlon-Lees.

C'est quelque chose comme les divertissements d'opéra connus sous le nom de ballets; seulement la danse est remplacée par un repas, et les ballerines par des ministres plénipotentiaires, lesquels représentent et figurent les nations d'Europe.

Les journaux nous ont fourni des détails et suggéré des prévisions politiques, à la suite de cette fête où la position des convives à table indiquait, de la façon la plus précise et la plus claire, la pensée du chancelier, les tendances de son amitié, les prochaines combinaisons internationales, le déplacement de l'équilibre dit européen, les principales clauses des futurs traités de commerce, les rectifications de frontières, enfin tous les remaniements de la carte d'Europe au moyen de la carte des plats.

C'est ingénieux et malin comme tout, simple comme l'œuf de Christophe Colomb; et cela supprime la parole, toujours si dangereuse dans les rapports des représentants des peuples. La parole d'ailleurs, grâce aux principes élémentaire de la diplomatie et aux pratiques séculaires adoptées dans le corps des Excellences, dont M. de Bismarck vient de faire une sorte de corps de ballet, était d'une inutilité complète pour l'arrangement des combinaisons politiques. Comme il est bien entendu et connu de tous que jamais un ministre étranger ne doit exprimer sa pensée, ni même la laisser deviner, ni laisser échapper un geste, un regard, un soupir, un mouvement pouvant indiquer ce qui se passe en lui, ni s'engager à rien, ni promettre rien, ni rien affirmer, ni rien nier, le commerce habituel de ces gens devait manquer de fantaisie et d'imprévu.

C'était là, sans doute, l'opinion de M. de Bismarck avant qu'il eût trouvé le moyen pratique et discret d'exprimer lui-même ses volontés, sans se compromettre par un mot.

Après cet important dîner, afin d'éviter toujours de laisser parler ses convives, et pour les distraire un peu, l'amphitryon leur a raconté, d'une façon fort intéressante, la guerre de Trente Ans et ses suites, avec quelques anecdotes de l'époque. Les invités, qui ignoraient absolument ces événements, ont été ravis de recevoir encore un peu d'instruction après un excellent repas; et ils n'ont pu cacher leur étonnement au récit plein d'intérêt du chancelier. Ils se répétaient l'un à l'autre : « Est-il possible que nous ayons pu vivre jusqu'à ce jour sans connaître ces choses? » Puis il leur a dit : « Maintenant, mes enfants, à bon entendeur, salut. Allez vous coucher. Ça suffit. »

Seul l'ambassadeur de Russie, placé à une petite table à part, et qu'on avait privé de crème, pleurait doucement en s'en allant.

L'ambassadeur de Turquie l'a consolé en lui affirmant que le chancelier l'aimait beaucoup.

***

Je sais bien que la Prusse est la patrie du grand Frédéric, et que la France n'est que la patrie de Voltaire ; mais il me semble que, chez nous, ce dîner-pantomime, avec le petit cours d'histoire sur la guerre de Trente Ans, suffirait à faire sombrer dans une tempête de rires le plus génial des ministres.

***

En Italie, c'est encore une pantomime, mais d'un autre genre.

Voulant nous faire comprendre d'une façon moins que discrète que nous ne leur étions plus sympathiques, les Italiens n'ont rien trouvé de mieux que de célébrer en grande pompe, dans tout le royaume, l'anniversaire des Vêpres siciliennes.

Pour les gens peu au courant des dates historiques, c'est en 1282 qu'eut lieu ce célèbre massacre des Français. La manifestation italienne est aussi claire que le dîner Bismarck. Des gens s'en blessent ; n'en vaut-il pas mieux rire ? Faut-il vraiment que ces Italiens aient du temps de reste et des loisirs cérébraux pour organiser, pendant des mois, et exécuter, pendant des jours, ce sixième bout de siècle d'une boucherie d'oppresseurs.

Mais, si la patrie de Polichinelle se met sérieusement à célébrer les anniversaires de toutes ses reprises de liberté, les trois cent soixante-cinq jours de l'année ne suffiront pas, tant elle a été de fois envahie, battue et pas contente.

Si, d'ailleurs, chaque nation en faisait autant, à commencer par nous, il faudrait passer sa vie en des fêtes patriotiques. Pourquoi aussi ne pas rappeler par des deuils publics les jours d'envahissement?

Du reste, en France, peu d'émotion s'est déclarée à la nouvelle de cette manifestation. Nous nous en « battons l'œil », comme on dit dans certain monde.

Il y a vraiment des jours où des peuples entiers sont bêtes comme un seul homme.

On nous affirme, je le sais bien, que ces réjouissances publiques ne sont pas dirigées contre nous.

Cela m'a fait songer à un procès en séparation dont je lisais dernièrement les détails.

Une jeune femme demandait à être éloignée légalement de son mari, pour cette raison qu'il ornait sa boutonnière d'une rose et s'égayait avec une bouteille de champagne chaque année à l'anniversaire de la mort de son beau-père.

A cette argumentation, le mari répondit : « Il est vrai que je célèbre cette date par une petite noce, mais ce n'est point pour blesser ma femme ; je me réjouis seulement de ma délivrance. »

Je ne sais ce qu'ont pensé les juges.

***

Puisque le mot « juges » me vient sous la plume, parlons de ces gens.

Voici, en un mois, deux erreurs judiciaires qu'on nous signale. Des innocents condamnés par des naïfs ont fait quelques ans ou quelques mois de prison imméritée.

Je suis, en matière légale, d'une complète incompétence. Mais il est une chose qui m'étonnera toujours ; c'est la compétence d'un boucher, d'un droguiste ou d'un boulanger, dans les cas si difficiles, si compliqués, si psychologiques, où il faut discerner le coupable entre un innocent imbécile qui se défend mal et un scélérat fort malin qui roule allégrement son tribunal.

Un procureur de la République disait un jour, dans un salon : « Quand un criminel est intelligent, instruit, sans remords, et quand il a bien préparé son crime, neuf fois sur dix on l'acquitte. »

« Or, quand des préventions pèsent sur un sot inhabile à se tirer d'affaire, s'ensuit-il que neuf fois sur dix on le condamne? », demandai-je. — « Non; mais cela arrive souvent », dit l'homme aux réquisitoires.

Il faudrait une rouerie singulière, une pénétration géniale, une connaissance merveilleuse de l'homme avec ses ruses, ses défenses, ses supercheries, et une longue pratique des gredins et des honnêtes gens, tout cela lié, équilibré par une intelligence supérieure, une large philosophie, pour être apte à fouiller dans les cœurs, à discerner les témoignages, à écarter les causes d'erreurs, à faire la part du trouble, de la passion, de la bêtise naturelle et de l'instinct de conservation qui rend malin le dernier des êtres, et c'est le sort, le hasard aveugle qu'on charge de désigner ceux qui rempliront ces délicates et si difficiles fonctions de jurés!

Il faut dix ans de pratique à un piqueur pour connaître les ruses purement instinctives d'un gibier chassé, et, du jour au lendemain, le mercier d'à côté sera capable d'apprécier la culpabilité indémontrable d'un homme?

La bêtise des citoyens-jurés est souvent si patente que le président, navré, se voit contraint de leur expliquer à nouveau la cause entière à laquelle ils n'ont rien compris, et, après cela, ils décident, acquittent et condamnent!

On a supprimé le résumé des débats, qui les pouvait influencer. Quel coin maintenant ouvrira donc ces huîtres?

(Le Gaulois, 4 avril 1882.)

CHOSES ET AUTRES

Nous a-t-on assez étourdis depuis dix jours avec le mariage Sarah Bernhardt et Damala?

Dès la première rumeur, tous, chroniqueurs et reporters, ont saisi leur plume, leur meilleure plume, et nous ont donné une telle abondance, une telle profusion de renseignements erronés que je défie bien, aujourd'hui, n'importe quel lecteur consciencieux de feuilles à informations d'avoir la moindre idée nette sur l'être que la voyageante actrice vient de prendre pour époux.

Ne nous parlez plus d'elle ni de lui, par grâce, par pitié, ô confrères de la presse bien renseignée. Aussi bien, à quoi nous ont servi vos articles, vos reportages et vos commentaires?

Qui donc, en France, après ces dix jours de chroniquage effréné, pourrait seulement affirmer que Sarah Bernhardt est mariée?

Vous m'avez dit que cette comète, juive errante, catholique, unie avec un Grec devant le consul de Grèce, devenait épouse grecque légitime.

Vous m'avez dit ensuite que cette voix d'or internationale s'était mariée simplement à l'anglaise, comme on sort des soirées ennuyeuses.

Vous m'avez dit en outre que les formalités de la loi anglaise n'avaient pas été régulièrement remplies.

Voyons : est-elle mariée à l'anglaise, à la grecque, à la turque, à la légère, en liberté, aux câpres, aux cornichons ou à la sauce blanche? Est-elle mariée un peu, beaucoup, passionnément, ou pas du tout?

Comment le savoir?

Tant de doutes ont été soulevés; cette union a été narrée de tant de façons contradictoires, tant de juridictions opposées semblent avoir présidé à cet accouplement, tant de cas de nullité paraissent ménagés, que nous gardons le droit de ne pas croire davantage à une formalité régulière qu'aux regards magnétiques de l'insensibilisateur Donato.

Puis, une fois admise, cette vraisemblance que l'actrice possède un compagnon faisant fonctions de mari plus ou moins régulier, ce privilégié (si tant est qu'il y ait privilège), est-il M. le comte d'Amala, jeune Grec de noble race et attaché d'ambassade, de grand avenir, tel que vous nous l'avez présenté d'abord?

Ou bien, n'est-ce que M. Damala, tout court, sans titre ni particule, mais toujours Grec et diplomate, ainsi que vous nous l'avez affirmé ensuite?

Ou encore est-ce M. Damala, simple fils d'un honorable commerçant marseillais, vendeur de ces produits coloniaux que nous connaissons généralement sous la dénomination d'épicerie?

Sarah, enfin, se serait-elle mésalliée comme vous nous l'avez laissé supposer en dernier lieu?

Oh! le doute! le doute!

Au fond,

Je m'en soucie autant qu'un poisson d'une pomme.

Peu m'importe que le nouvel époux soit descendant d'Ulysse en personne, ou issu d'un marchand de pruneaux de la Canebière; peu m'importe que l'on puisse dire à propos de lui, plus tard, le vers d'un poète mort :

C'était le descendant d'une antique lignée,

ou bien le vers, un peu modifié, de François Coppée :

C'était un tout petit épicier de Marseille.

Mais je trouve, ô confrères de la presse informée, que vous me donnez bien peu de renseignements dans beaucoup de copie.

***

Un autre mariage est annoncé qui fera jaser sous peu. Un jeune homme de vingt-six ans, fils de parents pauvres, nobles et malhonnêtes sans doute, va épouser une femme de soixante-quatre ans, mais riche et grand'mère, au détriment incontestable des premiers héritiers.

Qu'on me permette quelques réflexions.

Puisque la loi punit ce qu'elle appelle les détournements de mineures, comment tolère-t-elle, et même sanctionne-t-elle, ces violations d'aïeules?

Est-il plus immoral de souiller une enfant que de profaner une ancêtre? de commencer trop tôt, que de finir trop tard? *Maxima debetur puero reverentia.* Certes, si l'enfance a droit à nos plus délicats égards, la sainte vieillesse, la vieillesse en cheveux blancs ne devrait-elle pas nous inspirer un respect sans défaillances?

S'il est odieux d'abuser de l'être trop jeune, de devancer l'heure où la nature le fait nubile, n'est-il pas plus odieux encore, et encore moins dans l'ordre régulier, de persévérer après l'heure où la nature a défendu la maternité?

Puisque la loi prend la peine de fixer l'âge de l'amour au début de la vie (peine souvent inutile, mais dont l'intention est louable), ne serait-il pas logique qu'elle fixât aussi la limite d'âge, l'instant de la retraite, le moment de l'extinction des feux?

Que le législateur se préoccupe également de la jeune et de la vieille, car les extrêmes se touchent, dit-on.

L'une n'est pas encore mûre, l'autre l'est trop. L'une n'est pas encore femme ; l'autre a cessé de l'être. Cela se vaut.

Donc, ne serait-il pas juste de condamner à la même peine celui qui abuse d'une fillette avant quinze ans et celui qui se prête aux débordements des antiques débauchées ?

Une loi, s.v.p., contre les épouseurs et contre les trousseurs de vieilles !

En tout cas, ce sont là deux mariages qui annoncent deux séparations ou deux divorces.

Or, voici d'avance un document qui pourra servir à l'un comme à l'autre couple. C'est la troisième circulaire de la même sorte qui me passe entre les mains depuis un mois.

MAISON ?
rue... n°...   Paris, le...

Renseignements intimes, etc. —
Recherches de documents importants pour séparation de corps.
— Procès civils, etc. Renseignements divers au moyen de surveil-
lances quotidiennes.

Nota. Monsieur... fait observer   Monsieur,
que ses affaires sont toujours
faites sous sa surveillance immédiate, et, quand on le désire, par
lui seulement.

Les connaissances que j'ai acquises par la pratique de chaque jour et surtout une *discrétion* absolue ont su me faire apprécier par le Commerce, la Magistrature, les Hautes Classes et par toutes les personnes qui ont songé à recourir à mes services.

J'ai été honoré de la confiance intime de tous ceux qui ont reconnu l'utilité de ces services que je puis toujours rendre à un moment donné par la surveillance discrète et quotidienne que je suis en mesure d'exercer.

Daignez agréer, etc.

33

Voilà, par exemple, des industries qui me font l'effet de franchir allégrement le mur de la vie privée.

Or çà, la loi ne tolère pas la preuve en matière de calomnie; elle s'oppose même à la médisance, et voilà installée, organisée, la liberté de l'espionnage, de la délation, la porte ouverte à toutes les infamies de la mouchardise.

Ces louches et malfaisants chercheurs de pistes envoient ouvertement leurs programmes et leurs réclames avec leur nom et leur adresse.

Enregistrons l'un et l'autre pour savoir où frapper... à coups de botte, si jamais nous sommes victimes de ces policiers de contrebande.

Que dites-vous de la « Recherche de Documents importants pour séparation de corps »?

Le sale métier que font ces sales gens!

(*Gil Blas,* 12 avril 1882.)

LES AMIES DE BALZAC

Celle qui fut d'abord Mme Hanska, puis Mme Honoré de Balzac, vient de mourir. Elle a tenu dans la vie de l'immortel écrivain une place prédominante; elle semble même avoir possédé son unique amour profond.

Mais, à côté d'elle, beaucoup d'autres femmes, toutes de mérite et d'esprit, ont eu leur part dans l'affection expansive du romancier. On eût dit qu'il leur jetait partout de grands morceaux de son cœur.

Car Balzac était un TENDRE.

Il y aurait une bien curieuse et bien intéressante étude à faire sur ce sujet : « Le rôle, l'importance et l'influence des femmes dans la vie des hommes de lettres. » Car tous les artistes ont une manière différente d'envisager la femme, de la comprendre, de l'aimer et de la pratiquer.

Le temps des grandes passions idéalistes est passé; les Pétrarques sont rares aujourd'hui; et beaucoup d'hommes de labeur s'éloignent systématiquement de ce qu'on appelait naguère « le beau sexe », ou du moins ne lui demandent que des plaisirs rapides et tout matériels, fermant leurs cœurs aux amours exaltées.

Parmi les grands écrivains morts depuis le commencement du siècle, on rencontre, suivant les tempéraments, les plus diverses manières de comprendre l'amour.

Gœthe semble avoir conçu et réalisé une sorte de harem libre, avoir voulu parcourir en même temps toute la gamme des tendresses, goûter à tous les plaisirs, se délecter à toutes les sources de l'affection féminine.

Il traitait l'amour en grand seigneur qui ne se veut priver de rien.

Il lui fallait, pour être heureux, dit-on, mener cinq intrigues de front — cinq, ni plus ni moins. — Il avait d'abord, pour son âme, rien que pour son âme, pour entretenir en lui une exaltation artistique et sentimentale dont il avait besoin, une sereine passion où rien de charnel n'entrait. Don Quichotte conscient, il idéalisait une Dulcinée quelconque et la posait religieusement sur l'autel des pures extases en l'entourant de petites fleurs bleues.

Pour son cœur, il lui fallait un amour ardent, tendre et charnel, poésie et sensualité mêlées, quelque chose de distingué, avec titre et position sociale, une passion mondaine enfin.

Puis il avait son *ordinaire,* une maîtresse comme toutes les maîtresses, une fille toujours prête, esclave caressante et payée : un lit garni, enfin, avec le foulard sous l'oreiller.

Mais quand un homme est complet, quand tout son mécanisme fonctionne, il a aussi des instincts bas, des vices. Gœthe estimait que cette partie de son être méritait autant d'égards que l'autre, que la partie dite supérieure ; et il ne méprisait point, paraît-il, la servante d'auberge, la laveuse de vaisselle, la fille aux bras rouges, au linge grisâtre, aux bas blancs.

Ce qui ne l'empêchait pas de courir encore la gueuse par les rues.

Musset, après des velléités d'amour, des essais d'affection complète, c'est-à-dire de cette affection où le cœur et les sens ont leur part, semble s'en être tenu définitivement aux caresses des drôlesses numérotées.

Byron, sur qui bien des légendes ont couru, après cette passion inquiète qu'il a eue pour la Guiccioli, traita la femme en marchandise, qu'il payait largement, paraît-il.

Chateaubriand ne fut-il pas torturé par cette inavouable et brûlante tendresse qu'il nous raconte dans *René*.

Lamartine aima un nuage qu'il baptisa du nom d'Elvire. Mais on dit tout bas qu'il ne s'en tenait point à cette affection céleste.

***

Balzac adorait les femmes, mais d'une façon poétique, éthérée et raffinée. Comme Gœthe, il paraît avoir eu diverses catégories d'amies ; mais, avec lui, elles demeuraient simplement des amies.

En pouvait-il être autrement? Chez cet homme, tout est cerveau. Ce prodigieux remueur d'idées, qui passa son existence à regarder ses rêves, ne semble avoir vécu que dans les joies cérébrales et n'avoir jamais touché aux autres. Chez lui, tout est pensée : à peine même s'inquiète-t-il de l'art, de la beauté plastique, de la forme pure, de la signification poétique des choses, de cette vie imagée et imaginée dont les poètes animent les objets.

Il avoue ingénument qu'en visitant la galerie de Dresde il est resté froid devant les Rubens et les Raphaël, parce qu'il n'avait point dans sa main celle de la comtesse Hanska !

Dans ses labeurs herculéens, au milieu de ses embarras d'argent, de toutes les difficultés qu'il traversa, c'est aux femmes qu'il demande les consolations, le courage, les douceurs d'âme dont il a besoin.

Elles furent, du reste, ses fidèles amies.

Il était avide de leur tendresse et la chercha toute sa vie. Presque adolescent encore, il écrivait à sa sœur : « Mon assiette est vide et j'ai faim. Laure, Laure, mes deux seuls et immenses désirs : être célèbre et être aimé, seront-ils jamais satisfaits? » — Puis, plus tard : — « Me consacrer au bonheur d'une femme est pour moi un rêve perpétuel. » Une autre fois, après une de ces périodes de travail fou qui l'ont tué, lassé d'écrire, il se tournait vers cet amour qu'il appelait sans cesse et il s'écriait : « Vrai, je mérite bien d'avoir une maîtresse ; et tous les jours mon chagrin s'accroît de n'en point avoir, parce que l'amour, c'est ma vie et mon essence. » Il en rêvait sans fin, et, avec une naïveté d'écolier qui attend le prix du devoir terminé, il le considérait comme la récompense réservée et promise par le ciel à ses labeurs.

Et rien, absolument rien, de matériel n'entrait dans cette soif de la femme. Il aimait leur cœur, le charme de leur parole, la douceur de leurs consolations, l'abandon tendre de leur commerce, peut-être aussi leurs parfums, la finesse de leurs mains pressées, et cette molle tiédeur qu'elles semblent répandre dans l'atmosphère qui les entoure. Il poussait vers elles des appels d'enfant malade qui a besoin d'être soigné, et se jetait sur leur affection, l'implorait, s'y réfugiait dans ses fatigues, ses déboires, ses tristesses, lorsqu'il était blessé par quelque injustice de ces Parisiens « chez qui la moquerie remplace ordinairement la compréhension ». Jamais une pensée charnelle ne semble l'avoir effleuré.

Il s'en défend même avec violence : « Moi? un homme chaste depuis un an... qui regarde comme entachant tout plaisir qui ne dérive pas de l'âme et qui n'y retourne pas. »

Enfin, son vœu le plus ardent est exaucé! Il aima et fut aimé. Alors ce furent des épanchements sans fin d'adolescent à son premier amour, des débordements de joie infinis, des délicatesses de langage extraordinaires, des quintessences et des puérilités de sentiments.

Lorsqu'Elle est loin, il hésite à manger les fruits qu'il aime, parce qu'il ne veut point goûter un plaisir qu'elle ne partage pas. Lui, qui se plaignait si fort de perdre tant de temps aux lettres que réclamait sa mère, passe des nuits entières à écrire à celle qu'il adore; il ne travaille plus et court à la poste à tout moment pour chercher les réponses venues de Russie. Puis, lorsqu'il ne les trouve pas, il a des accès de découragement, presque de folie. Il reste tantôt immobile; tantôt il s'agite sans raison, il ne sait que faire, s'irrite et s'exaspère : — « Le mouvement me fatigue et le repos m'accable. »

Il lui écrit, dans cet éternel étonnement des amoureux : « Je ne suis pas encore habitué à vous connaître, après des années. » Il se plonge dans le souvenir des jours heureux écoulés près d'elle. Il ne sait comment exprimer ce qu'il ressent, lorsque lui revient la pensée de quelques bonheurs lointains. Il s'écrie alors : « Il y a des choses du passé qui me font l'effet d'une fleur gigantesque, — que vous dirai-je ?... d'un magnolia qui marche, d'un de ces rêves du jeune âge trop poétiques et trop beaux pour être jamais réalisés. »

Il fut réalisé, son rêve, mais trop tard.

Celle qu'il avait tant aimée et qui vient, à son tour, de mourir put enfin devenir sa femme, après des obstacles sans nombre. Une maladie de cœur avait miné depuis longtemps l'infatigable écrivain. Au lieu de partager les gloires de son mari, et de goûter le bonheur que lui promettait son grand amour, Mme Honoré de Balzac n'avait plus qu'un mourant à soigner.

(*Le Gaulois,* 22 avril 1882.)

ROMANS

En tête de son nouveau volume intitulé *Quatre Petits Romans,* notre confrère Jean Richepin a placé une intéressante préface, que les lecteurs de *Gil Blas* connaissent déjà.

Cette préface est une sorte d'analyse du livre, analyse faite sur un ton plaisant de débiteur de boniment.

Elle renferme beaucoup de choses très justes à mon gré; mais elle contient aussi la phrase suivante : « La belle malice de m'inventorier un appartement avec une minutie d'huissier. Le puissant effort de me noter comment M. Chose a le nez tordu, comment Mme Machin a la nuque tournée, comment des gens quelconques gesticulent, crachent, mangent, et s'acquittent de toutes leurs fonctions ordinaires! »

Eh bien, cette phrase m'inquiète. Elle contient en résumé toutes les critiques, adressées aux écoles dites réalistes, naturalistes, etc., qu'on peut, je crois, comprendre en bloc sous cette dénomination : « Ecoles de la vraisemblance. »

Oh! je ne nie point qu'on ait souvent abusé de la description à outrance; je ne conteste pas qu'on ait fait souvent le principal de l'accessoire; je ne mets pas en doute que la psychologie soit la chose essentielle des romans vivants, mais je crois que retrancher la description de ces ouvrages, ce serait en supprimer l'indispensable mise en scène, en détruire la vraisemblance palpable, enlever tout le relief des personnes, leur ôter

40

leur physionomie caractéristique, et négliger volontairement de leur donner le fameux coup de pouce artistique. Ce serait, en un mot, supprimer tout le travail de l'artiste pour ne laisser subsister que la besogne du psychologue.

Dans tout roman de grande valeur il existe une chose mystérieusement puissante : l'*atmosphère* spéciale, indispensable à ce livre. Créer l'atmosphère d'un roman, faire sentir le milieu où s'agitèrent les êtres, c'est rendre possible la vie du livre. Voilà où doit se borner l'art descriptif ; mais sans cela rien ne vaut.

Voyez avec quel soin Dickens sait indiquer les lieux où s'accomplit l'action. Et il fait plus que les indiquer, il les montre, les rend familiers, rendant ainsi plus vraisemblables, nécessaires même les péripéties du drame qui, exposé en un autre cadre, perdrait son relief et son émotion.

Quand il nous présente un personnage, il le décrit jusque dans ses tics, dans les moindres habitudes de son corps, dans ses mouvements ordinaires ; et il insiste, il se répète.

J'ai cité Dickens, parce qu'il est aujourd'hui un maître incontesté, qu'il n'est pas Français, et que ce romancier a poussé aussi loin que possible l'art de donner une vie extérieure à ses figures, de les rendre palpables comme des êtres rencontrés, en poussant jusqu'à l'exagération ce besoin de détail physique.

La partie psychologique du roman, qui est assurément la plus importante, n'apparaît puissamment que grâce à la partie descriptive. Le drame intime d'une âme ne me tordra le cœur que si je vois bien nettement la figure derrière laquelle cette âme est cachée.

Il semble qu'on pourrait classer les romans en deux catégories bien distinctes : ceux qui sont nets et ceux qui sont vagues. Les premiers sont les romans bien mis en scène, les seconds les romans expliqués simplement par la psychologie. Quelque extrême que soit le mérite de ces derniers, ils restent toujours confus pour moi, et lourds, comme indigestes et indistincts. Ils ont leur type dans les remarquables œuvres psychologiques de Stendhal dont la valeur n'apparaît que par la réflexion, dont les qualités semblent cachées au lieu de sauter aux yeux, d'être lumineuses, colorées, mises en place par la main d'un *artiste*.

Les dedans des personnages ont besoin d'être commentés par leurs gestes.

Les faits ne sont-ils pas les traductions immédiates des sentiments et des volontés? Expliquer l'âme par l'inflexible logique des actions n'est-il pas plus difficile que de dire : — M. X... pensait ceci, puis cela, faisait cette réflexion, puis cette autre, etc., etc.? Décrire le milieu où se passera l'aventure, d'une façon si nette que cette aventure y vive comme en son cadre naturel; montrer les personnages si puissamment que tous leurs dessous soient devinés rien qu'à les voir; les faire agir de telle sorte qu'on dévoile au lecteur, par les actes seulement, tout le mécanisme de leurs intentions, sans entreprendre en eux un voyage géographique avec la carte des désirs et des sentiments, ne serait-ce pas là faire du vrai roman, dans la stricte et, en même temps, la plus grande acception du mot?

Je vais plus loin. Je considère que le romancier n'a jamais le droit de qualifier un personnage, de déterminer son caractère par des motifs explicatifs. Il doit me le montrer tel qu'il est et non me le dire. Je n'ai pas besoin de détails psychologiques. Je veux des faits, rien que des faits, et je tirerai les conclusions tout seul.

Quand on me dit : « Raoul était un misérable », je ne m'émeus point, mais je tressaille si je vois ce Raoul se conduire comme un misérable.

Chez le romancier, le philosophe doit être voilé.

Le romancier ne doit pas plaider, ni bavarder, ni expliquer. Les faits et les personnages seuls doivent parler. Et le romancier n'a pas à conclure; cela appartient au lecteur.

Cette question d'art, très confuse en beaucoup d'esprits, donnerait peut-être l'explication de bien des haines littéraires. Il est des gens qui ne peuvent comprendre que si on leur dit : « La pauvre femme était bien malheureuse », ceux-là ne pénétreront jamais les grands artistes dont la mystérieuse puissance est tout intentionnelle, et sobre de commentaires. L'œuvre porte leur indéniable marque par sa matière et sa contexture; mais jamais on ne voit surgir leur opinion, ni leurs desseins profonds s'expliquer par des raisonnements. Et quand ils décrivent, on dirait que les faits, les objets, les paysages se dressent, parlent, et se racontent eux-mêmes; car il faut une géniale et tout originale impersonnalité pour être un romancier vraiment personnel et grand.

**

Laissons cette question qui demanderait à elle seule un volume de développements. Je me suis laissé prendre par une phrase au lieu de parler uniquement, comme je le voulais faire, du très remarquable volume de Jean Richepin. La première œuvre, *Sœur Doctrouvé*, est la simple et poignante histoire d'une pauvre fille de noble famille qui se sacrifie à son nom, laisse à son frère sa part d'héritage, et entre au cloître à l'heure du premier frisson des sens. Faite pour l'amour, elle devient bientôt une sorte d'extatique, d'exaltée volontaire, sauvagement religieuse; mais voilà qu'elle apprend soudain le mariage de ce frère chéri avec la fille, deux fois millionnaire, d'un banquier juif; et tout s'écroule en elle, tout, jusqu'à sa croyance en Dieu; et elle meurt désespérée, victime de son héroïque et inutile sacrifice. Sobre et puissante, cette nouvelle fait froid au cœur dans sa vérité nue.

Le second récit, *M. Destremeaux,* est la curieuse histoire d'un pauvre clown enrichi qui devient amoureux d'une jeune fille, et, ruiné soudain à la veille du mariage, s'éloigne en demandant trois ans pour refaire sa fortune détruite.

Il réussit. Mais, aveuglé par l'amour, il n'avait point révélé au père de sa fiancée l'humiliante profession d'où venait son argent.

Alors, au moment de s'emparer du bonheur promis, il se confesse dans une longue et fort belle lettre, pleine d'orgueil et d'humilité, mais la famille indignée le repousse.

Puis, un soir, comme la jeune fille, maintenant mariée, assistait aux divertissements du cirque, elle le reconnaît au moment où il va exécuter un saut vertigineux. Elle pousse un cri; il la voit, jette un baiser de son côté et, s'élançant dans le vide, vient se briser la tête à ses pieds.

J'aime moins le troisième conte : *Une Histoire de l'Autre Monde*. Mais, j'ai ce défaut, car ce doit être un défaut, d'être rebelle aux extraordinaires aventures qui me laissent le seul étonnement qu'on ait pu imaginer des choses aussi invraisemblables.

Le volume se termine par un remarquable roman historique, qui est vrai dans le fond, bien que surprenant, car les personnages s'appellent les Borgia.

C'est le récit des débuts du fameux César Borgia, ce fils de pape qui, amant de sa sœur Lucrèce, fut le rival de son père, et l'assassin de son frère, et bien autre chose encore.

Cette épouvantable histoire, racontée sur un ton tranquille d'historien et de romancier qui regarde avec intérêt ces êtres singuliers, prend une intensité naturelle dans les faits mêmes. Et c'est là, à mon humble avis, le plus excellent morceau du livre nouveau de Jean Richepin.

(*Gil Blas*, 26 avril 1882.)

CONFLITS POUR RIRE

Depuis la bruyante expulsion des moines, nous sommes entrés dans l'ère des conflits entre l'autorité civile et la domination ecclésiastique. Tantôt les départements stupéfaits assistent au duel héroïque du préfet et de l'évêque; tantôt la France entière reste béante devant le combat singulier d'un ministre et d'un cardinal.

Mais les conflits entre les deux pouvoirs qui se partageaient jusqu'ici le pays prennent un intérêt tout particulier quand ils se produisent entre un simple maire et un humble curé; entre un Frère et un instituteur. Alors on assiste vraiment à des luttes désopilantes, toute question de foi mise de côté et respectée.

On citait l'autre jour en ce journal un article de M. Henri Rochefort, à propos de la nouvelle loi contre les écrits immoraux, loi qui met les foudres rechargées entre les mains de tous les Pinard et de tous les Bétolaud de l'avenir; et à ce propos, le mordant écrivain rappelait que beaucoup de monuments ont été mutilés par le zèle aveugle d'ecclésiastiques férocement honnêtes. Je lui dédie l'histoire suivante, vraie en tout point, mais ancienne déjà.

**

Un petit village normand possédait une église très vieille et classée parmi les monuments historiques. Seul,

45

le conservateur desdits monuments pouvait donc autoriser les modifications ou réparations.

Non pas qu'on respecte beaucoup les monuments historiques quand ces monuments sont religieux. L'église romane d'Etretat, par exemple, est agrémentée aujourd'hui de peintures et de vitraux à faire aboyer tous les artistes, et les hideuses ornementations du style jésuite ont gâté à tout jamais une foule de remarquables édifices.

La petite église dont je parle possédait un portail sculpté, un de ces portails en demi-cercle où la fantaisie libre d'artistes naïfs a gravé des scènes bibliques dans leur simplicité et leur nudité premières.

Au centre, comme figure principale, Adam offrait à Eve ses hommages. Notre père à tous se dressait dans le costume originel, et Eve, soumise comme doit l'être toute épouse, recevait avec abandon les faveurs de son seigneur.

D'eux sortaient, comme un double fleuve, les générations humaines, les hommes s'écoulant d'Adam et les femmes de la mère Eve.

Or, ce village était administré par un curé fort honnête homme, mais dont la pudeur saignait chaque fois qu'il lui fallait passer devant ce groupe trop naturel. Il souffrit d'abord en silence, ulcéré jusqu'à l'âme. Mais que faire?

Un matin, comme il venait de dire la messe, deux étrangers, deux voyageurs, arrêtés devant le porche de l'édifice, se mirent à rire en le voyant sortir.

L'un d'eux même lui demanda : « C'est votre enseigne, monsieur le curé? » Et il montrait nos antiques parents, éternellement immobiles en leur libre attitude.

Le prêtre s'enfuit, humilié jusqu'aux larmes, blessé jusqu'au cœur, se disant qu'en effet son église portait au front un emblème de honte, comme un mauvais lieu.

Et il alla trouver le maire, qui dirigeait le conseil de fabrique. Ce maire était libre penseur.

Je laisse à deviner quels furent les arguments du prêtre et les réponses du citoyen.

Eperdu, l'ecclésiastique implorait, suppliait, pour que l'autorité civile permît seulement qu'on diminuât un peu notre père Adam, rien qu'un peu, une simple modification à la turque. Cela ne gâterait rien, au contraire. Le conservateur des monuments historiques n'y verrait que du feu, d'ailleurs. Le maire fut inflexible, et il congédia le desservant en le traitant de rétrograde.

Le dimanche suivant, la population stupéfaite s'aperçut qu'Adam portait un pantalon. Oui, un pantalon de drap, ajusté avec soin au moyen de cire à cacheter. De la sorte, le monument et le premier homme restaient intacts, et la pudeur était sauve.

Mais le fonctionnaire civil fit un bond de fureur et il enjoignit au garde champêtre de déculotter notre ancêtre. Ce qui fut fait au milieu des paroissiens égayés.

Alors le curé écrivit à l'évêque, l'évêque au conservateur. Ce dernier ne céda pas.

**

Mais voici qu'une retraite allait être prêchée dans le village en l'honneur d'un saint guérisseur dont la statue miraculeuse était exposée dans le chœur de l'église; et cette fois le curé ne pouvait supporter l'idée que toutes les populations accourues des quatre coins du département défileraient en procession sous notre impudique aïeul de pierre.

Il en maigrissait d'inquiétude; il implorait une illumination du ciel. Le ciel l'éclaira, mais mal.

Une nuit, un habitant voisin de l'église fut réveillé par un bruit singulier. Il écouta. C'étaient des coups violents, vibrants. Les chiens hurlaient aux environs. L'homme se leva, prit un fusil, sortit. Devant l'église un groupe singulier s'agitait; et une lueur de lanterne semblait éclairer une tentative d'escalade, ou plutôt d'effraction, car les coups indiquaient bien qu'on

47

essayait de fracturer la porte. Pour voler le tronc des pauvres, sans doute, et les ornements d'autel.

Epouvanté, mais timide, le voisin courut chez le maire; celui-ci fit prévenir les adjoints, qui s'armèrent et réquisitionnèrent les pompiers. Les valets de ferme se joignirent à leurs maîtres, et la troupe, hérissée de faux, de fourches et d'armes à feu, s'avança prudemment en opérant un mouvement tournant.

Les voleurs étaient encore là. La porte résistait sans doute. Avec mille précautions, les défenseurs de l'ordre se glissèrent le long du monument; et soudain, le maire qui marchait le dernier, cria d'une voix furieuse : « En avant! saisissez-les! » Les pompiers s'élancèrent... et ils aperçurent, grimpés sur deux chaises, le curé et sa servante en train d'amoindrir Adam.

La servante, en jupon, tenait à deux mains sa lanterne, tandis que le prêtre frappait à tour de bras sur la pierre dure qui céda, tout juste à ce moment.

« Au nom de la loi, je vous arrête! », hurla l'officier de l'état civil, et il entraîna l'ecclésiastique désespéré et la bonne éplorée, tandis que le garde champêtre ramassait, comme pièces à conviction, le morceau que venait de perdre le générateur du genre humain, plus la lanterne et le marteau.

De longues entrevues, eurent lieu entre l'évêque et un préfet conciliant pour étouffer cette grave affaire.

***

Autre conflit.

Plusieurs journaux plaçaient dernièrement sous nos yeux la lettre indignée d'un brave curé à l'instituteur de son pays, pour sommer ce maître d'école de déclarer si, oui ou non, il avait traité l'Histoire sainte de *blagues*.

Les journaux religieux se sont fâchés; les journaux libéraux ont argumenté doctement.

Or, la question me paraît délicate et difficile.

D'après la nouvelle loi, il semble interdit aux instituteurs d'enseigner l'Histoire sainte. Qui donc l'enseignera? — Personne. — Alors, les enfants ne la sauront jamais.

Mais si l'instituteur est autorisé à exposer les aventures de ce recueil d'anecdotes merveilleuses qu'on appelle l'Ancien Testament, peut-on exiger qu'il donne comme articles de foi la création du monde en six jours, l'arrêt du soleil par Josué, la destruction musicale des murs de Jéricho, la promenade de Jonas dans l'intérieur mystérieux d'une baleine, etc.?

Quand il apprendra aux futurs électeurs à ne pas croire aux baguettes de coudrier des sorciers, leur racontera-t-il le miracle à la Rambuteau de Moïse produisant de l'eau par un moyen qui, aux termes de la Bible, ne semble guère anormal? S'il doit affirmer que Mme Loth fut changée en statue de sel, comment lui défendra-t-on de certifier énergiquement l'absolue authenticité des métamorphoses racontées par Ovide? S'il met l'Histoire sainte au même rang que la mythologie; s'il appelle l'une « le Récit des fables sacrées de l'Eglise chrétienne » et l'autre « le Récit des fables sacrées du paganisme », pourra-t-on le blâmer, le réprimander?

Je vous le dis, en vérité, d'un bout à l'autre de la France, en ce moment, surgissent des conflits ineffables.

Et comme on voudrait entendre les arguments qu'échangent avec leurs partisans et leurs adversaires, le soir, dans le jardin de l'école ou sous le berceau du presbytère, ces inapaisables rivaux!

(*Gil Blas*, 1er mai 1882.)

CHRONIQUE

Et on prétend qu'il n'y a plus de ces bons et braves domestiques d'autrefois, dévoués au maître, prêts à mourir pour lui, gardiens de ses intérêts, faisant corps avec la famille! Mais le procès dit « des deux duchesses » vient de nous révéler une invraisemblable collection de ces domestiques modèles.

Où donc M. le duc de Chaulnes a-t-il pu découvrir cette légion de valets incorruptibles et vertueux, oh! mais là, vertueux à rendre des points aux muets de Turquie.

Enfoncés, les légendaires eunuques! Les larbins du château de Sablé les laissent loin, et on affirme que le Grand Turc vient d'écrire à Mme la duchesse de Chevreuse pour lui proposer un échange.

Où sont les souples valets de Molière; et Scapin, et tous ses frères si subtils, rusés, joyeux, toujours prêts à ouvrir aux galants les portes secrètes, et contents, comme il convient, quand le maître se trouvait dandinisé à outrance.

Ceux de Sablé ont l'air de sortir d'une pièce honnête de M. Scribe (avez-vous remarqué que Scribe reste « monsieur » après sa mort?); ils ont des sentiments honnêtes à revendre, et même de l'héroïsme à profusion.

Ils s'aperçoivent qu'un étranger pénètre mystérieusement dans le manoir, et ils s'en vont, à deux, en grande cérémonie, trouver le seigneur qui se couche : « Monsieur le duc, disent-ils ensemble, il y a un voleur dans le château. »

Un *voleur*! Que de délicatesse, de finesse, de savoir-vivre, de discrétion pour des valets!

Le lendemain, ce qu'on suppose être l'invisible et nocturne visiteur s'est présenté en face du pont-levis (il doit y avoir un pont-levis dans ce drame), avec un revolver à la main (j'aimerais mieux une arquebuse).

Et aussitôt un serviteur magnanime se jette à sa rencontre et l'arrête.

Une autre fois, c'est un garde qui brave stoïquement l'arme du séducteur supposé.

Celui-ci, selon l'affirmation des domestiques, ne marche plus que le pistolet au poing; et l'armée des valets fidèles se jette chaque fois à sa rencontre.

Nous sommes en pleine chevalerie. C'est vraiment trop beau. Ce n'est pas tout.

Une autre fois, la jeune femme soupçonnée trouve dans un jardin public un homme qu'elle connaît, et se met à causer. Aussitôt les deux nourrices, saisies d'indignation, déposent leurs nourrissons et leurs tabliers sur un banc, referment leur corsage, et déclarent qu'elles se retirent.

Et elles s'en vont, toutes les deux, en cadence, comme dans le divertissement de *M. de Pourceaugnac*.

Jamais, non jamais tant de dévouement ne s'est rencontré dans des âmes aussi vulgaires... Il est vrai que le maître allait mourir... et... il serait peut-être intéressant de savoir si quelque clause du testament n'a pas récompensé une conduite si méritoire.

Mais non, sans doute; n'effleurons pas d'un soupçon ces honnêtes gens.

Plus de dix mille maris ont déjà écrit au château de Sablé et se sont fait inscrire pour tâcher d'obtenir un de ces serviteurs modèles, ou, du moins, un petit de la race.

Il est un autre moyen pour s'en procurer d'aussi précieux.

Nous recevons de temps en temps les lettres-réclames d'habiles industriels qui se chargent, en promettant une impénétrable discrétion, de faire surveiller, jour par jour, heure par heure, les gens dont nous avons intérêt à surprendre les moindres actions.

Ils affirment que cette invisible et constante inquisition aura lieu par les moyens les moins prévus, et ils se chargent « de rechercher et de fournir tous les documents nécessaires pour séparation de corps ».

Non pas qu'on puisse supposer une seconde les valets de M. de Chaulnes sortis d'un établissement pareil; mais on peut constater du moins que leur précieuse honnêteté a donné exactement les mêmes résultats que la discrète surveillance des mouchards à gages qu'on se procure si facilement chez les marchands de documents pour séparation de corps.

O vertueux serviteurs, je vous aimerais mieux, je crois, un peu moins probes!

M. de Chaulnes fut, paraît-il, un très brave et très digne gentilhomme d'un autre temps, du bon vieux temps, comme ses domestiques. Eh bien, si j'étais femme, je n'aimerais pas du tout, mais pas du tout, un époux des époques passées. En lisant ce curieux procès, on plaint assurément cet homme simple, et trop candide, et trop honnête pour son siècle; mais on plaint aussi la jeune et belle fille mariée à cet ascète fanatique.

Et, si j'étais juge...

*
**

Oh! si j'étais juge, je me montrerais peut-être fort sévère pour la jeune et charmante duchesse qui excite en ce moment la pitié galante des chroniqueurs.

Non pas que je m'étonne, comme ses valets, de ses écarts; loin de moi cette rigueur et cette intolérance : mais je trouve abominable, monstrueux, révoltant qu'on ait pu rencontrer dans le corsage de cette femme, qu'on assure une des plus séduisantes du monde, et dont ledit corsage doit être, en conséquence, un des endroits les plus poétiques du globe, des vers aussi plats que ceux cités déjà dans ce journal. Relisons-les :

Je t'aimerai tant que la fleur bénie
S'épanouira pour orner ton séjour ;
Tant qu'au printemps la terre rajeunie
Dit à l'oiseau : « Reviens chanter l'amour. »

Je t'aimerai tant que la blanche étoile
Viendra, le soir, veiller sur ton sommeil ;
Tant que, des nuits perçant le sombre voile,
Le jour viendra sourire à ton réveil.

Je t'aimerai, même si l'inconstance
Te rend parjure, ingrate, à nos amours ;
Malgré l'oubli, mon cœur, sans espérance
Dans sa douleur, pour toi battra toujours.

On peut être un fort galant homme et un fort mauvais poète ; mais alors pourquoi montrer plus de prétentions que M. Jourdain ?

« Belle duchesse, vos beaux yeux me font mourir d'amour », aurait écrit simplement le bourgeois gentilhomme ; c'est de la prose, cela ; mais

Je t'aimerai tant que la fleur bénie
« S'épanouira » pour orner ton séjour...

m'aurait enlevé, je l'avoue, toute velléité de faiblesse pour un amoureux aussi privé de qualités poétiques.

Oui, cette absence de littérature m'aurait gâté les sentiments les plus exaltés ; l'envoi de ce morceau rappelle trop vivement les déclarations de pompier à cuisinière : « Ma bele pouxpoule, je taicri pourre te dir que je viendré mangé un boutlion de mains çoir... »

Comment nous attendrir maintenant ? La duchesse est exquise, dit-on — oui ; mais songer que son corsage est un *séjour orné* de pareils vers de mirliton !

Elle a des yeux d'ange — c'est possible ; — mais quand on pense que ces yeux-là ont dû pleurer sur la *fleur bénie* (pourquoi *bénie ?*).

Et puis, pour peu qu'on soit poète soi-même, quand on rêve en quel endroit délicieux ces vers, dignes de

Bossuet, s'étaient blottis, quand on se dit qu'ils y ont été trouvés, et qu'il y en a peut-être encore de semblables, en ce lieu !... Oh ! Seigneur, faites que je ne trouve jamais une déclaration rimée ainsi dans la poitrine de ma bien-aimée ! Elle me deviendrait odieuse à jamais — ces simples mots : *bénie — séjour — rajeunie — amour — étoile — sommeil — voile — réveil — inconstance — amours — espérance — toujours —* suffiraient à déparfumer pour moi éternellement ces deux fleurs, bénies ou non.

Quand on est beau garçon, séduisant, galant homme, large d'épaules et orné d'une fine moustache (la moustache est indispensable pour être follement aimé), quand on a enfin tous les dehors qu'il faut pour plaire, quelle folie de montrer ses dedans !

O séducteurs, séducteurs coquets : *Acta, non verba,* croyez-moi !

(Le Gaulois, 2 mai 1882.)

GEORGE SAND
D'APRÈS SES LETTRES

George Sand a eu, toute sa vie, à combattre le préjugé; et il est curieux de suivre dans ses lettres ses luttes continuelles contre ses plus fidèles amis, qui ne pouvaient s'accoutumer aux allures libres, à la large indépendance d'esprit et de mœurs, de cette femme en qui la nature s'était trompée.

Que la société, cette portière à cancans, que les gens du monde, ces « sépulcres blanchis », aient fait un crime à cette révoltée de ses allures cavalières et de son profond mépris de l'opinion, on le comprend; mais il est curieux que les hommes d'esprit eux-mêmes aient presque tous montré cette étroitesse, ces crises de sainte prud'homie.

L'homme, en jugeant la femme, n'est jamais juste; il la considère toujours comme une sorte de propriété réservée au mâle, qui conserve le droit absolu de la gouverner, moraliser, séquestrer à sa guise; et une femme indépendante l'exaspère comme un socialiste peut exaspérer un roi.

« L'opinion, dit George Sand, c'est, d'un côté, l'intolérance des femmes laides, froides ou lâches; de l'autre, c'est la censure railleuse ou insultante des hommes qui ne veulent plus de femmes dévotes, qui ne veulent pas encore de femmes éclairées, et qui veulent toujours des femmes fidèles. Or, il n'est pas facile que la femme soit philosophe et chaste à la fois...

» L'opinion, c'est la règle des gens sans âme et sans

vertu... L'opinion que je respecte, c'est celle de mes amis. »

Dans une fort belle lettre à sa mère, elle dit : « Vous, ma chère maman, vous avez souffert de l'intolérance, des fausses vertus des gens à grands principes... »

Et d'autre part : « Mon esprit antisocial et mon mépris pour tout ce que la plupart des hommes respectent. »

Et on trouve, en effet, dans toute la correspondance de cette femme une série d'axiomes philosophiques d'une surprenante largeur, d'une vérité inflexible et d'une tranquille sérénité dont on pourrait faire un *Manuel des rapports sociaux*.

Peu d'êtres assurément ont eu un plus vif sentiment de la liberté, un plus profond respect de la nature des autres et une plus complète tolérance pour les défauts ou plutôt pour les divergences de tempérament de ses amis. Elle établit des principes d'amitié et de camaraderie avec une sagesse rare et souriante. Elle dit :

« J'accepte tous les caractères, tels qu'ils sont, parce que je ne crois guère qu'il soit au pouvoir de l'homme de refaire son tempérament, de faire dominer le système nerveux sur le sanguin ou le bilieux sur le lymphatique. Je crois que notre manière d'être dans l'habitude de la vie tient essentiellement à notre organisation physique, et je ne ferai un crime à personne d'être semblable à moi ou différent de moi. Ce dont je m'occupe, c'est du fond des pensées et des sentiments sérieux...

» Mon Dieu ! quelle rage avons-nous donc ici-bas de nous tourmenter mutuellement, de nous reprocher aigrement nos défauts, de condamner sans pitié tout ce qui n'est pas taillé sur notre patron ?... »

Et toujours reparaît son invincible besoin d'indépendance. « Etre toute seule dans la rue et me dire à moi-même : Je dînerai à quatre heures ou à sept heures, suivant mon bon plaisir. Je passerai par le Luxembourg pour aller aux Tuileries, au lieu de passer par les Champs-Elysées, si tel est mon caprice... »

Or, l'innombrable armée des Prudhommes moralisants pardonne volontiers les fautes couvertes, les péchés que lave l'eau bénite ; mais qu'une femme, une simple femme, leur ose dire : « Je dînerai à quatre heures ou à sept heures suivant mon bon plaisir... » ils s'écrieront : « Miséricorde ! quelle déréglée ! »

***

Avec cette nature, il n'est pas étonnant que la vie conjugale lui ait été bientôt insupportable. Son mari avait, sans doute, l'instinct dominateur de tous les hommes ; elle avait, de son côté, l'instinct de révolte de tous les forts, et l'existence commune leur devint impossible. Un peu nonchalante jusque-là, elle ne semble pas avoir songé à quitter le baron Dudevant, jusqu'au jour où elle découvrit dans un tiroir un testament de lui, destiné à n'être ouvert qu'après sa mort. Comme elle était femme, elle l'ouvrit tout de suite, et y trouva un vrai réquisitoire à son endroit. Sa résolution fut prise en un instant. Ils se séparèrent à l'amiable, et elle vint à Paris avec une rente de trois mille francs.

Trois mille francs, c'était bien peu. Elle songea aux moyens d'augmenter ses revenus, et c'est alors que la pensée d'écrire la saisit. « Je m'embarque, dit-elle, sur la mer orageuse de la littérature. Il faut vivre. »

Voici une des plus curieuses observations à faire sur ce remarquable écrivain, c'est qu'il ne fut pas travaillé dès l'enfance, comme tous les grands artistes, par l'impérieux besoin de traduire ses pensées, ses visions, ses sensations, ses rêves. Jamais elle n'a ce frisson d'art, l'émotion du sujet trouvé, de la scène qui se dessine, l'ivresse de la création, le bonheur de l'enfantement. La joie profonde de la page écrite, et qu'on croit toujours parfaite, dans cette griserie du travail, ne met jamais du feu dans ses veines et un peu de folie dans sa tête. Elle ne pense toujours qu'à l'argent dont elle a besoin, et ne désire pas même de gros bénéfices, un modeste salaire lui suffit — de quoi vivre aisément. Elle accomplit ce métier superbe de pondeur d'idées, comme un menuisier fait des tables, avec la pensée constante de l'argent gagné. Et nous trouvons là, en face de son large besoin d'indépendance, un vif instinct de ménagère, un côté *pot-au-feu* très marqué.

Elle est *bonne maman,* dans le sens commun du mot. Elle n'a pas, enfin, la grandeur qu'on voudrait en cette femme émancipée et si supérieure.

Elle dit, en vingt endroits différents de ses lettres : « Je songe donc uniquement à augmenter mon bien par quelques profits. Comme je n'ai nulle ambition d'être connue je ne le serai point... » — Et, un peu plus tard : « Et puis, voyez l'étrange chose, la littérature devient une passion... Vous vous trompez pourtant si vous croyez que l'amour de la gloire me possède. J'ai le désir de gagner quelque argent. »

« J'ai au moins le bonheur d'être tout à fait étrangère à la littérature et de la traiter comme un gagne-pain. »

C'est donc la nécessité seule qui l'a faite artiste, et non l'éclosion normale du talent qui perce et grandit, malgré tous les obstacles, quand sa graine mystérieuse a été jetée dans un être.

***

Mais c'est peut-être seulement dans son sexe qu'il faut chercher la cause de cette indifférence pour l'art lui-même. De toutes les passions, l'amour de l'*art* pour l'*art* est assurément la plus désintéressée. A côté du désir très légitime de gagner de l'argent, à côté du besoin tout naturel de renommée, l'artiste aime et doit aimer frénétiquement ce qu'il enfante. Aux heures de production, il ne songe ni à l'or ni à la gloire, mais à l'excellence de son œuvre. Il frémit aux trouvailles qu'il fait, s'exalte, comme hors de lui-même, devenu une sorte de machine intellectuelle à produire le beau, et il aime son ouvrage uniquement parce qu'il le croit *bien*.

Or il est à remarquer que dans ses lettres George Sand oppose souvent l'idée de l'argent à l'idée de gloire, mais jamais à l'idée d'*art*.

Il est en outre une observation constante à faire chez toutes les femmes, c'est qu'elles sont obstinément fermées à tout sentiment qui ne les intéresse pas directement.

Jamais elles ne peuvent être juge impartial d'une chose ou d'une idée, se soustraire à leurs tendances, à leurs affections, à leurs sympathies ou à leurs antipathies, pour apprécier quoi que ce soit avec une complète indifférence. Une chose leur plaît ou ne leur plaît pas, les séduit ou les repousse; mais toujours leur personnalité persiste invinciblement, et jamais elles ne pourront sortir d'elles-mêmes pour déclarer beau ce qui choque leur nature ou même ce qui ne s'adresse en rien à leur personne, à leurs croyances, ou à leurs intimes sentiments.

L'*au-delà* d'elles-mêmes leur est étranger. Elles sont, en un mot, passionnelles, inconsciemment mais constamment personnelles, enfermées en elles-mêmes, condamnées à elles-mêmes.

Eh bien, dans ces cent quarante lettres de George Sand, jamais on ne trouve une ligne qui ne se rapporte à des choses personnelles. Jamais d'envolement dans les idées pures, jamais de réflexions étrangères à elle ou à ses amis; jamais elle n'est sortie d'elle-même une minute, pour devenir un simple esprit qui voit, rêve, raisonne et parle, sans croyances préconçues et sentiments intéressés.

Elle ne semble même pas avoir connu cette sensation singulière et puissante de cesser d'être soi pour devenir ce qu'on *écrit,* pour revivre dans un personnage rêvé. Et quand, épuisée de fatigue après un jour de travail, elle s'adresse à ses amis, elle se plaint presque : « J'attendrai pour cela un jour où j'aurai de l'âme, un jour où je serai Othello. Pour aujourd'hui je suis chien... J'ai mis tout ce que j'avais de cœur et d'énergie sur des feuilles de papier Weyneu; mon âme est sous presse, mes facultés sont dans la main du prote. Infâme métier! Les jours où je le fais, il ne me reste plus rien le soir. »

Une femme, la passion toujours la domine et lui fait proclamer parfois de singulières choses : « Il est bien vrai que le roi Louis-Philippe est l'ennemi de l'humanité », dit-elle. Le roi d'Yvetot ne l'était-il pas autant ? Elle écrit à son fils : « Mais, à mesure que tu grandiras, tu réfléchiras aux conséquences des liaisons avec les aristocrates. » Elle écrit à la comtesse d'Agoult (Daniel Stern) : « Il faut que vous soyez, en effet, bien puissante pour que j'aie oublié que vous êtes comtesse. » Voilà la femme avec ses petitesses et ses préjugés.

Puis, soudain, un de ses amis se mariant : « Vous vous mariez, mon bon camarade. Le bien et le mal n'existant pas *par eux-mêmes,* et le bonheur, comme le malheur, étant dans l'idée qu'on s'en fait, vous vous croyez content, donc vous l'êtes. »

Voilà l'esprit large et libre.

Elle écrit à un autre ami : « Le mariage est un état si contraire à toute espèce d'union et de bonheur, que j'ai peur avec raison. »

Et à un autre, qui était saint-simonien : « Un jour, vous ne croirez plus à aucune secte religieuse, à aucun parti politique, à aucun système social. »

Mais ces élans d'indépendance ne durent guère, et toujours on la sent combattue, tiraillée entre les besoins de liberté de son intelligence et les besoins de foi de la femme, foi en quelque chose, en quelqu'un, foi dans la religion ou dans la Révolution.

Et, comme tous les grands esprits, toujours aussi on la voit découragée, écœurée, révoltée, blessée par l'égoïsme, l'étroitesse, l'intolérance et l'éternelle bêtise des hommes. « Voyez-vous, dit-elle souvent, l'espèce humaine est mon ennemie. »

(*Le Gaulois,* 13 mai 1882.)

NOTES D'UN DÉMOLISSEUR

O barbouilleurs, enlumineurs, gâcheurs de petits pinceaux, fabricants de niaiseries en couleur, peintres, quand nous débarrassera-t-on de vos concours à images? Quel bruit vous faites, quelle turbulence vous avez, comme vous êtes, en général, médiocres, grâce au Salon, stimulant vos efforts pour plaire aux sots qui achètent, aux ministres ignorants qui décorent, et aux puissants jurés qui donnent des médailles!

La médaille est le but, vous vous faites petits garçons pour l'avoir; et vous badigeonnez de petits sujets, avec un tout petit talent, pour aller sur les petits panneaux des petits salons des petits bourgeois qui ont le sac. Après quoi vous vous faites bâtir de petits hôtels avec de grands ateliers où vous débitez votre petite marchandise, petits artistes!

Beaucoup de vous ont du talent, pourtant, mais bien peu l'osent montrer ouvertement; il faut vendre sa pacotille. M. Harpignies, M. Manet, M. Puvis de Chavannes, M. Gustave Moreau ont-ils jamais songé à la médaille et à la vente?

Oh! qui nous débarrassera du Salon. scie annuelle, éteignoir des personnalités, grand bazar où trafique la juiverie d'art?

Sans ce concours, sans ces croix, que de peintres soudain se révéleraient personnels et libres, sans doute! La nécessité d'être médaillé, décoré, les étreint et les comprime, espérons-le.

Plus de Salon, dira-t-on. Mais comment les amateurs connaîtraient-ils les toiles?

Eh! pourquoi une exposition ne serait-elle pas ouverte, d'un bout à l'autre de l'année, où l'on irait à son gré, où chaque peintre pourrait montrer tout ce qu'il fait, varier ses envois, se révéler vraiment, par des études originales et franches, par toutes les libres manifestations de son pinceau, sans s'en tenir, comme aujourd'hui, à ces morceaux de concours devant qui défile le public. Pourquoi ces prix de mérite? êtes-vous donc des écoliers? Les médailles supprimées feront pousser les vrais artistes. L'exposition permanente mettrait sous les yeux de la foule toutes vos œuvres, l'une après l'autre, comme aux vitrines des libraires sont étalés des livres, toute l'année.

***

Et pourtant, comme vous êtes plus chercheurs, plus vrais, plus novateurs que vos frères de la sculpture!

Type éternel et insipide du Beau, parfaite Vénus, dite de Milo, quel audacieux brisera tes reins célèbres qui inspirent depuis si longtemps tous les gratteurs de marbre pâle, comme si l'Art ne devait pas se renouveler sans cesse, se transformer, mourir à chaque âge et renaître différent, changer toujours ses formes et ses moyens? Ta sereine et plastique beauté m'écœure, immuable et froide inspiratrice de la pierre. C'est quelque révolté, sans doute, qui t'a cassé les bras, quelque révolté, las comme moi de ton geste gracieux et froid toujours copié par les artistes, toujours admiré, toujours le même.

Tu fus sublime, sans doute, mais tu n'es plus la femme d'aujourd'hui, comme le marbre rigide n'est plus la matière que veulent nos yeux avides de couleur, de mouvement et de vie.

Brisons les marbres, les moules et les admirations antiques. Cherchez, imaginez, trouvez. Fouillez le bois, pétrissez la terre, modelez la cire!

Qui sait, un musée nouveau ouvrira peut-être la route, révélera des procédés inconnus, lancera sur des traces nouvelles.

Et la couleur s'alliant à la forme, nous verrons peut-être bientôt des statues peintes. Ne serait-il pas naturel en effet de donner la vie factice des nuances aux êtres vraiment modelés comme des hommes ?

***

Et si je puis faire encore un vœu, c'est de n'avoir plus à lire chaque matin le chapelet des articles attardés que les Salonniers ruminants vont délayer obstinément, avec une compétence ennuyeuse, jusqu'en janvier de l'année prochaine.

***

Et vous, Jean Richepin, mon brave et cher confrère, cessez de regretter qu'on décore si peu d'hommes de lettres et tant de peintres. C'est tant mieux pour les uns et tant pis pour les autres.

Que se passe-t-il ? Un monsieur quelconque, avocat le plus souvent, est nommé soudain ministre des arts. Qu'a-t-il lu ? Cicéron au collège, et, depuis, les feuilles de son opinion. Il ne sait rien, et s'en moque d'ailleurs. Or c'est long, de lire ; et pour se donner une teinture de ces arts dont il est ministre, il s'en va contempler des tableaux. Il tombe naturellement en arrêt devant la peinture de M. Vibert qu'il juge le maître des maîtres ; et comme il a dans sa poche un tas de petits rubans rouges, il en donne un, celui d'officier, à ce peintre que tous les jeunes alors vont s'empresser d'imiter.

Quant à M. Zola, qu'il ne connaît point, on lui a dit que c'était un pornographe. Peut-il, en vérité, décorer un pornographe ?

Quant à M. Barbey d'Aurevilly, qu'il ne connaît pas davantage, on lui a dit que c'était un réactionnaire.

Peut-il décorer un réactionnaire? Non certes; on l'interpellerait.

Mais, direz-vous, s'il n'y connaît rien, aux arts, ce ministre des arts, que ne demande-t-il des conseils? — A qui?... — A ses chefs de bureau. — C'est ce qu'il fait. Mais croyez-vous qu'ils s'en soucient bien, des arts, et qu'ils les possèdent à fond, les arts, ces chefs de bureau des beaux-arts?

Leur avancement les inquiète d'une bien autre façon. Ils désignent M. Manuel comme poète, et M. Cherbuliez comme romancier.

Et ils ne s'en portent pas mieux, les arts, ni plus mal non plus d'ailleurs.

Car nous savons, nous (si nos ministres l'ignorent), quel maître poète est Théodore de Banville, quel puissant créateur est Zola, quel artiste est Barbey d'Aurevilly, le plus méconnu des écrivains.

Nous savons (ce dont ils ne se doutent point, ces hommes), quelles merveilles enferment *Le Chevalier Des Touches, Une Vieille Maîtresse, L'Ensorcelée,* et ce que vaut ce livre étrange, superbe et poursuivi : *Les Diaboliques,* où l'on trouve ce chef-d'œuvre, *Le Rideau cramoisi.*

Et cela vaut mieux ainsi, confrère. Nous avons le droit de rire en voyant passer ces ministres!

**

M. Wolff disait dernièrement, à propos d'un chapitre de *Pot-Bouille :* « Une mère. Ce n'est point une vache qui met bas son veau, quoi que M. Zola en pense, c'est une créature pleine de tendresse pour l'enfant qui lui cause de si cruelles souffrances et qui, à l'heure décisive, s'il fallait absolument choisir, demanderait qu'on lui prenne la vie pour sauvegarder celle de son fils. Jamais on ne verrait cela chez une simple vache. Elle met quelque chose de vivant au monde que le boucher lui enlève au bout de huit jours, après quoi la bête continue à brouter l'herbe des prairies. Pour la bête tout est fini quand elle a accompli l'acte... », etc.

Les bêtes ainsi calomniées ont besoin d'un défenseur. Je serai leur avocat.

Ouvrons donc la collection de *la Maison rustique*, l'ouvrage le plus compétent en ces matières et auquel ont collaboré d'illustres savants.

Il y est expressément recommandé aux cultivateurs de bien veiller à ce que la vache ne voie jamais le boucher enlever son veau, car l'instinct maternel est si développé chez elle, qu'elle devine ce qu'on veut en faire, et, très souvent, se laisse mourir de chagrin.

Passons aux autres bêtes.

Les chiennes et les chattes aiment si violemment leurs rejetons que si on détruit les portées entières, elles refusent la plupart du temps de manger et meurent de désespoir.

J'ai vu, moi, les deux faits suivants :

Une chienne qui avait mis bas dans une partie de chasse à six lieues de sa maison, a été laissée par son maître chez le garde, avec deux petits, pour ne la point fatiguer par cette longue route.

Le lendemain on la trouva dans sa niche avec ses deux chiens. Elle avait donc fait deux voyages, aller et retour, pour les apporter *chez elle,* l'un après l'autre : soit vingt-quatre lieues dans la nuit.

Une autre, dont on avait enterré tous les descendants, loin du logis, dans un bois, a disparu soudain. Trois jours après, on la retrouva morte auprès de ses petits qu'elle avait déterrés.

La plupart des oiseaux se laissent tuer plutôt que de quitter leur nid.

On prétend que les lapines mangent leurs petits. Rouvrons *la Maison rustique*, et nous apprendrons que la lapine ne détruit jamais sa portée quand on lui laisse un coin pour la cacher. Un trou, une simple planche, suffisent. C'est donc l'excès d'amour maternel qui les porte à ce *crime*. Pareilles aux antiques Romaines, elles aiment mieux voir leurs enfants morts qu'esclaves. Elles

65

ne cherchent qu'à les soustraire aux regards de l'homme.

Revenons à l'humanité.

Ouvrons les journaux.

Tous les jours des infanticides, tous les jours des petits êtres trouvés au coin des bornes, au fond des fleuves, le long des fossés, dans les égouts et dans ces réservoirs souterrains que dessèchent ces pompiers de la nuit que je n'ose pas nommer par peur d'être traité de naturaliste. Et les magistrats affirment avec raison qu'on ne découvre pas *deux* de ces *crimes* sur *dix* commis. Or, une loi terrible les punit. Supprimez cette loi et laissez la femme livrée au seul amour maternel et vous aurez bientôt un tel massacre de nouveau-nés que l'humanité disparaîtra.

D'ailleurs, la nécessité d'une législation aussi rigoureuse prouve surabondamment la fréquence du forfait.

En vérité, je crois qu'il est inutile d'insister pour prouver que l'instinct maternel est sensiblement plus vif chez la bête que chez la femme, et que l'*infanticide* apparaît infiniment plus fréquent chez celle-ci que chez celle-là.

***

Voici ce que je viens de lire en des mémoires qui datent de la fin du siècle dernier.

« Se peut-il que tant de sages, de savants, de penseurs, de philosophes aient en vain vécu, médité, prouvé de grandes vérités?

» L'homme aveugle ne voit pas, n'écoute pas, ne comprend pas. Aujourd'hui que la raison nous éclaire, on voit encore des sauvages assez ignorants des lois de la philosophie pour dénouer leurs querelles dans le sang.

» On voit le zèle fanatique de la religion exciter les frères à s'entre-tuer.

» On voit des hommes assez méchants encore pour prêcher la haine et la discorde. »

Or, en cette bonne année 1881-1882, nous avons

assisté à près de deux cents duels, provoqués la plupart du temps, non par des brutalités, des voies de fait, d'anciennes et invincibles rivalités, mais par de simples polémiques, c'est-à-dire par des divergences d'opinion.

Nous avons assisté à des massacres religieux aussi terribles que la Saint-Barthélemy.

Et, en pleine chaire de Notre-Dame, on a osé, sans que l'assistance tout entière se levât pour protester, faire l'apologie de l'Inquisition!

Ça va, le progrès, ça va!

**

Je me permets enfin de signaler aux dignes législateurs qui s'occupent en ce moment de sauver la morale et de préparer la loi vengeresse des mœurs, destinée à anéantir les impudiques écrivains, le savant ouvrage de Molmenti, sur la vie privée à Venise, et même, s'ils tiennent à remonter aux sources, je leur citerai Galliccioli.

Ils apprendront là qu'en cette charmante ville *des arts et de l'intelligence,* Venise, on poussait le scrupule moins loin qu'à Paris en 1882.

Car, en 1458, l'autorité, remarquant que la galanterie diminuait, que les femmes étaient négligées pour d'autres plaisirs, considérant que l'amour est un devoir, une nécessité et même une obligation pour les citoyens, chercha les moyens de raviver les ardeurs de ce peuple déjà blasé.

(Considérez aussi, messieurs les législateurs, que les femmes, aujourd'hui comme alors, sont fort négligées, que les concours hippiques, les tripots et cercles, et mille autres occupations dangereuses éloignent les hommes de la galanterie.)

Donc, l'autorité vénitienne invita les dames à se décolleter dans la rue, le plus bas possible, à montrer leurs bras et leur poitrine entière.

Ce moyen, bien qu'énergique, ne suffit pas.

Alors les législateurs du temps enjoignirent aux filles

publiques de laisser pendre par leurs fenêtres leurs jambes nues sur les passants!!!

Oh alors!

Voyons, messieurs les sénateurs, messieurs les députés, serez-vous moins libéraux que vos grands prédécesseurs?

Voyons, voyons, introduisez chez nous cette ancienne et séduisante coutume!

Mais vous ne le ferez pas, Tartufes!

(*Gil Blas*, 17 mai 1882.)

PROFILS D'ÉCRIVAINS

Puisque le temps est au reportage, puisqu'on veut savoir, avant de connaître la valeur d'un homme, comment sont ses traits, sa taille, ses mœurs, ses manières, puisqu'on s'intéresse plus au renseignement qu'à l'œuvre, je vais essayer de faire quelques rapides portraits d'écrivains, en indiquant seulement l'allure et la tendance de leurs ouvrages.

***

Pâle, assez grand, assez maigre, aux allures de myope qui semble timide, imberbe, les joues un peu creuses, et lisses comme toute chair où la barbe n'a point germé, avec un air rêveur et doux, presque maladif, Paul Bourget, que ses remarquables articles d'analyse littéraire et philosophique ont fait depuis longtemps connaître des lettrés, est un des jeunes gens en qui se fonde l'espoir de la littérature.

Fort élégant sans qu'on le remarque et presque sans qu'on s'en doute, amoureux des finesses et des subtilités, plus sensible à la pensée ingénieuse qu'à l'image vive, séduit jusqu'à l'extase par le charme des femmes, tout enveloppé de leur molle séduction, livré sans résistance à leur influence morale, à la douceur de leur bavardage et de leurs gentillesses, et de leurs affinements d'esprit bien plutôt que captivé par le désir de leur personne, sentimental et non passionné, délicat surtout, il est un des causeurs les plus charmants, les plus variés, les plus aigus et les plus profonds qui soient aujourd'hui Ergoteur, abstracteur de quintessence, démonteur de doctrines, byzantin, croyant vague, de cette race de croyants par instinct à laquelle appartient ce charmeur, M. Renan, ennemi des théories violentes et radicales, pacifique d'idées autant que de mœurs, il fait son grand bonheur de la contemplation presque désintéressée des hommes, des choses, des pensées et des arts.

Artiste, s'il aime produire, il doit préférer comprendre, interpréter et démontrer, et il saisit les nuances les plus fines, les intentions les plus voilées, qu'il expose avec une rare clarté de langage, une singulière justesse de mots, un vrai tempérament de parleur, et un geste fréquent de la main, une main longue aux doigts secs, une main de jeune professeur.

Féminin, byronien, un peu de la famille des désespérés heureux de vivre, il vient de publier un très remarquable recueil de vers tout inspiré par les femmes, rimé surtout pour les femmes, mélancolique et raffiné, une sorte de murmure de poésie fait avec des choses intimes.

L'amour est le thème presque constant des pièces : l'amour rêveur et tendre, l'amour flottant dans les brises, dans les aurores et les crépuscules.

Le poète ne chante que ce qui se passe en lui ; il dit son cœur, ses tristesses, ses subtiles souffrances ; il ne raconte pas, comme les visionnaires inspirés, les spectacles des hommes et des événements, avec des images colorées, des mots sonores, et cette exaltation que mettent en leurs œuvres ces divins interprètes de la vie ; mais il raconte comment il sent, comment il vibre au contact des pensées, des souvenirs, des espoirs, des désirs.

Et toutes les femmes le liront et le comprendront, et aussi tous les artistes.

***

Les poètes, ceux qui sont poètes dans les moelles, qui pensent en vers comme on pense dans sa langue natale, sont souvent malhabiles à écrire en prose, à saisir le rythme fuyant de la phrase, à trouver ce tour vif, nerveux, changeant qui est la qualité première des vrais prosateurs. Ils ont en général une propension à l'emphase et à la période. Victor Hugo, ce maître des poètes, n'échappe point à cette tendance et un écrivain disait de lui : « Sa prose me fait l'effet d'un beau cavalier démonté ; il est grand et superbe, mais il marche mal ; on sent qu'il lui faut une selle entre les jambes ».

Voici pourtant un poète qui vient de publier en prose une des meilleures œuvres qu'il ait produites. Le livre s'appelle *Les Monstres parisiens,* et l'auteur Catulle Mendès.

Ce livre, que connaissent déjà les lecteurs de *Gil Blas,* est l'histoire des plus monstrueuses dépravations de notre époque. Etrange et vrai, saisissant, charmeur, brutal dans le fond, mais si habile, si voilé, si rusé, qu'il trompe les pudeurs et ne fait rougir qu'après coup, ce magasin de portraits est une œuvre d'art exquise et singulière.

Et elle porte bien la marque personnelle du poète aux intentions mystérieuses, frère d'Edgar Poe et de Marivaux, compliqué comme personne, et dont la plume, soit qu'il fasse des vers, soit qu'il écrive en prose est souple et changeante à l'infini. Cette œuvre est bien l'œuvre de cet homme séduisant et inquiétant, avec sa pâle face de Crucifié, sa barbe frisée et vaporeuse, ses cheveux longs et légers comme un nuage, son œil fixe où l'on sent une pensée qu'on ne pénètre point, et son sourire charmant qui semble parfois dangereux.

On a dit de lui qu'il avait l'air d'un Christ de cabinet particulier ; ne dirait-on pas plutôt un Méphisto, ayant pris la figure du Christ ?

*
* *

Presque chaque soir, à l'heure dite de l'absinthe, on voit passer sur le boulevard, du Vaudeville à l'Opéra, un jeune homme à l'allure lente, un peu lasse, aux joues rosées comme celles d'une fille, à peine ombrées d'un duvet blond et qui semble encore un enfant. Il se nomme Paul Hervieu et sera connu bientôt.

Diogène le Chien, qu'il vient de publier, nous montre un esprit des plus curieux, tranchant, un peu froid, armé d'une ironie sèche, cinglante, qui nous promet des livres exquis, railleurs, avec ces dessous de gai mépris qui mettent tant de profondeur dans les mots.

***

Pâle et triste à donner le spleen, maigre comme un séminariste, chevelu comme un barde et regardant la vie avec des yeux désespérés, jugeant tout lamentable et désolant, imprégné de mélancolie allemande, de cette mélancolie rêveuse, poétique, sentimentale, des peuples philosophants, dépaysé dans l'existence vive, rieuse, ironique et bataillante de Paris, Edouard Rod, un des familiers d'Emile Zola, erre par les rues avec des airs de désolation.

Grandi parmi les protestants, il excelle à peindre leurs mœurs froides, leur sécheresse, leurs croyances étriquées, leurs allures prêcheuses. Comme Ferdinand Fabre racontant les prêtres de campagne, il semble se faire une spécialité de ces dissidents catholiques, et la vision si nette, si humaine, si précise qu'il en donne dans son dernier livre : *Côte à Côte,* révèle un romancier nouveau, d'une nature bien personnelle, d'un talent fouilleur et profond.

***

Et voici maintenant un nom tout inconnu, Francis Poictevin. Pour son livre, *La Robe du Moine,* Alphonse Daudet écrivit une préface, heureux, disait-il, de présenter au public un aussi remarquable début.

Ce livre tout d'observation, où l'action disparaît pour laisser la place à des portraits de religieux, où l'on trouve des figures célèbres, des analyses profondément curieuses, des tableaux de vie claustrale d'une surprenante vraisemblance, est d'un intérêt vif, malgré l'inhabileté de l'auteur à mouvementer ses personnages.

Mais il descend en eux, il les sait par cœur, il lit leur âme, ouvre leur cœur, les explique comme s'il avait été lui-même un de ces moines à grande robe blanche qui promènent leurs discussions vagues, leurs préoccupations de commères, et leur souci des pénitentes voilées, le long des chemins du jardin régulier.

Et le parloir, les visites, la sollicitude des femmes du monde pour « leurs Pères », tout semble vu par un homme à qui ces choses sont familières.

Et l'auteur, ce grand garçon timide, rougissant, au geste embarrassé, à la voix souvent balbutiante, aux épaules un peu courbées, porte certainement dans sa parole, dans le mouvement de ses mains, dans sa démarche, dans toute la physionomie de sa personne, quelque chose de monacal.

**

Il est parmi les prosateurs deux groupes qui passent leur temps à s'entre-mépriser : ceux qui travaillent presque trop leur phrase, et ceux qui ne la travaillent pas assez. Les premiers n'arrivent jamais à l'Académie ; les seconds, à moins d'être vides comme l'Odéon un jour de première, y parviennent presque toujours. Leur prose coule, coule, incolore, insipide, sans mordre l'esprit, sans secouer la pensée, sans troubler les nerfs. On appelle cela être correct. Mais celle des autres est compliquée, machinée, criblée d'intentions, hérissée de procédés, semée de nuances. Tout y est voulu, médité, préparé. Chaque adjectif a des lointains et chaque verbe un son qui doit s'accorder avec l'idée qu'il exprime. En une page, jamais deux fois la même allure de phrase ne doit se reproduire, jamais deux mots pareils, jamais deux consonances ne se doivent rencontrer à cent lignes de distance, et il doit exister même dans le retour des lettres initiales des mots, une certaine symétrie mystérieuse qui concourt à l'harmonie de l'ensemble.

Un des plus curieux, et des plus originaux, et des plus puissants parmi ces écrivains, est assurément Léon Cladel.

Jadis, dans une remarquable petite revue, *la République des Lettres,* que dirigeait Catulle Mendès, parut un étrange roman de ce précieux jongleur; titre : *Ompdrailles ou le Tombeau des Lutteurs.* Cette œuvre vient d'être publiée en volume. Cladel y déploie toutes ses ressources d'ajusteur de mots, toute la variété de ses moyens, y pousse à l'excès son habileté de styliste difficile. D'un bout à l'autre du volume, des luttes d'athlètes, rien que des luttes, et toujours différentes, toujours empoignantes, toujours dites avec des expressions nouvelles, inattendues et vigoureuses. C'est là un des plus énormes tours de force littéraires que puisse accomplir un romancier. Apre comme sa phrase, l'auteur du *Bouscassié* et des *Va-nu-pieds* est, dans la vie, un *terrible.* Issu d'une forte race paysanne, il semble aigu, dur et tranchant comme la pierre d'un champ. La barbe longue, les cheveux longs, la face creuse, il va dans la rue à grands pas, avec des yeux luisants de fauve. Il parle par éclats, lance des mots vibrants, où sonne en son plein l'accent du Midi; et, irrité à la moindre contradiction, il discute violemment, tumultueusement, comme s'il allait se ruer sur son adversaire et le terrasser d'une étreinte. Mais il aime les lettres avec passion, comme on ne les aime plus guère.

(*Gil Blas,* 1ᵉʳ juin 1882.)

CHRONIQUE

Nos hommes politiques s'occupent en ce moment de l'indemnité à accorder aux Espagnols victimes des incursions des Arabes sur les hauts plateaux alfatiers du Sud oranais.

Le gouvernement espagnol le prend de haut, et les avis sur cette question sont partagés. Sans émettre aucune opinion, et même sans en avoir aucune, je veux rappeler quelques souvenirs sur ce pays que j'ai visité immédiatement après le massacre des colons.

Dès qu'on a passé Saïda, on s'engage dans la montagne, une montagne de pierre rouge, calcinée, toujours brûlante; puis on retrouve des plaines nues, interminables, puis une espèce de solitude où poussent, de cinquante mètres en cinquante mètres, des touffes de genévriers. On appelle cela la forêt des Hassassenas; puis enfin on rencontre l'alfa, sorte de petit jonc qui couvre des espaces infinis et qui fait songer à la mer. Toute maison est inconnue en ces contrées mornes; seule la tente brune et basse des Arabes s'accroche au sol, comme un étrange champignon.

Dans ces océans d'alfa vivait une vraie nation, des hordes d'hommes plus sauvages et plus farouches que les Arabes : les alfatiers espagnols. Isolés ainsi, loin du monde, réunis par bandes avec leurs femmes et leurs enfants, perdus en dehors de toute loi, ils ont fait, dit-on, ce que faisaient leurs ancêtres sur les terres nouvelles : ils ont été violents, sanguinaires, terribles, avec leurs voisins les Arabes.

Or, l'Arabe supporte tout, jusqu'au moment où il tue.

Bou-Amama est venu et, profitant de sa présence à Assi-Tircine, à vingt-quatre kilomètres de Saïda (on le croyait alors derrière les Chotts), les deux tribus au milieu desquelles vivaient les Espagnols, les Harras et les Hassassenas, ont massacré les alfatiers.

Ils ont respecté les employés de la petite ligne de chemin de fer; mais ils ont été sans pitié pour quiconque était Espagnol. Alors, pendant plusieurs jours, des blessés ont erré, des enfants mutilés, des femmes martyrisées. Tous ces misérables se rapprochaient de la voie, et, quand un train passait cherchant les victimes, ils s'élançaient, appelaient, nus et sanglants.

Une semaine avant mon arrivée, on avait retrouvé encore une grande fille de dix-huit ans, d'une incomparable beauté, violée, lardée de coups de couteau et qui cependant courait vers le convoi, aussi dévêtue qu'on peut l'être.

Ces choses sont horribles, mais reste à savoir qui avait commencé. On dit là-bas communément qu'on aimerait mieux tomber au milieu de cavaliers dissidents qu'au milieu d'un groupe d'alfatiers.

Quels sont ces aventuriers qui vont cueillir l'alfa dans ces tristes pays? Quelle fut leur vie auparavant; quels sont, comme on dit, leurs antécédents?

J'en ai vu, de ces hommes; eh bien! franchement, je me croirais plus en sûreté dans une tribu arabe, même révoltée, que sous leur toit.

***

Comme j'étais sorti de Saïda par un après-midi de furieux soleil, je me dirigeai d'abord vers l'ancienne ville d'Abd-el-Kader. Sur un rocher escarpé, on distingue vaguement quelques murailles : c'est tout ce qui reste de la résidence chère au célèbre émir.

76

Mais, quand je fus là-haut, j'aperçus, par-derrière, une admirable chose. Un ravin profond sépare la vieille forteresse de la montagne. Elle est, cette montagne, tou.e rouge, d'un rouge doré, d'un rouge de feu, dentelée, escarpée, coupée par de minces échancrures où descendent, en hiver, les torrents.

Mais tout le fond du ravin n'est qu'un bois de lauriers-roses, un grand tapis de feuilles et de fleurs.

J'y descendis, non sans peine. Une mince rivière coulait sous les merveilleux arbustes, une rivière sautant les pierres, écumante, tortueuse. J'y trempai ma main : l'eau était chaude, presque brûlante.

Sur les bords, de gros crabes, des centaines de crabes fuyaient devant moi; une longue couleuvre parfois glissait dans l'eau, et des lézards énormes s'enfonçaient dans les taillis.

Soudain, un grand bruit me fit tressaillir. A quelques pas, un aigle s'envolait. L'immense oiseau, surpris, s'éleva brusquement vers le ciel bleu, et il était si large qu'il semblait toucher avec ses ailes les deux murailles de pierre calcinée qui enfermaient le ravin.

Après une heure de marche, je rejoignis la route qui monte vers Aïn-el-Hadjar.

Devant moi, une femme marchait, une vieille femme courbée, qui s'abritait du soleil sous un antique parapluie.

Il est bien rare, en ces contrées, de voir une femme, hormis les grandes négresses luisantes, chamarrées d'étoffes jaunes ou bleues. Je rejoignis la femme. Elle était ridée, soufflait, semblait exténuée et désespérée, avec une face sévère et triste. Elle allait à petits pas, sous la chaleur accablante. Je lui parlai, et soudain sa colère indignée éclata. C'était une Alsacienne qu'on avait envoyée en ces pays désolés avec ses quatre fils, après la guerre. Trois de ses enfants étaient morts en ce climat meurtrier; il en restait un, malade aussi maintenant; et leurs terres ne rapportaient rien, bien que grandes, car elles n'avaient pas une goutte d'eau. Elle répétait, la vieille : « Il n'y vient pas un chou, monsieur, pas un chou! » s'obstinant à cette idée de chou. Ce légume, évidemment, représentait pour elle le bonheur terrestre. Et quand elle m'eut dit toute sa peine, elle s'assit sur une pierre, et pleura.

Et je n'ai rien vu de plus navrant que cette bonne femme d'Alsace perdue sur ce sol de feu où il ne pousse pas un chou.

En me quittant, elle ajouta : « Savez-vous si on donnera des terres en Tunisie? On dit que c'est bon par-là; ça vaudra toujours mieux qu'ici. »

N'est-ce pas à ces gens-là, messieurs les députés, qu'il faudrait accorder une indemnité?

*
* *

Quel enseignement pour les romanciers que ce fameux drame du Pecq?

Quand on a retrouvé ce cadavre roulé dans un tuyau de plomb, les lèvres fermées par une épingle de femme tous les membres liés, tortionné comme s'il avait passé par les mains des inquisiteurs, chacun eut une secousse de stupéfaction et d'horreur. Et les imaginations s'exaltèrent; on parlait d'une vengeance d'époux outragé, et l'horrible scène était devinée; chacun aurait pu la raconter, tant elle semblait logique, commençant par les imprécations et finissant par l'exécution.

MM. X. de Montépin, du Boisgobey et Cie ont dû frémir de joie.

Le misérable, attiré dans le piège, entrait en la chambre où le mari vengeur l'attendait.

Un dialogue ironique de la part de l'époux commençait, comme on en entend au théâtre, un dialogue à faire se pâmer la salle. Puis venaient les reproches, les menaces, la colère, la lutte. L'amant terrassé râlait, et l'autre, à genoux sur lui, vibrant d'une rage frénétique, le mutilait, criant : « Ah! ta bouche m'a trompé, monstre! elle a balbutié des paroles d'amour dans l'oreille de celle que j'aime, de celle que la loi et l'Eglise m'ont donnée pour compagne; elle a jeté ses baisers brûlants sur les lèvres qui m'appartenaient : eh bien, je la fermerai, cette bouche, avec une épingle de son corsage, une de ces épingles que tu aimais tant à défaire. Et dans tes yeux qui l'ont admirée, j'en enfoncerai deux autres, et je lierai avec du plomb tes mains infâmes qui l'ont caressée!... »

Et on voyait cette bouche sanglante cherchant encore à s'ouvrir, clouée par la longue pointe d'acier fin.

Quel effet sur un théâtre!

**

La réalité est plus simple.

Pas de colère : le mari trompé, depuis des années, le savait. La petite affaire se prépare en famille, s'exécute en famille, tout tranquillement, comme on met le pot-au-feu le dimanche.

Pas de grands mots, pas de sentiments exaltés. Toutes les affreuses mutilations ne sont que de petites précautions pratiques, des précautions de ménagère.

Le frère dit : « Mais l'eau va lui entrer dans la bouche, et ça le fera flotter. » L'idée est singulière, mais le mari la trouve juste. Comment fermer cette bouche? Soudain une inspiration les frappe. On la percera d'une épingle. « Donne une épingle! » dit l'époux à sa femme, comme s'il voulait rattacher sa cravate. Elle en retire une de sa gorge et la tend avec douceur.

Le tuyau de plomb n'est qu'une innovation pratique. Il joue le rôle de la pierre qui retient le corps au fond et celui de la corde qui l'enlace. Avis aux imitateurs. Rien de dramatique ni d'élevé, tout est simple et commun.

En route, un cahot violent fait dégringoler le cadavre de la voiture, devant la porte d'un boucher. Aussitôt un des meurtriers efface doucement avec son pied la trace de sang laissée à terre comme font certains hommes après avoir craché.

Puis les trois complices vont se coucher.

Vraiment, ces criminels sont trop nature.

Moralité : ne faites jamais la cour aux femmes dont les maris sont mal en leurs affaires.

(*Le Gaulois*, 14 juin 1882.)

LES VIEILLES

Est-il au monde rien de plus adorable qu'une vieille femme, une vieille femme qui fut jolie, coquette, séduisante, aimée, et qui sait rester femme, mais femme d'autrefois, coquette encore, mais d'une coquetterie d'aïeule?

Si la jeune femme est charmante, la vieille n'est-elle pas exquise? Et près d'elle n'éprouve-t-on pas quelque chose d'indéfinissable, comme une sorte d'amour non pour ce qu'elle est, mais pour ce qu'elle fut, et une sorte de vraie tendresse, de tendresse délicate, de tendresse pleine de regrets, de tendresse galante et vénérante, raffinée, apitoyée un peu, pour cette femme qui survit dans une autre, oubliée, morte, détruite, qu'aimèrent des hommes, que baisèrent des lèvres affolées, pour qui l'on rêva, l'on se battit, l'on passa des nuits fiévreuses, pour qui souffrirent des âmes et battirent des cœurs.

Ceux qui aiment vraiment les femmes, qui les aiment en tout, des pieds à la tête, pour cela seul qu'elles sont femmes, ceux qui ne peuvent voir sans frissonner les petits cheveux frisés des nuques, le petit duvet impalpable semé sur le coin des lèvres, et le petit pli des sourires, et l'insoutenable caresse de leur regard; ceux qui voudraient pouvoir aimer toutes les femmes — non pas une, mais toutes, avec leurs séductions opposées, leurs grâces différentes et leurs charmes variés — doivent infailliblement adorer les vieilles.

La vieille n'est plus une femme, mais elle semble être toute l'histoire de la femme; elle devient un peu ce que sont pour nous les antiques et beaux objets qui nous rappellent toute une époque ancienne. Faite libre par ses cheveux blancs d'où la poudre s'envole, elle ose parler de tout, des choses mystérieuses et chères qui restent comme un éternel secret entre les jeunes et nous, de ce sous-entendu charmant dont les yeux, les sourires, toute l'attitude semblent jaser quand nous nous trouvons en face d'Elles, qui que nous soyons, et quelles qu'elles soient.

Dans la rue, dans un escalier, dans un salon, dans les champs, dans un omnibus, n'importe où, quand se croisent deux regards de jeunes gens, une subite éclosion de galanterie, un obscur désir emplit les yeux, et il semble qu'un invisible fil se trouve jeté de l'un à l'autre en qui circule un courant d'amour.

Mais c'est la chose dont on ne parle pas, ou du moins dont on ne parle guère. La vieille ose parler de tout. Elle peut le faire sans être immodeste, impudique, comme seraient les jeunes, et c'est un charme singulier de causer longtemps, tout bas, à mots un peu voilés, mais librement, avec une femme vénérable, de toutes les ivresses des cœurs et des sens.

Et elles font cela, les vieilles, avec un petit air content, désintéressé; mais encore friand, comme si elles flairaient en passant l'odeur d'un plat qu'elles adorent, mais dont elles ne peuvent plus manger. Elles parlent d'amour d'un ton maternel et bienveillant; parfois, elles jettent un mot cru, une image vive, une réflexion hardie, une plaisanterie un peu pimentée: et cela prend en leur bouche une grâce poudrée de l'autre siècle; on dirait une pirouette osée où se voit un peu de jambe.

Et quand elles sont coquettes — une femme doit toujours l'être — elles sentent bon, d'une odeur vieille, comme si tous les parfums dont fut baignée leur peau eussent laissé en elles un subtil arôme, une sorte d'âme des essences évaporées. Elles sentent l'iris, la poudre de Florence d'une façon discrète et délicieuse. Souvent le désir vous vient de prendre leur vieille main blanche et douce, et, tout attendri par ces effluves d'amour passé qui semblent venir d'elles, de la baiser longtemps, longtemps, comme un hommage aux tendresses défuntes.

*
* *

Mais toutes les vieilles ne sont pas telles.

Il en est d'abominables, celles qui, au lieu de se faire plus bienveillantes, plus aimables, plus libres de langage et de morale, ont suri. Et presque toujours les femmes qui ont été peu ou point aimées, qui ont vécu d'une vie strictement, étroitement honnête, deviennent les vieilles grincheuses, les vieilles pimbêches grondantes et hargneuses, sortes de faux eunuques femelles, gardiennes jalouses de l'honnêteté d'autrui, machines à mauvais compliments en qui fermentent des âmes de vieux gendarmes.

Aussi, quand une vieille femme est vraiment séduisante, elle semble avoir pris en elle tout le charme de toutes les autres, et vous ne pouvez la connaître et aimer sans un constant et mordant regret qu'elle ne soit plus à l'âge où vous la sauriez chérir d'une affection tout autre.

Et que de gré ne lui devons-nous pas garder d'être ainsi charmante, car elle a passé par le plus épouvantable, le plus dévorant supplice que puisse souffrir une créature : elle a vieilli.

La femme est faite pour aimer, pour être aimée, et pour cela seulement. Est-il au monde un être plus puissant, plus adoré, plus obéi, plus triomphant, plus éclatant qu'une jolie femme dans l'épanouissement de sa beauté? Tout lui appartient, les hommes, les cœurs, les volontés. Elle règne d'une manière absolue par le seul fait de son existence, sans souci, sans travail, dans une plénitude d'orgueil et de joie.

Alors elle s'accoutume à ces hommages comme l'enfant s'accoutume à respirer, comme le jeune oiseau s'habitue à voler. C'est la nourriture de son être; et toujours, où qu'elle aille, qu'elle dorme ou qu'elle veille, elle porte en elle le sentiment de sa force par sa beauté, la satisfaction d'être jolie, un immense orgueil satisfait, et encore une autre indéfinissable sensation de femme qui accompli sans cesse son rôle de charmeuse, de séductrice, de conquérante, son rôle naturel et instinctif.

Puis voilà que peu à peu les hommes s'éloignent. Elle, qui était tout, n'est plus rien, mais rien, qu'une vieille femme, un être fini dont la tâche humaine est achevée de par l'impitoyable loi des âges.

Elle vit encore cependant, et elle peut vivre longtemps. Et on dit d'elle simplement : « En voilà une qui fut jolie! »

Alors il faut qu'elle disparaisse, ou qu'elle lutte, et qu'elle sache alors devenir, à force de grâce non plus rayonnante mais réfléchie, à force de volonté de plaire encore, de plaire toujours, cet être adorable et si rare : une vieille femme séduisante.

*
* *

Mais pour cela il lui faut de l'esprit, beaucoup d'esprit, et aussi bien d'autres choses.

Et comme on voudrait connaître celle à qui M. Alexandre Dumas faisait dernièrement une remarquable préface pour un volume de comédies légères qui s'appelle le *Théâtre au Salon*.

On la dit, celle-là, la plus charmante de toutes. Elle est certes la plus spirituelle et la plus fine, la plus adorée aussi de ses amis.

Et comme, à travers les scènes de ces sautillantes petites pièces, on aime cet esprit marivaudeur et subtil, littéraire à la façon des femmes de lettres, aimable toujours et captivant : et comme on admire de loin cette ancêtre qui a su rester plus séduisante que la plupart des jeunes femmes, et qui sait être plus agréable à lire que la plupart des auteurs applaudis.

M. Dumas nous apprend que le nom qu'elle signe, Gennevraye, n'est point celui qu'elle porte dans le monde.

Il n'avait point à le dire, nous nous en serions douté.

(*Le Gaulois*, 25 juin 1882.)

A PROPOS DU DIVORCE

En dehors de toutes les raisons invoquées pour ou contre le divorce, il en est une qui me semble être restée inaperçue jusqu'ici, celle que nous pourrions appeler la « raison sentimentale ». Nous ne sommes pas des gens logiques ni raisonnables, mais des gens à sentiments subtils ; et les plus justes arguments ne valent jamais, dans notre esprit, quelque préjugé poétique.

En politique, en morale, même en art, nous ne sommes jamais déterminés par des raisonnements, mais toujours par des impulsions raffinées et souvent fausses, venues d'un idéalisme exalté.

Le plus grand obstacle que le divorce rencontrera avant d'entrer dans nos mœurs, après être entré dans nos lois, sera peut-être une répulsion de cette nature.

Je prends un exemple pour me faire comprendre. Il est, dans *Monsieur de Camors,* un mot qui parut odieux aux uns, superbe aux autres. C'est le fameux « parbleu ! » que l'amant répond à la maîtresse quand, après la chute, elle lui dit :

— Comme vous devez me mépriser !

Si M. Feuillet avait eu quelque souci de la vraisemblance, il n'aurait point écrit ce *parbleu!* que jamais homme ne répondra.

Le mot est faux ; mais il a porté sur beaucoup de lecteurs, parce que le sentiment est juste ; parce que la première impression de l'amant qui vient de triompher est une sorte de vague mépris pour celle qui s'est abandonnée à lui.

Inexplicable, incompréhensible, illogique, révoltante même, cette mésestime immédiate de la femme possédée est cependant indéniable. Bien des hommes se l'avoueront à peine à eux-mêmes et la nieront énergiquement en public ; beaucoup d'amants sensés la combattront en leur cœur, mais aucun n'échappera à ce rapide effleurement de dédain, à cette fine et soudaine piqûre.

Or, cet étrange sentiment à l'égard d'un être à qui nous devons, au contraire, tous nos sentiments de reconnaissance passionnée et dévote, n'existera-t-il pas plus violent encore envers celle qui aura dormi longtemps dans les bras d'un autre homme ?

Et les veuves ? dira-t-on.

C'est différent. Le précédent possesseur n'existe plus. Puis, épouser une veuve, n'est-ce pas un peu considéré chez nous comme un mariage d'occasion, comme l'achat d'une marchandise légèrement défraîchie ?

Toutes nos subtiles susceptibilités amoureuses ne se révolteront-elles pas à l'idée du sourire du précédent époux, de ses pensées secrètes, de ses souvenirs, et même du regard plein d'anciens secrets qu'il peut échanger avec sa compagne de la veille s'il la rencontre à notre bras ?

Nous apportons en ces questions une délicatesse si exagérée, que bien peu d'hommes consentiraient à prendre pour femme une jeune fille, s'ils apprenaient qu'elle eut déjà une légère amourette, une petite intrigue anodine.

De là l'éducation étroite, étouffante, des filles en France, si différente de l'éducation des Anglaises et des Américaines, qui flirtent à outrance jusqu'à la découverte de l'épouseur qui ne s'inquiète jamais des baisers cueillis par d'autres avant lui sur ces lèvres qui vont lui appartenir d'une façon définitive.

Mais, si nous n'admettons pas que la jeune fille ait seulement été effleurée par la pensée d'un autre homme, comment consentirons-nous à prendre une femme notoirement entamée par un précédent possesseur en titre?

D'où viennent ces nuances, ces arguties de sentiment, ces excessifs raffinements?

Il est plus aisé de les constater que de les expliquer. Il est cependant une cause palpable, facile à apprécier, l'influence des lettres en général, et du roman en particulier.

Grâce à cette littérature sophistique, sentimentale et emphatique, qui couvre la France depuis le commencement du siècle, et qui, semée par Jean-Jacques Rousseau, bouleversa toutes les têtes lors de la crise de 1830, nous avons fait de la femme une espèce d'être idéal, placé dans un nuage, une sorte de divinité, d'hermine à robe immaculée.

L'influence de ces romans à sentiments extrêmes fut prédominante. Nous nous en ressentons encore. Les héros et les héroïnes, toujours en proie à un délire de délicatesse, à une exaltation ininterrompue, ont troublé dans notre race le tout simple bon sens que la nature y avait mis.

Il est aisé de se rendre compte de cette singulière et rapide modification, par la lecture des œuvres les plus typiques, reflets précis des esprits à notre siècle comme au siècle dernier.

Prenons pour exemple, d'un côté, les livres de George Sand qui peuvent servir de type du roman idéaliste. Ils eurent sur toute notre époque une singulière influence morale; ils sont en même temps un miroir fidèle des croyances contemporaines.

Or, dans tous ces romans, de la première à la dernière ligne, on vit dans une sentimentalité exaltée, dans une tension constante des idées chevaleresques et anormales, dans une atmosphère sublime et troublante, excessivement raffinée, qui fausse bien vite dans tout esprit excitable la simple et saine notion de l'existence réelle.

Tous ceux qu'ont touchés ces poétiques fictions de la vie s'agitent dans une demi-hallucination romanesque qui change pour eux les proportions et les rapports des choses.

La femme, dans ces œuvres-là, devient une sorte d'être symbolique, personnification de la pudeur, de la chasteté, de toutes les délicatesses et de toutes les finesses.

D'un autre côté, si nous ouvrons quelqu'un de ces charmants petits volumes de littérature badine qui nous donnent l'exacte physionomie des hommes du XVIIIe siècle avec leurs croyances et leurs sentiments les plus intimes, nous entrons dans un monde nouveau.

Prenons *Manon Lescaut, Thémidore,* ou le charmant récit qui vient d'être réédité et qui porte pour titre : *Ma Vie de garçon.* Cette dernière œuvre surtout a un tel caractère de franchise, de sincérité, de bonne foi, qu'on en pourrait déduire, si on ne la connaissait déjà, toute la morale de ce temps.

C'est un conte grivois, même fort polisson, mais où transpire partout l'*âme* de l'époque.

Qu'on tombe là-dessus, après le *Marquis de Villemer,* et soudain tout l'échafaudage compliqué de la sentimentalité moderne s'écroule, tous les raffinements d'idéalisme disparaissent, et la bonne logique ancienne se redresse devant nous.

Et qu'on remonte plus haut, si l'on veut. Sont-ce les contemporains de Molière, ceux de Rabelais ou de Brantôme qui auraient répondu, même dans le fond de leur cœur, à la maîtresse tombée en leurs bras le « parbleu! » de M. Feuillet?

(*Le Gaulois*, 27 juin 1882.)

DISCOURS ACADÉMIQUE

Mesdames,
Messieurs,

N'est-ce point M. Renan qui, appelé à présider une distribution de prix de vertu, dans l'auguste sein de l'Académie française, commençait ainsi son discours : « Il y a un jour dans l'année où la vertu est récompensée »? Avec moins de fantaisie, M. Mézières vient de célébrer à son tour ces gens ennuyeux mais humbles à qui feu Montyon laissa des rentes. Puisqu'ils ont leurs orateurs, leurs défenseurs et leurs bienfaiteurs, ne nous occupons point de ces quêteurs de récompenses honnêtes. Bornons-nous à constater en passant que la vertu payée et couronnée, cessant ainsi de trouver en elle-même son prix, de se complaire dans le sacrifice, perd, par là, son plus grand mérite. Pourquoi tue-t-on, vole-t-on, commet-on toutes les choses que persécutent les lois? pour de l'argent, mesdames! Si l'on devient vertueux aussi pour de l'argent, je cesse de voir la différence entre l'honnête homme et le gredin.

Protestons, messieurs, contre ces concours immoraux. Mais il me paraît bon aujourd'hui de pousser plus loin le courage, et non content de dénoncer ces compétitions de vertu salariée, je veux défendre à la face de la France, à la face surtout des Béotiens qui nous gouvernent, de cette assemblée de provinciaux illettrés, élus et parvenus par l'aveugle volonté du nombre, tous les écrivains français, menacés des fureurs de la loi, et dénoncés pêle-mêle à nos magistrats, ces inquisiteurs laïques, sous l'infamante appellation de pornographes!

On nous affirme, je le sais, que les vrais écrivains ne sont point menacés, et que ceux-là seuls ont à craindre qui impriment et vendent des polissonneries sans art.

L'art est donc l'accommodement, qui peut seul sauver les écrits dits immoraux de la griffe levée de la loi.

Or, qu'est-ce que l'art? Comment est-il caractérisé? reconnaissable? Comment dire sans crainte de se tromper : Ceci c'est de l'art! Cela n'est pas de l'art! M. Pinard, qui fut ministre, a flétri en termes virulents cette merveille d'art, *Madame Bovary*. Je pourrais citer cent autres exemples concluants pour prouver que la compétence payée de MM. les magistrats s'arrête à ces questions.

Donc l'art est le *laissez-passer* des écrits légers; c'est lui, lui seul, qui peut servir à déterminer les limites précises de la pornographie.

Cette distinction, toute subtile qu'elle soit, est acceptable. Elle ne laisse subsister qu'une difficulté, mais capitale, c'est-à-dire l'impossibilité d'avoir des juges, des experts, des arbitres compétents.

En résumé, on pourrait qualifier de pornographie toutes les publications présentant un caractère libidineux joint à une bêtise appréciable. C'est le cas de toutes les feuilles polissonnes visées par la loi. Leur suppression ne fera, certes, de mal à personne. Mais fera-t-elle du bien à qui que ce soit?

Admettons qu'elle ne fasse ni bien ni mal; classons la nouvelle ici parmi les mesures inutiles, et passons.

Ce qui me semble inquiétant là-dedans, c'est la tendance. C'est le but soi-disant moralisateur. Il existe dans toutes nos sociétés modernes un éternel malentendu entre les artistes et les législateurs. Le législateur ne se préoccupe que d'une prétendue morale absolue, changeante d'ailleurs comme le temps; et, sans rien distinguer, il frappe au nom de ce principe.

L'artiste ignore cette morale, ne la comprend pas, la nie. Il marche, les yeux éblouis d'une vision, possédé par ce qu'on appelait jadis l'inspiration, sans s'inquiéter si elle est chaste ou impure. Il produit son œuvre conçue selon ses facultés, il élabore presque inconsciemment; il est une force, une machine productrice. Et soudain il se sent pris au collet; il est arrêté, poursuivi, jugé, condamné par des messieurs ignares que pousse toute une armée d'imbéciles qui proclament au nom de leur sottise « que l'art doit moraliser ».

Ne confondons pas, messieurs, l'art de M. Scribe avec l'art de Shakespeare.

Or, en étendant cette laide appellation de pornographe à tous ceux dont les écrits ont blessé la morale courante, on irait loin.

Qui donc alors ne fut pas pornographe parmi nos ancêtres, parmi les plus magnifiques génies qui sont demeurés la gloire des lettres? Oui, messieurs, si une autre Académie (je ne fais aucune allusion), pour répondre au dictionnaire de Pénélope entrepris par les quarante vieillards au milieu desquels ne serait pas en sûreté, pourtant, la chaste Suzanne; si une autre Académie, dis-je, s'avisait de commencer aujourd'hui un dictionnaire des pornographes célèbres, quels noms n'y pourrait-elle pas inscrire?

En prenant à la lettre A, nous trouvons Apulée, Aristophane, etc., et, derrière ceux-là, tous les poètes grecs et tous les poètes latins, Virgile qui chantait les tendresses germinicales :

Formosum pastor Corydon ardebat Alexin,

Ovide, Lucrèce, Juvénal, tous.

Dans notre pays je ne prendrai qu'un nom, le plus fameux. C'est celui du colossal écrivain, du conteur prodigieux, du merveilleux philosophe, et de l'incomparable styliste, de qui découlent toutes les lettres françaises, selon l'expression de Chateaubriand, qui s'y connaissait mieux que messieurs les magistrats. J'ai nommé François Rabelais.

En face de l'Arioste, de Dante, de Cervantes, de Shakespeare, nous n'avons eu qu'un homme aussi grand que les plus grands, en qui s'incarne pour jusqu'à la fin des siècles le génie de l'esprit français et de la langue française, un de ces artistes géants qui suffiraient à la gloire d'un pays : Rabelais. Et il est, celui-là, Français dans les moelles; il caractérise notre race gaillarde, rieuse, amoureuse, en qui le sang et le propos sont vifs.

Nierez-vous qu'il fut un pornographe? En France, voyez-vous, nous avons toujours eu la pensée leste et le mot un peu gras. Pourquoi vouloir changer cela?

Prenez garde d'ailleurs. Il pourrait vous en arriver mal.

Depuis quelques années, vous êtes, messieurs les gouvernants, des pontifes. Nous n'aimons point ce genre qui n'est pas de tradition chez nous.

Notre monarchie ancienne fut souvent bête et maladroite : on le lui a prouvé avec raison. Craignez qu'il vous en arrive autant; non pour les mêmes causes, mais pour d'autres, plus petites en apparence, bien qu'aussi graves. Ne méconnaissez pas le tempérament de notre race.

Voilà qu'il vous est venu une pudibonderie, une gravité, une sévérité républicaines. Vous voulez une République chaste. Prenez garde de n'avoir qu'une République hypocrite.

Les petits exemples abondent :

Jadis nos pères se soulageaient ouvertement au coin des rues, le long des murs, ou bien en de vieux tonneaux qui avaient contenu du vin. Nos mères ne se choquaient point. Maintenant vous avez fait des labyrinthes de ces endroits où l'on accomplit ce que Rabelais ne craignait pas de dire en français. Il ne vous suffisait pas d'avoir une flotte cuirassée, vous avez voulu des Rambuteau blindés.

M. Chouard a dû se frotter les mains.

Aujourd'hui vous songez vaguement à supprimer des

mots dans la langue, ne pouvant supprimer les choses dans la nature.

Du moment que la femme existe, c'est pour quelque chose, n'est-ce pas? Alors pourquoi ces mystères? pourquoi ces voiles?

S'il est tout simple d'aimer les femmes et de le leur prouver par les moyens connus, pourquoi serait-il défendu de parler de cela sans détours et sans feintes?

Si vous croyez à Dieu, c'est à lui qu'il faut vous en prendre. Si vous n'y croyez pas, le meilleur moyen serait de faire châtrer les citoyens dès leur naissance. Les hommes ainsi corrigés cesseraient, soyez-en sûrs, ces naturelles plaisanteries qui vous offusquent si fort.

Vous êtes des pontifes, messieurs, et des pontifes ennuyeux, des pontifes sans esprit et sans fantaisie, vous ne savez pas rire. Prenez garde.

Vous dites, la main sur le cœur : « Les vrais artistes n'ont rien à craindre de nous. » Et cependant les vrais artistes vous craignent, car vous avez au fond de l'âme une pensée, et vous travaillez à sa réalisation : vous voulez un art démocratique, un art honnête.

L'art, messieurs, ne vous en déplaise, n'a rien à faire avec tous ces mots. Il est et restera malgré vous aristocrate, sans se soucier le moins du monde de vos croyances.

L'art est aristocrate, c'est là sa force et sa grandeur. Rêver un art populaire est une autre sottise. Plus il s'élève, moins il est compris du nombre, plus il est adoré des quelques-uns capables de le pénétrer.

Ne nous parlez pas de république athénienne, vous qui auriez envoyé Aristophane en police correctionnelle.

Faites des lois contre les vices. Emprisonnez M. de Germiny, cet imitateur de Socrate, de Socrate dont le Chouard s'appelait Alcibiade, dit-on. Quand vous trouverez quelques-unes de ces passions incestueuses dont Louis XV, Chateaubriand et Napoléon nous ont fourni des exemples fameux, à ce qu'affirment les gens compétents, frappez sans merci; mais laissez-nous rire à notre aise, comme riaient nos pères, et trouver gaies les libres aventures d'amour. Vous regardez le ciel de travers, parce que la plus impérieuse des lois naturelles vous choque, et vous punissez les hommes de la subir.

(*Gil Blas,* 18 juillet 1882.)

CHRONIQUE

Dans un article, dont je lui suis infiniment reconnais-
sant, malgré ses réserves, M. Francisque Sarcey soulève
à mon sujet plusieurs questions littéraires. J'aurais
préféré répondre aux théories de l'éminent critique sans
avoir été nommé, pour n'avoir point l'air de plaider ma
propre cause; car j'estime qu'un écrivain n'a jamais le
droit de prendre la parole pour un fait personnel : mais,
dans le cas présent, la discussion passe bien au-dessus de
ma tête.

M. Sarcey a écrit : « Voici, ce me semble, que nous
sommes descendus plus bas. Ce n'est plus même la
courtisane que nos romanciers se plaisent à peindre, ils
marquent je ne sais quel goût étrange pour la prostituée... »

Et plus loin : « A quoi bon se donner tant de mal
pour étudier des êtres aussi peu dignes d'intérêt? Ces
âmes dégradées ne sont plus capables que d'un très petit
nombre de sentiments qui tiennent tous de l'animalité. »

M. Sarcey, en ce cas, passe ses droits, me semble-t-il.
Depuis que la littérature existe les écrivains ont toujours
énergiquement réclamé la liberté la plus absolue dans le
choix de leurs sujets. Victor Hugo, Gautier, Flaubert, et
bien d'autres, se sont justement irrités de la prétention
des critiques d'imposer un genre aux romanciers.

Autant reprocher aux prosateurs de ne point faire de
vers, aux idéalistes de n'être point réalistes, etc.

L'écrivain est et doit rester seul maître, seul juge de ce

qu'il se sent capable d'écrire. Mais il appartient aux critiques, aux confrères, au public, d'apprécier s'il a accompli bien ou mal l'œuvre qu'il s'était imposée. Il n'est justiciable du lecteur que pour l'exécution.

S'il me prend fantaisie de critiquer ou de contester le talent d'un homme, je ne le puis faire qu'en me plaçant à son point de vue, en pénétrant ses intentions secrètes. Je n'ai pas le droit de reprocher à M. Feuillet de ne jamais analyser des ouvriers, ou à M. Zola de ne point choisir des personnages vertueux.

Il ne s'ensuit pas qu'il ne nous soit point permis de garder des préférences pour un certain ordre d'idées ou de sujets.

Nous touchons là à la question la plus discutée depuis une dizaine d'années. Je ne puis mieux faire, me semble-t-il, pour l'aborder, que de citer un passage d'une très remarquable lettre de M. Taine, dont je ne partage point l'opinion, opinion qui concorde d'ailleurs avec celle de M. Francisque Sarcey :

« Dans le second rôle, il ne me reste qu'à vous prier d'ajouter à vos observations une autre série d'observations. Vous peignez des paysans, des petits bourgeois, des ouvriers, des étudiants et des filles. Vous peindrez sans doute un jour la classe cultivée, la haute bourgeoisie, ingénieurs, médecins, professeurs, grands industriels et commerçants.

« A mon sens, la civilisation est une puissance. Un homme né dans l'aisance, héritier de trois ou quatre générations honnêtes, laborieuses et rangées, a plus de chances d'être probe, délicat et instruit. L'honneur et l'esprit sont toujours plus ou moins des plantes de serre.

« Cette doctrine est bien aristocratique, mais elle est expérimentale... »

Ajoutons encore à cela le vœu formulé par un maître romancier, Edmond de Goncourt, de voir les jeunes gens appliquer au monde, au vrai monde, les procédés d'observation scrupuleuse qu'emploient depuis longtemps déjà les écrivains pour analyser les humbles classes!

97

Et maintenant étonnons-nous de ce que les gens qui semblent les seuls intéressants à étudier soient toujours négligés par les hommes de lettres.

Pourquoi? Est-ce, comme le dit Edmond de Goncourt, parce que la difficulté de pénétration dans les cœurs, les âmes et les intentions est infiniment plus difficile? Peut-être un peu. Mais il existe une autre raison.

Le romancier moderne cherche avant tout à surprendre l'humanité sur le fait. Ce qu'il a donc intérêt à dégager d'abord dans toute action humaine, c'est le mobile initial, l'origine mystérieuse du vouloir, et surtout les déterminants communs à toute la race, les impulsions instinctives.

Or, ce qui distingue principalement les gens du monde des catégories d'individus plus simples, c'est surtout une sorte de vernis, de conventions, un badigeonnage d'hypocrisie compliquée.

Le romancier se trouve donc placé dans cette alternative : faire le monde tel qu'il le voit, lever les voiles de grâce et d'honnêteté, constater ce qui est sous ce qui paraît, montrer l'humanité toujours semblable sous ses élégances d'emprunt, ou bien se résoudre à créer un monde gracieux et conventionnel comme l'ont fait George Sand, Jules Sandeau et Octave Feuillet.

Non point qu'il faille attaquer et condamner ce parti pris de ne dépeindre que les surfaces attrayantes, que les apparences aimables; mais, quand un écrivain est doué d'un tempérament qui ne lui permet d'exprimer que ce qu'il croit être la vérité, on ne le peut contraindre à tromper et à se tromper consciemment.

M. Francisque Sarcey s'irrite et s'étonne que la courtisane et la fille depuis une quarantaine d'années aient envahi notre littérature, se soient emparées du roman et du théâtre.

Je pourrais répondre en citant *Manon Lescaut* et toute la littérature pimentée de la fin du dernier siècle. Mais les citations ne sont jamais concluantes.

La vraie raison n'est-elle pas celle-ci : les lettres sont

entraînées maintenant vers l'observation précise; or la femme a dans la vie deux fonctions, l'amour et la maternité. Les romanciers, peut-être à tort, ont toujours estimé la première de ces fonctions plus intéressante pour les lecteurs que la seconde, et ils ont d'abord observé la femme dans l'exercice professionnel de ce pour quoi elle semblait née.

De tous les sujets, l'amour est celui qui touche le plus le public. C'est de la femme d'amour qu'on s'est surtout occupé.

Et puis, il existe chez l'homme de profondes différences d'intelligence créées par l'instruction, le milieu, etc.; il n'en est pas de même chez la femme, son rôle humain est restreint; ses facultés demeurent limitées; du haut en bas de l'échelle sociale, elle reste la même. Des filles épousées deviennent en peu de temps de remarquables femmes du monde, elles s'adaptent au milieu où elles se trouvent. Un proverbe dit qu'on a vu des rois épouser des bergères. Nous coudoyons chaque jour des bergères, et même moins, qui sont devenues des dames et qui tiennent leur rang tout comme d'autres.

Chez les femmes, il n'est point de classes. Elles ne sont quelque chose dans la société que par ceux qui les épousent ou qui les patronnent. En les prenant pour compagnes, légitimes ou non, les hommes sont-ils donc toujours si scrupuleux sur leur provenance? Faut-il l'être davantage en les prenant pour sujets littéraires?

M. Taine dit en sa lettre : « L'honneur et l'esprit sont toujours plus ou moins des plantes de serre... »

Pour l'esprit, je ne le conteste pas; quant à l'honneur?... Je me rappelle qu'un jour on discutait cette question devant une jeune femme de province, mais du meilleur monde, et aristocrate jusqu'aux ongles. Elle s'irritait d'entendre dire qu'il y eût plus de sentiments droits et simplement nobles dans les classes moyennes que dans les classes hautes. Puis, comme on citait des exemples, elle se mit à rire tout à coup et convint que nous avions un peu, rien qu'un peu raison. Un souvenir lui était revenu : comme la guerre de 1870 venait de finir, elle fut chargée par un comité de quêter pour la libération du territoire, dans la grande ville manufacturière qu'elle habitait. Elle commença par les quartiers ouvriers. Certes, elle rencontra des brutes, mais elle y trouva aussi nombre de pauvres diables qui donnaient l'argent du dîner. Et des femmes du peuple, attendries, la voulaient embrasser, et des hommes en offrant leurs sous lui serraient les mains à la faire crier. Quand elle pénétra dans les quartiers bourgeois, on répondait que les maîtres étaient sortis, ou bien quand elle les surprenait au logis, ils rusaient pour donner moins, s'excusaient hypocritement, se montraient gueux, avec des phrases.

Un jour enfin, comme elle n'avait point trouvé chez lui un gros industriel, elle le rencontra en sortant. Il s'excusa, avec mille politesses, il la fit entrer, monter deux étages, lui offrit des biscuits et du malaga; puis, apportant ses livres de commerce, lui prouva que, n'ayant rien gagné durant toute cette année d'invasion, il ne pouvait par conséquent rien donner à la patrie.

Et la quêteuse ajouta : « Nous conservons toujours un peu de parti pris bienveillant pour les gens de notre monde; au fond vous avez peut-être raison ».

(*Le Gaulois,* 20 juillet 1882.)

LES BAS-FONDS

M. Albert Wolff, en critiquant vivement les tendances de la jeune école littéraire, lui reproche de ne jamais étudier que les bas-fonds, et il ajoute, avec toute raison : « Mais ces mots (les bas-fonds) n'impliquent pas forcément la seule étude des filles et des pochards, de ce qu'on appelle si gracieusement, dans cette littérature-là, les saligauds et les salopes. Les bas-fonds de la société commencent avec la déchéance des caractères, avec l'écroulement de l'homme, quelle que soit la caste qui en souffre. Quel vaste champ ouvert à l'observation du romancier ! Nous avons les bas-fonds de l'aristocratie, de la bourgeoisie, des artistes, des financiers et des ouvriers... »

Et, me prenant personnellement à partie, M. Wolff me reproche de n'avoir pas répondu bien franchement, l'autre jour, à Francisque Sarcey. Toute question personnelle mise de côté, j'ai revendiqué la liberté absolue, pour le romancier, de choisir son sujet comme il l'entend. Je vais, aujourd'hui, si M. Wolff le veut bien, me mettre complètement d'accord avec lui sur cette question des bas-fonds.

La bas-fondmanie, qui sévit assurément, n'est qu'une réaction trop violente contre l'idéalisme exagéré qui précéda.

Les romanciers ont aujourd'hui, n'est-ce-pas ? la prétention de faire des romans vraisemblables. Ce principe admis, cet idéal artistique une fois posé (et chaque époque a le sien), l'étude unique et continue de ce qu'on appelle les bas-fonds serait aussi illogique que la représentation constante d'un monde poétiquement parfait.

Quelle différence existerait-il, entre une œuvre dont tous les personnages seraient sages comme des images, et une autre œuvre dont les personnages seraient vils et criminels? Aucune. Dans l'une comme dans l'autre subsisterait un parti pris de bien comme de mal, qui ne s'accorderait en rien avec la prétention adoptée de rendre la vie, c'est-à-dire d'être plus équitable, plus juste, plus vraisemblable que la vie même.

Dans le roman tel que le comprenaient nos aînés, on recherchait les exceptions, les fantaisies de l'existence, les aventures rares et compliquées. On créait avec cela une sorte de monde nullement humain, mais agréable à l'imagination. Cette manière de procéder a été baptisée : « Méthode ou Art idéaliste. »

Du roman, tel qu'on le comprend aujourd'hui, on cherche à bannir les exceptions. On veut faire, pour ainsi dire, une moyenne des événements humains et en déduire une philosophie générale, ou plutôt dégager les idées générales des faits, des habitudes, des mœurs, des aventures qui se reproduisent le plus généralement.

De là cette nécessité d'observer avec impartialité et indépendance.

La vie a des écarts que le romancier doit éviter de choisir, étant donné sa méthode actuelle. Les nécessités impérieuses de son art doivent lui faire souvent même sacrifier la vérité stricte à la simple mais logique vraisemblance.

Ainsi les accidents sont fréquents. Les chemins de fer broient des voyageurs, la mer en engloutit, les cheminées écrasent les passants pendant les coups de vent. Or, quel romancier de la nouvelle école oserait, au milieu d'un récit, supprimer par un de ces accidents imprévus un de ses personnages principaux?

La vie de chaque homme étant considérée comme un roman, chaque fois qu'un homme meurt de cette manière, c'est cependant un roman que la nature interrompt brusquement. Dans ce cas, nous n'avons pas le droit de copier la nature. Car nous devons toujours prendre les moyennes et les généralités.

Donc, ne voir dans l'humanité qu'une classe d'individus (que cette classe soit d'en haut ou d'en bas), qu'une catégorie de sentiments, qu'un seul ordre d'événements, est assurément une marque d'étroitesse d'esprit, un signe de myopie intellectuelle.

Balzac, que nous citons tous, quelles que soient nos tendances, parce que son génie était aussi varié qu'étendu, — Balzac considérait l'humanité par ensembles, les faits par masses, il cataloguait par grandes séries d'êtres et de passions. Si nous semblons aujourd'hui abuser du microscope, et toujours étudier le même insecte humain, tant pis pour nous. C'est que nous sommes impuissants à nous montrer plus vastes.

Mais, rassurons-nous. L'école littéraire actuelle élargira sans doute peu à peu les limites de ses études, et se débarrassera, surtout, des partis pris.

En y regardant de près, la persistante reproduction des « bas-fonds » n'est, en réalité, qu'une protestation contre la théorie séculaire des choses poétiques.

Toute la littérature sentimentale a vécu depuis des temps indéfinis sur cette croyance qu'il existait des séries de sentiments et de choses essentiellement nobles et poétiques, et que seuls, ces sentiments et ces choses pouvaient fournir des sujets aux écrivains.

Les poètes, pendant des siècles, n'ont chanté que les jeunes filles, les étoiles, le printemps et les fleurs. Dans le drame, les basses passions elles-mêmes, la haine, la jalousie, avaient quelque chose d'emporté et de magnifique.

Aujourd'hui, on rit des chanteurs de rosée, et on a compris que toutes les actions de la vie, que toutes les choses ont, en art, un égal intérêt; mais, aussitôt cette vérité découverte, les écrivains, par esprit de réaction, se sont peut-être obstinés à ne dépeindre que l'opposé de ce qu'on avait célébré jusque-là. Quand cette crise sera passée, et elle doit toucher à sa fin, les romanciers verront d'un œil juste et d'un esprit égal tous les êtres et tous les faits; et leur œuvre, selon leur talent, embrassera le plus possible de vie dans toutes ses manifestations.

C'est justement pour se débarrasser de préjugés littéraires qu'on s'est mis à en créer d'autres tout opposés aux premiers. S'il est enfin une devise que doive prendre le romancier moderne, une devise résumant en quelques mots ce qu'il cherche, ce qu'il veut, ce qu'il tente, n'est-ce pas celle-ci : « Je tâche que rien de ce qui touche les hommes ne me soit étranger. » *Nihil humani a me alienum puto*.

(*Le Gaulois,* 28 juillet 1882.)

LA BELLE ERNESTINE

La belle Ernestine! Tout le monde a entendu prononcer ce nom; tout le monde l'a lu dans les journaux. Depuis vingt ans, chaque année, ces trois mots : « la belle Ernestine », reviennent sous la plume des chroniqueurs; et bien des lecteurs, sans doute, se demandent quelle est cette femme aussi connue que Thérésa ou Mlle Léonide Leblanc, dont la beauté est devenue proverbiale, et qu'on ne voit point aux premières.

La belle Ernestine est une aubergiste de Saint-Jouin, de Saint-Jouin près Etretat.

Belle? elle le fut certes beaucoup plus qu'elle ne l'est aujourd'hui, mais elle est demeurée intéressante autant que femme du monde, curieuse à tous égards, vrai personnage de roman. Je ne puis aller chez elle, la voir, l'entendre parler d'elle, de sa vie, sans être obsédé par le souvenir de George Sand. Oh! si le grand et charmant romancier l'avait connue, bien connue, il en aurait fait certes un des plus curieux personnages de ses livres, un de ces personnages attendrissants, philosophants, mi-paysans, pleins de dessous et de dedans, vivants plaidoyers pour des thèses morales, un de ces types champêtres et doux, un peu malheureux toujours, pliés sous quelque brutale méchanceté de l'existence, un de ces êtres sympathiques en qui se complaisait son talent rêveur et séduisant.

***

Saint-Jouin n'est pas loin d'Etretat. Allons-y à pied, si vous voulez.

On monte d'abord la côte du Havre, puis on prend à droite dans un léger pli de terre ; on passe entre deux fermes, deux belles fermes normandes, riches, COSSUES, avec de longs bâtiments couverts de chaume, des granges, des écuries, des étables, des hangars et la maison des fermiers, une sorte de petit château coiffé d'ardoises. Dans les vastes cours, sous les pommiers à cidre, des vaches nonchalantes et couchées, le ventre écrasé par terre, la mamelle tombée dans l'herbe, ruminent avec un grand mouvement en biais de leurs mâchoires lentes et fortes.

Puis on traverse des champs. L'horizon de gauche est fermé par des villages, des arbres, un clocher pointu. A droite, la côte brusquement tombe à la mer en une chute, de cent mètres, et l'on voit la grande nappe bleue sur qui se répand le soleil, et des voiles partout, les unes toutes blanches, flambantes, joyeuses, les autres brunes ; et parfois un grand vapeur empanaché de fumée, qui descend vers Le Havre, ou monte vers le nord.

La route s'enfonce entre deux collines et nous entrons en une série de ces petits vallons tortueux qui créent le charme si particulier des environs d'Etretat.

Ils sont nus, ces vallons, plantés d'ajoncs jaunes au printemps, jaunes comme un manteau d'or, et verts en été. Ils se déroulent avec une fantaisie charmante, imprévue et toujours coquette. Ils vont à droite, à gauche, se redressent et se courbent encore. Parfois on y rencontre des bouquets d'arbres, des bois de cent pas de long, et parfois des blés mûrs qui ondulent avec un bruit pareil à un crépitement.

Et l'on répète, malgré soi, ces vers qui reviennent sans cesse à l'esprit, ces admirables vers d'un des plus grands poètes du siècle, Leconte de Lisle :

Seuls les grands blés mûris, comme une mer dorée
Se prolongent au loin, dédaigneux du sommeil ;
Pacifiques enfants de la terre sacrée,
Ils épuisent sans peur la coupe du soleil.

Parfois, comme un soupir de leur âme brûlante,
Du sein des épis lourds qui murmurent entre eux,
Une ondulation majestueuse et lente
S'élève, et va mourir à l'horizon poudreux.

Voici Bruneval, une vallée profonde qui court à la mer, et où on essaye, en vain jusqu'ici et sans espoir pour l'avenir, de créer une station de bains.

On remonte par un sentier tout droit ; on pénètre en un hameau de fermes, le chemin passant entre les fossés verts plantés de grands arbres que secoue éternellement et que fait chanter le vent du large, et on arrive au village où demeure la belle Ernestine.

***

Une entrée de manoir campagnard mène devant une ancienne et jolie maison, toute vêtue de plantes grimpantes. En face un beau potager, puis, plus loin, séparée par une haie, une cour herbeuse, qu'ombrage un vrai toit de pommiers.

L'hôtelière attend devant sa porte, rieuse et toujours fraîche. C'est une forte fille, mûre maintenant, belle encore, d'une beauté puissante et simple, une fille des champs, une fille de la terre, une paysanne vigoureuse.

Le front et le nez superbes, le front droit, tourné comme un front de statue, le nez continuant la ligne droite qui part des cheveux, rappellent les Vénus, bien qu'ils soient jetés, comme par mégarde, sur une tête à la Rubens.

Car toute cette fille semble Flamande, par sa carnation, sa structure, son rire osé, sa bouche forte, bien ouverte. C'est une de ces servantes charnues et saines qu'on a vues danser dans les kermesses du grand peintre.

Mais, il fallait la voir vingt ans plus tôt, la belle campagnarde rusée qui sait, d'un sourire ou d'un mot, se faire donner des vers par tous les poètes, des autographes par tous les illustres, des dessins par tous les peintres.

Sa maison en est pleine. En voici signés Dumas père, d'autres signés Dumas fils. Tous les noms du siècle sont là.

> *Belle Ernestine,*
> *A vos yeux je devine*
> *Que vous voulez un autographe,*
> *Le voilaphe.*

Paroles et musique : signées Jacques Offenbach.

Et chaque peintre passant par Etretat (tous y sont venus) paya son tribut.

Mais si les artistes ont saisi le caractère curieux et si particulier de cette femme, les simples baigneurs souvent la méconnaissent. Et comme elle a de l'esprit, beaucoup d'esprit, elle en rit.

Que de fois des gens sont venus pour contempler la belle Ernestine, des gens qui s'attendaient à des atours, à des manières, à des grâces apprises, à des coquetteries de Parisienne !

Arrivés en face de cette forte fille en robe d'indienne, ils demandaient : « Où donc est la belle Ernestine ? » Et elle répondait, enchantée : « A l'est partie, pou l'moment, mais a va rentrer. » Les gens attendaient avec patience, déjeunaient, attendaient encore, buvaient toujours, puis, las, enfin faisaient atteler ; et comme ils montaient en voiture, Ernestine, riant comme une folle, leur criait au nez : « Mais v'là six heures que vous me r'gardez, j'vous ai servi l'déjeuner et tout c'que vous avez voulu. C'est mai la belle Ernestine ! »

Et elle s'asseyait pour rire à son aise devant les voyageurs stupéfaits.

Elle est l'amie, je dis l'amie, de la moitié de ses clients, qu'elle séduit par sa grâce rustique et sa bonne humeur toute ronde. L'an dernier, la reine d'Espagne vint la voir et fit annoncer sa visite. Tout le monde, hormis Ernestine, perdit la tête dans la maison. On rêvait de plats extraordinaires pour ce royal déjeuner. Un pensionnaire parlait déjà d'envoyer chercher un chef au Havre. Mais Ernestine calma ces ardeurs : « Une reine, eh ben! une reine c'est fait comme moi. J'vas li servir des tripes à c'te femme. J'suis sûre qu'a n'en mange pas souvent et qu'a l'aimera mieux ça qu'tous vos plats. »

La reine reprit trois fois des tripes!

Puis, à la fin du déjeuner, comme un de ces hommes en qui tous les respects sont plantés avait conseillé à Ernestine d'enlever du mur un autographe d'Emilio Castelar, elle s'approcha de l'auguste convive :

« Dites donc, la Reine, on m'a dit d'enlever ça parce que vous alliez venir. C'est-il vrai que ça vous fâchera que je l'aie laissé? Mais voyez-vous, M. Castelar est mon ami, et, moi, je n'cache jamais mes amis. »

La reine répondit : « Vous avez eu raison. M. Castelar est notre ennemi; mais je sais lui rendre justice; c'est un homme de grand talent. »

Quand la voiture royale s'en alla, Ernestine, debout sur la porte, cria : « Au revoir, la Reine! » Un monsieur présent, un peu choqué, lui dit : « Vous l'empêcherez de revenir, vous être trop familière. » Elle riposta : « Eh bien, si a n'veut pas r'venir, a ne reviendra pas. Moi je n'me gêne point. »

La reine d'Espagne revint deux fois.

*
* *

On pourrait raconter sur Ernestine des multitudes d'anecdotes. Elle a vu tant de monde et tant de choses!

Au moral on ne la connaît guère. Elle est brave fille, familière, avec des dehors toujours joyeux et, peut-être, des dedans pas toujours gais. En elle semble s'être incarné l'esprit normand, bon enfant, rieur et rusé. Car elle est rusée comme personne, mais rusée dans le bon sens du mot, sans aucune perfidie méchante, rusée inconsciente, astucieuse par instinct, pleine de moyens, de diplomatie voilée, d'habiletés campagnardes, d'intentions dissimulées.

D'un coup d'œil elle pénètre et connaît ses clients, elle les juge et les jauge. Et elle ne se contente pas de les servir selon son appréciation, mais elle leur parle comme il faut leur parler, et, avec un air superbe de franchise, flatte délicatement leurs opinions, les amuse et les séduit, les édifie au besoin.

Si quelque romancier voulait écrire un roman sur les paysans, elle serait un type absolument superbe à connaître et à décrire.

**

En sortant de chez Ernestine, on va voir la falaise de Saint-Jouin, la plus magnifique de la côte.

Ce n'est plus la muraille droite et blanche d'Etretat, mais un chaos étrange de roches éboulées, les unes accumulées comme des ruines de châteaux anciens, les autres gisant çà et là au milieu d'herbes hautes où bouillonnent des sources.

Et l'on sait, à n'en pouvoir douter, l'abbé Cochet, nouveau Faria, l'ayant écrit et raconté, l'abbé Cochet, ce père d'Etretat, l'antiquaire bien connu, mort aujourd'hui, on sait, dis-je, que dans ces roches bouleversées un gros trésor est caché.

(*Gil Blas*, 1er août 1882.)

UNE FEMME

Dans ce procès retentissant qui préoccupe en ce moment tous les esprits, un personnage attire particulièrement l'attention, c'est la femme Fenayrou.

Le public, exaspéré, la voudrait lapider, les hommes raisonnables restent confondus devant elle, la déclarant un problème moral; enfin, beaucoup de journalistes ont affirmé simplement que « c'est une hystérique », se contentant de cette expression qui sert maintenant à tout expliquer.

Hystérique, madame, voilà le grand mot du jour. Etes-vous amoureuse? vous êtes une hystérique. Etes-vous indifférente aux passions qui remuent vos semblables? vous êtes une hystérique, mais une hystérique chaste. Trompez-vous votre mari? vous êtes une hystérique, mais une hystérique sensuelle. Vous volez des coupons de soie dans un magasin? hystérique. Vous mentez à tout propos? hystérique! (Le mensonge est même le signe caractéristique de l'hystérie.) Vous êtes gourmande? hystérique! Vous êtes nerveuse? hystérique! Vous êtes ceci, vous êtes cela, vous êtes enfin ce que sont toutes les femmes depuis le commencement du monde? Hystérique! hystérique! vous dis-je. Nous sommes tous des hystériques, depuis que le docteur Charcot, ce grand prêtre de l'hystérie, cet éleveur d'hystériques en chambre, entretient à grands frais dans son établissement modèle de la Salpêtrière un peuple de femmes nerveuses auxquelles il inocule la folie, et dont il fait, en peu de temps, des démoniaques.

Il faut être vraiment bien ordinaire, bien commun, bien raisonnable, pour qu'on ne vous classe point aujourd'hui parmi les hystériques. Les académiciens ne le sont pas; les sénateurs non plus.

Tous les grands hommes le furent. Napoléon Ier l'était (pas l'autre), Marat, Robespierre, Danton, l'étaient. On entend dire fréquemment de Mme Sarah Bernhardt : « C'est une hystérique. » Messieurs les médecins nous apprennent aussi que le talent est une espèce d'hystérie, et qu'il provient d'une lésion cérébrale. Le génie, par conséquent, doit provenir de deux lésions voisines, c'est de l'hystérie double.

La Commune n'est pas autre chose qu'une crise d'hystérie de Paris.

Nous voilà bien renseignés.

***

Eh bien, à mon humble avis, la nommée Gabrielle Fenayrou n'est pas une hystérique. C'est tout simplement une femme pareille à beaucoup d'autres.

Nous restons éternellement stupéfaits devant les moindres actions des femmes qui déroutent sans cesse notre logique boiteuse. Nous sommes, en général, des êtres de raisonnement, même quand nous raisonnons mal ou faux. La femme est un être de sensation et de passion. Ce qu'a fait Mme Fenayrou, mille femmes le feraient en des occasions semblables. Aimait-elle ou n'aimait-elle pas Aubert? Peu importe. Aubert ne l'aimait plus : elle était donc une femme abandonnée. Cela suffit.

Changeante, nerveuse jusqu'à la folie, bouleversée par les plus fuyantes impressions, prête à tous les actes extrêmes, aux plus grands dévouements comme aux plus grands crimes, la femme, pour qui l'amour est tout (amour d'un homme, amour de ses enfants, amour du vice, amour de Dieu) est capable de tout dans un dépit

112

d'amour. Combien s'empoisonnent en une heure de fièvre inexplicable! Combien d'autres, des filles appartenant souvent au premier venu, poignardent et vitriolisent à bout portant un amant quelconque qui les abandonne!

Si l'on recherchait toutes les vengeances obscures, mais plus odieuses qu'un meurtre, des femmes délaissées, on demeurerait épouvanté à ne plus oser jamais dire une parole de tendresse.

D'où viennent les lettres anonymes, les délations, les révélations criminelles qui font battre deux hommes, ou assommer l'un d'eux, les calomnies mortelles, toutes les perfidies dont on est frappé par derrière? Presque toujours d'une femme dont on fut las avant qu'elle ne fût lasse de vous.

La femme, dans ses colères d'amour, déjoue toutes nos suppositions. Nous ne la comprenons pas, nous ne la pressentons pas; nous ne l'expliquons jamais. Et les autres femmes demeurent surprises de choses qu'elles-mêmes auraient faites en des occasions semblables.

Toutes heureusement ne sont point ainsi, mais elles restent nombreuses, celles dont l'âme surexcitée à la moindre impulsion est capable des plus cruelles violences.

Si nous pouvions interroger les femmes qui ont aimé, qui ont souffert par l'amour, qui ont vu s'éloigner d'elles l'homme à qui elles s'étaient données, combien nous avoueraient qu'elles ont médité des vengeances aussi terribles que celles de Fenayrou contre Aubert? Elles ne les ont point accomplies, direz-vous? Mais pourquoi? Parce que la femme n'est pas un être d'action. Supposez maintenant à son côté un homme, un mari outragé qui la terrasse, qui la domine, qui la pousse encore à cette vengeance rêvée. Alors elle ne reculera plus, et l'aidera jusqu'au bout, en demeurant en arrière à l'heure de l'exécution.

*
* *

Tous les philosophes affirment que la faculté dominante de nos compagnes c'est l'assimilation. Presque toujours la femme d'un homme éminent semble supérieure. Dans tous les cas, elle s'imprègne de lui d'une étrange façon. Elle prend ses idées, ses théories, ses opinions. La femme n'a ni rang, ni caste, ni classe : elle sait devenir ce qu'il faut qu'elle soit selon le milieu où elle se trouve.

Il existe aujourd'hui des femmes athées, des femmes libres penseuses. Elles le sont avec violence comme elles seraient dévotes. Celles-là ont épousé des libres penseurs. La femme devient ce que l'homme la fait.

Qu'est-ce donc que cette armée de jeunes nihilistes russes, prêtes à tuer, prêtes à mourir, plus déterminées et plus dévouées que les hommes? Des femmes sous l'influence directe d'une idée et d'une société secrète.

Est-ce qu'une jeune fille de bonne race, assassinant en pleine rue un général qu'elle ne connaît nullement, n'est pas mille fois plus surprenante qu'une femme aidant son mari qu'elle a trompé et qu'elle redoute, à tuer son amant qui la délaisse? Martin Fenayrou me paraît moins logique, n'en déplaise à l'opinion publique.

Il tua l'amant. Cela s'explique. Mais n'aurait-il pas dû, d'abord, tuer sa femme?

Aubert était son ami, soit. Mais il ne lui avait pas juré fidélité devant le maire, ni devant le prêtre. En courtisant la femme du patron, il ne faisait en vérité que suivre un usage assez généralement suivi dans le commerce.

**

On invoquait dernièrement cette espèce de subordination morale de la femme au mari pour répondre aux théories de Mlle Hubertine Auclert sur les libertés politiques de la femme.

Si les femmes votent, disait-on, rien ne sera changé dans le résultat final des suffrages, chaque femme devant fatalement représenter l'opinion de son maître, ou, si elle n'est pas mariée, celle de son père ou de ses frères.

Ce raisonnement cependant ne me semble pas tout à fait juste. La femme, sensiblement inférieure à son mari, le subit, devient son reflet. Mais quand elle lui est égale, ce qui est le plus fréquent, et, à plus forte raison, quand elle lui est supérieure, elle échappe totalement à son influence.

Alors qu'arrive-t-il? La femme étant, par nature, disposée aux abandons du cœur et de l'âme, à la fois, est religieuse presque toujours. Personne ne me contredira si j'affirme que les neuf dixièmes des femmes de France sont catholiques pratiquantes, alors qu'un tiers à peine des hommes tient aux croyances religieuses.

Donc, donnez aux femmes les droits politiques : et c'est le plus sûr moyen de rétablir chez nous la monarchie, avec le pape comme souverain temporel.

Ce n'est pas sans doute ce que désire Mlle Hubertine Auclert.

(*Gil Blas,* 16 août 1882.)

LOUIS BOUILHET

Mercredi dernier, est arrivée, en gare de Rouen, une caisse portant comme adresse : « A monsieur le président du comité Bouilhet », puis plus bas : « Envoi de M. Guillaume. »

C'était le buste du poète mort, voici treize ans maintenant, et dont on va inaugurer le monument dans quelques jours.

Toute la presse va donc répéter ce nom; on rappellera ses œuvres si admirées des lettrés et peu lues maintenant du public; on racontera sa vie, on réveillera sa gloire. Je veux, un des premiers, reparler du poète gracieux et puissant que j'ai connu, que j'ai aimé, et que j'ai vu dans l'intimité de sa vie.

Un autre jour, quand aura lieu la cérémonie d'inauguration, je m'occuperai de son œuvre, et je pourrai peut-être citer quelques pièces ou quelques fragments absolument inédits. Aujourd'hui je raconterai l'homme en quelques lignes, mêlant à mes souvenirs personnels les choses que j'ai sues de lui par son plus intime ami, Gustave Flaubert.

J'avais alors dix-huit ans, et je faisais ma rhétorique à Rouen. Je n'avais rien lu de Bouilhet, bien qu'il fût le plus cher camarade de Flaubert.

En ville, on ne le connaissait guère; mais on en parlait beaucoup parce qu'il était bibliothécaire. L'académie locale le méprisait un peu, sous l'influence d'un poète indigène, M. Decorde, un barde étonnant dont les vers semblent avoir été faits par Henry Monnier pour les attribuer à l'immortel Prudhomme.

Dans le public, les nombreux parents des académiciens déclaraient Louis Bouilhet surfait. Quelques jeunes gens l'admiraient frénétiquement.

Un jour, comme nous nous dirigions vers le collège, après une promenade, le pion, un piocheur qu'on estimait, chose rare, eut un geste brusque comme pour nous arrêter; puis il salua, d'une façon respectueuse et humble, ainsi qu'on devait jadis saluer les princes, un gros monsieur décoré à longues moustaches tombantes qui marchait, le ventre en avant, la tête en arrière, l'œil voilé d'un pince-nez.

Puis quand le promeneur fut loin, notre maître d'études qui l'avait longtemps suivi du regard nous dit : « C'est Louis Bouilhet. » Et immédiatement il se mit à déclamer les vers de *Melænis,* des vers charmants, sonores, amoureux, caressant l'oreille et la pensée comme font tous les beaux vers.

Le soir même j'achetais *Festons et Astragales*. Et pendant un mois je restai grisé de cette vibrante et fine poésie.

***

Tout jeune encore je n'osais demander à Flaubert, dont je n'approchais alors qu'avec un respect craintif, de m'introduire chez Bouilhet. Je résolus d'y aller seul.

Il habitait rue Bihorel, une de ces interminables rues des banlieues provinciales qui vont de la ville à la campagne. Par un bout elles plongent dans la foule des maisons, et par l'autre, elles se perdent, s'effacent dans les premiers champs d'avoine ou de blé. Elles sont faites de murs et de haies enfermant des jardins tantôt petits, tantôt très grands, et les demeures sont plantées au fond de ces enclos, loin de la rue. Je tirai un fil de fer pendu contre une petite porte encastrée dans une haute muraille, et j'entendis, tout là-bas, tinter une sonnette. On fut longtemps sans venir; j'allais m'en aller quand je distinguai des pas qui s'approchaient. La porte s'ouvrit. J'étais en face du gros monsieur qu'avait salué notre pion.

Il me regardait d'un air surpris en attendant que je parlasse. Quant à moi, je venais, pendant le tour de clef, d'oublier complètement le discours habile et flatteur que je préparais depuis trois jours. Je me nommai tout simplement. Comme il connaissait depuis longtemps ma famille, il me tendit la main, et j'entrai.

Un long jardin planté d'arbres fruitiers et d'arbres ombrageants conduisait à l'habitation, toute simple et carrée. Le chemin, droit, était bordé de fleurs des deux côtés, non pas d'une simple ligne comme les jardiniers experts en font serpenter autour des plates-bandes; mais c'étaient deux nappes, deux larges viviers de fleurs magnifiques, de toute race, de toute nuance, dont les odeurs remuées semblaient épaissir l'air.

C'était là une des passions du poète. Je lui citai, non sans une certaine pédanterie, ces vers anciens :

Puis, du livre ennuyé, je regardois les fleurs.
Charmante compagnie et utile et honneste.
Un autre en caquetant m'étourdiroit la teste.

Bouilhet se tourna alors vers moi et sourit. Je vis alors pour la première fois cet étrange et charmant sourire, qui était bien le signe particulier, distinctif, caractéristique de sa figure.

Des gens sourient de la bouche seulement; lui, il souriait plus encore du regard que des lèvres.

Son œil large et bon, infiniment bon et perçant, s'allumait d'une petite lueur moqueuse et bienveillante. On y voyait distinctement cette ironie toujours en éveil, toujours aiguë, mais paternelle, qui semblait le fond même, la couche résistante de sa nature d'artiste. Car il avait, ce poète doux, gracieux et cornélien, doux par nature, gracieux par raffinement, cornélien par éducation littéraire, par volonté, il avait plus qu'aucun autre la verve railleuse, l'observation mordante, le mot

118

cinglant sans devenir cependant jamais cruel. Son rire était bon enfant.

Je pénétrai dans le logis, intérieur simple de poète, qui ne recherche point les délicates ornementations, intérieur d'érudit surtout, car il était un des humanistes les plus remarquables de son époque.

***

Il avait eu des débuts pénibles, très pénibles. Ayant abandonné à ses sœurs sa part d'héritage, il s'était mis à travailler la médecine, après avoir fait de magnifiques études latines et grecques.

M. Maxime Du Camp, dans ses indiscrétions littéraires, dit de lui : « Nul poète grec, nul poète latin qui ne lui fût connu. Il en faisait sa lecture habituelle et savait n'être point pédant. »

Le besoin de produire le harcelant, il se mit à donner des leçons pour vivre, tout en écrivant des vers. C'est alors qu'il composa *Melænis,* une merveille exquise de grâce, de force et de rythme, son chef-d'œuvre peut-être.

Puis, il vint à Paris, où il eut son premier grand succès avec *Madame de Montarcy*. Il habita Mantes ensuite, puis Rouen vers la fin de sa vie. Son dernier succès au théâtre fut la *Conjuration d'Amboise*.

Ses deux recueils de vers, *Festons et Astragales* et *Dernières Chansons,* le classent au premier rang des vrais poètes de notre siècle.

Son grand malheur est d'avoir toujours été pauvre, ou d'être venu trop tard à Paris. Paris est le fumier des artistes ; ils ne peuvent donner que là, les pieds sur les trottoirs et la tête dans son air capiteux et vif, toute leur complète floraison. Et il ne suffit pas d'y venir ; il faut en être, il faut que ses maisons, ses habitants, ses idées, ses mœurs, ses coutumes intimes, sa gouaillerie, son esprit vous soient familiers de bonne heure. Quelque grand, puissant, génial qu'on soit, on garde, quand on ne sait pas devenir parisien jusqu'aux moelles, quelque chose de provincial. Bouilhet, dont les poésies détachées sont comparables aux plus belles choses des grands poètes, montre dans son théâtre, plein cependant de richesses exceptionnelles, une certaine tendance vers une grandeur un peu convenue dont il se fût peut-être débarrassé s'il avait pu, comme bien d'autres, venir à vingt ans sur les boulevards.

Pendant six mois, je le vis chaque semaine, tantôt chez lui, tantôt chez Flaubert. Timide en public, il était, dans l'intimité, débordant d'une verve incomparable, d'une verve nourrie, de grande allure classique, pleine de souffle épique et de finesse en même temps.

J'appris un jour qu'il était fort malade. Il mourut brusquement le lendemain.

Et je me rappelle la foule, la foule inconsciente, incapable de subtiles délicatesses, piétinant ses fleurs, écrasant les plates-bandes, broyant les œillets, les roses, tout ce qu'il aimait d'un amour chantant et attendri, pour se presser autour du lourd cercueil de chêne que quatre croque-morts emportaient en déchiquetant, tout le long d'une allée, deux fines bordures de bouquets bleus.

Et je répétais machinalement les tristes vers de la dernière pièce d'un dernier livre :

> *J'adore à présent l'héritière*
> *Du vieux fossoyeur aux bras noirs,*
> *Je suis fidèle tous les soirs*
> *Au rendez-vous du cimetière.*
>
> *Toc, toc, toc, on entend le bruit*
> *Du vieux qui bêche dans la nuit.*
> ....
> ....
>
> *Un jour, bientôt, quand? je l'ignore,*
> *A quatre pas de ta maison,*
> *J'irai dormir sous le gazon.*
> *Que tu seras charmante encore!*
> ....

Les journaux locaux viennent d'annoncer que l'inauguration du monument aura lieu le 24 de ce mois. Espérons que cette nouvelle sera démentie et qu'on fixera une date plus éloignée. En précipitant ainsi cette cérémonie qui pourrait attirer devant le buste du poète disparu tous les poètes jeunes et vieux de la France actuelle : Banville, Coppée, Silvestre, Mendès, Bourget, etc., on s'exposerait à n'avoir, ce jour-là, autour du monument que les Rouennais lettrés, peu nombreux, et les amis particuliers de l'écrivain, ce qui serait insuffisant.

(*Le Gaulois,* 21 août 1882.)

POÈTES

Comme un cadavre au sépulcre endormi
Je sens déjà peser l'oubli du monde
Qui tout vivant m'a couvert à demi.

Quand il écrivait ces vers de la *Dernière Nuit,* le poète dont on inaugurait le buste à Rouen l'autre jour, Louis Bouilhet, songeait au noir *guignon* qui le poursuivit jusqu'à la mort. Il fut pauvre et il demeura toujours un peu méconnu du public, bien que mis à sa place par les vrais lettrés.

Il était un poète-artiste, et l'art, en poésie comme en prose, est ce qui demeure le plus méconnu du lecteur vulgaire. Le commun des hommes veut tout simplement qu'on lui exprime avec des rimes les choses qu'il pense communément. La rime n'est guère pour lui qu'un moyen mnémotechnique; et il demeure étranger aux subtiles délicatesses des rythmes, à l'ordonnance euphonique des mots, à la concordance de l'harmonie avec l'idée. Et voilà pourquoi le public, presque toujours, prend l'ombre pour la réalité, les faux poètes pour les vrais, préfère Musset à Baudelaire et des ritournelles patriotiques aux œuvres superbes de Lecomte de Lisle.

Qui donc sait par cœur *Midi, les Eléphants, Caïn, les Hurleurs, le Sommeil du Condor?* — Personne, sauf les poètes.

M. Leconte de Lisle est, et restera, un grand poète ignoré, pas même académicien, mais plus immortel cependant que trente-huit au moins des quarante; car les œuvres de cette envergure sont plus fortes que l'opinion des ignorants. Louis Bouilhet, malgré d'éclatants triomphes au théâtre, resta incompris du monde, qui ne connut guère et n'apprécia point, par inconséquence naturelle, les plus rares beautés du poète : *Melænis, les Fossiles* et ses exquises poésies légères. Il en souffrit. Bien que ne parlant presque jamais de lui, il laissa parfois percer sa tristesse :

> *Mon rêve est mort, sans espoir qu'il renaisse.*
> *Le temps s'écoule, et l'orgueil imposteur*
> *Pousse au néant les jours de ma jeunesse*
> *Comme un troupeau dont il fut le pasteur.*

Cette malchance invincible l'a poursuivi jusqu'àprès sa mort. Ses vrais amis (j'entends les amis de l'artiste) espéraient que l'inauguration du monument qu'on vient d'élever à sa mémoire serait l'occasion d'un réveil de sa gloire endormie. Tous seraient venus parmi les poètes : Banville, Silvestre, Sully Prudhomme, Bourget, Catulle Mendès, Richepin, Coppée, Bouchor, etc. Et que de romanciers, que de journalistes, que d'auteurs dramatiques, vieux amis du mort, ou admirateurs fidèles, auraient voulu se réunir autour de son buste! Rouen, Rouen même, semblait prête à célébrer pompeusement son enfant disparu. Les *autorités* offraient leur concours.

On s'est contenté d'une cérémonie piteuse, par suite, dit-on, de je ne sais quelles questions d'amour-propre local, ou peut-être grâce simplement à la maladresse de quelques membres rouennais du comité.

A-t-on craint la présence d'hommes trop connus, capables d'éclipser la renommée d'arrondissement du médecin, du dentiste et du pharmacien qui ont réglé, avec une autorité contestable, tout les détails de la cérémonie?

A-t-on voulu éviter un dérangement aux *célébrités contemporaines* en fixant la date de la fête en plein été, au mois d'août, juste au moment où tout le monde est loin de Paris? Cela paraît encore vraisemblable, car les invitations, lancées seulement six jours d'avance, n'ont guère rencontré que des concierges.

On se perd en conjectures.

Mais quand le voile qui recouvrait le marbre, œuvre de M. Guillaume, tomba, l'auteur de *Melænis* n'avait en face de lui que les représentants de l'art médical, pharmaceutique et dentaire de la localité. Un pédicure manquait à cette fête.

Celui qui, depuis la mort de Gustave Flaubert, remplissait les fonctions de président du comité, M. Raoul Duval, avait même été remplacé en cette occasion, comme étant trop connu sans doute, par un fort honorable médecin dont le savoir-faire professionnel n'est point contestable, mais dont les facultés artistiques et littéraires demandent jusqu'ici confirmation.

Enfin, que cette cérémonie avortée soit due à une sorte de jalousie posthume des humbles amis de Bouilhet, des anciens camarades, qui auraient voulu, en la précipitant ainsi, garder pour eux seuls, pour la ville de Rouen exclusivement, le charmant écrivain mort depuis treize ans déjà, et se faire un peu de gloire personnelle, sans éclipse possible, en cette occasion; ou qu'ils aient agi simplement par inhabileté, par ignorance, ils ont attristé tous ceux en qui vit l'admiration profonde du poète des *Fossiles*.

***

La pièce qu'on connaît le plus de lui, celle qu'on cite le plus souvent, a pour titre : *A une Femme*.

Chacun sait par cœur ces vers :

Tu n'as jamais été dans tes jours les plus rares,
Qu'un banal instrument sous mon archet vainqueur
Et comme un air qui sonne au bois creux des guitares
J'ai fait chanter mon rêve au vide de ton cœur.

....

Et maintenant, adieu. Suis ton chemin; je passe.
Poudre d'un blanc discret les rougeurs de ton front.
Le banquet est fini quand j'ai vidé ma tasse.
S'il reste encor du vin, les laquais le boiront.

Mais ces vers, tout beaux qu'ils sont, ne valent point peut-être les délicieux bijoux, les petites œuvres délicates, exquisement ouvragées, adorablement maniérées, qu'on trouve partout dans ces deux recueils, ni les poèmes de grande allure où passe ce souffle puissant hautement lyrique qu'il avait en lui. Rien n'est plus grand que *la Colombe*, — *les Fossiles*, — *l'Abbaye*. Rien n'est plus gracieux que le *Dieu Pu*, — *Chanson d'Amour* — *A un Nouveau-Né*.

Ecoutons-le conter les amours d'une fleur et d'un oiseau, d'un oiseau qui est tout juste assez grand

Pour couvrir cette fleur en tendant ses deux ailes.

Et l'oiseau dit sa peine à la fleur qui sourit.
Et la fleur est de pourpre et l'oiseau lui ressemble
Et l'on ne sait pas trop, quand on les voit ensemble,
Si c'est la fleur qui chante ou l'oiseau qui fleurit.

Et la fleur et l'oiseau sont nés à la même heure
Et la même rosée avive chaque jour
Les deux époux vermeils, gonflés du même amour.
Mais quand la fleur est morte il faut que l'oiseau meure.

Alors sur ce rameau d'où son bonheur a fui,
On voit pencher sa tête et se faner sa plume.
Et plus d'un jeune cœur, dont le désir s'allume,
Voudrait aimer comme elle, expirer comme lui !

Et je ne puis résister au désir de citer encore les premiers vers seulement du *Dieu Pu* :

Il est en Chine un petit Dieu bizarre
Dieu sans pagode et qu'on appelle Pu.

J'ai pris son nom dans un livre assez rare
Que le dit frais, souriant et trapu.

Il a son peuple au long des poteries
Et règne en paix sur ces magots poupins
Qui vont cueillant des pivoines fleuries
Aux buissons bleus des paysages peints.

N'est-ce point d'une grâce adorable et d'un inimitable joli? Louis Bouilhet était avant tout un artiste en rythmes. Les poètes d'aujourd'hui sont d'abord des artistes en rimes.

Je vais tâcher de me faire comprendre, sans être sûr d'y parvenir. Les ouvriers « du métier » peuvent seuls apprécier bien nettement ces subtiles questions d'art, et saisir au premier coup d'œil la valeur vraie d'une œuvre poétique.

La qualité maîtresse de Bouilhet, c'est le rythme. Il savait comme personne forger les grands vers sonores et leur donner juste le degré de sonorité que comportait la pensée représentée par les mots. Les mots, outre leur valeur propre, prennent une valeur changeante, essentielle, selon la place qu'ils occupent, selon mille circonstances de voisinage, d'influences, de rapports, d'association. Tout l'art du rythme est fait de nuances, de sons voilés, d'accords secrets, du mariage harmonieux de la chose avec le terme. Seuls les grands artistes sentent, et savent, et règlent à leur gré ces mystérieuses combinaisons. Hugo, en cet art, est le maître des maîtres.

La plus grande préoccupation des poètes actuels, c'est la rime. On croit en général qu'il suffit pour que la rime semble bonne, qu'elle soit variée et possède la consonne d'appui. Nullement. La vraie rime, la rime géniale est plus difficile à découvrir qu'un diamant comme le Régent. Il faut qu'elle soit imprévue, qu'elle étonne et ravisse. Le poète, après avoir jeté sa première rime doit donner, par la seconde, une secousse de surprise et de bonheur au cœur des artistes. En dehors du charme de la pensée, en dehors de la valeur particulière du vers, la *rime est un monde*. On ne peut définir cette puissance; il faut la sentir : elle doit être quelque chose comme un jeu de mots compliqué, qui serait en même temps une exquise œuvre d'art.

Et c'est encore Victor Hugo qui est le maître en ce savoir-faire.

Bouilhet ne poussait point à l'extrême, comme on le fait aujourd'hui, l'art si difficile de la rime. Mais il restera comme un grand et sincère artiste, l'égal des meilleurs de son temps.

**

Continuons à parler des poètes.

J'ai lu dernièrement, par hasard, dans une soirée, des vers inédits, inconnus, nés la semaine précédente, de l'un des plus parfaits artistes d'aujourd'hui.

Une femme s'éventait, de ce geste lent qu'elles ont, quand elles s'ennuient un peu. Puis elle se mit à regarder son éventail, à le regarder de biais, en fermant un peu les yeux, comme si elle lisait. Elle lisait en effet des vers, écrits en travers du parchemin, car il était en parchemin jauni, comme un vieux livre, cet éventail de jolie femme.

Voici les vers :

L'ÉVENTAIL

C'est moi qui soumets le zéphire
A mes battements gracieux
O femmes, tantôt je l'attire
Plus vif et plus frais sur vos yeux.

Tantôt je le prends au passage
Et j'en fais le tendre captif
Qui vous caresse le visage
D'un souffle lent, tiède et plaintif.

C'est moi qui porte à votre oreille,
Dans un frisson de vos cheveux,
Le soupir qui la rend vermeille,
Le soupir brûlant des aveux.

> *C'est moi qui pour vous le provoque*
> *Et vous aide à dissimuler*
> *Ou votre rire qui s'en moque,*
> *Ou vos larmes qu'il fait couler.*

Et cela était signé : Sully Prudhomme. N'est-ce point charmant, de s'éventer avec de la poésie, de la vraie et délicieuse poésie? Et pourquoi cette mode ne prendrait-elle pas de demander aux poètes de rimer un éventail, comme on demande aux peintres d'en colorier? Toutes les femmes, dira-t-on, ne pourraient s'offrir un tel luxe. Soit. Cela n'en aurait que plus de prix pour les privilégiées.

(Gil Blas, 7 septembre 1882.)

L'HOMME DE LETTRES

L'article d'Octave Mirbeau, qui vient de soulever tant de tapage, abordait incidemment à une question qui serait bien curieuse à approfondir d'une manière générale : l'influence de la profession sur l'homme.

Dans cette attaque aux comédiens, il est à remarquer que le journaliste visait toujours la profession, qu'il la chargeait de tous ses griefs, qu'il la rendait en quelque sorte responsable des modifications qu'elle fait fatalement subir à ceux qui l'exercent. Déjà, dans *Fromont jeune et Risler aîné*, Alphonse Daudet avait étudié *un* comédien au période aigu de cette maladie spéciale qu'on pourrait appeler « le cabotinage ». Le cabotinage est la maladie incurable de l'acteur, soit ; les symptômes en sont constants, les manifestations apparentes, soit. Mais n'est-il pas vrai aussi que chaque profession a sa maladie, que chaque métier déforme d'une façon plus ou moins sensible l'homme normal, lui donne des tics, des habitudes, des manières d'être, de penser, d'agir, qui peuvent plaire à ceux-ci, déplaire à ceux-là. N'est-il pas certain aussi que, avant d'entrer dans la profession qu'on doit choisir, il est nécessaire de porter en soi le germe de cette maladie (qu'on appelle alors vocation), sous peine de n'être jamais qu'un médiocre dans le métier ? Pour devenir un comédien de mérite, n'est-il pas indispensable d'être cabot à la naissance, cabot dès qu'on marche et qu'on parle ?

Mais que dirions-nous donc du monde de l'argent, du monde du sport, etc. ?

129

Dans le peuple, on suivrait d'une façon plus précise encore les influences du métier sur l'homme. Les ouvriers peintres ressemblent-ils aux ouvriers menuisiers, les forgerons ne sont-ils pas en tout différents des épiciers?

Mais, de toutes les professions, celle qui produit le plus de ravages dans l'organisme cérébral, celle qui trouble le plus les fonctions normales de l'esprit, c'est assurément la profession des lettres.

***

Le public considère ordinairement l'homme de lettres comme une sorte d'animal étrange, de fantaisiste, d'original, de paradoxe vivant, de poseur, sans s'expliquer bien nettement cependant en quoi cet être particulier diffère de ses semblables.

C'est qu'en lui aucun sentiment simple n'existe plus. Tout ce qu'il voit, tout ce qu'il éprouve, tout ce qu'il sent, ses joies, ses plaisirs, ses souffrances, ses désespoirs, deviennent instantanément des sujets d'observation. Il analyse malgré tout, malgré lui, sans fin, les cœurs, les visages, les gestes, les intonations. Sitôt qu'il a vu, quoi qu'il ait vu, il lui faut le pourquoi! Il n'a pas un élan, pas un cri, pas un baiser qui soit franc; pas une de ces actions instantanées qu'on fait parce qu'on doit les faire, sans savoir, sans réfléchir, sans comprendre, sans se rendre compte ensuite.

S'il souffre, il prend note de sa souffrance et la classe dans un carton; il se dit, en revenant du cimetière, où il a laissé celui ou celle qu'il aimait le plus au monde : « C'est singulier ce que j'ai ressenti; c'était comme une ivresse douloureuse, etc. » Et alors il se rappelle tous les détails, les attitudes des voisins, les gestes faux, les fausses douleurs, les faux visages, et mille petites choses insignifiantes, des observations artistiques, le signe de croix d'une vieille qui tenait un enfant par la main, un rayon de lumière dans une fenêtre, un chien qui traversait le convoi, l'effet de la voiture funèbre sous les grands ifs du cimetière, la tête surprenante d'un croque-mort et la contraction des traits, l'effort des quatre hommes qui descendaient la bière dans la fosse; mille choses enfin qu'un brave homme souffrant de toute son âme, de tout son cœur, de toute sa force, n'aurait jamais remarquées.

Il a tout vu, tout retenu, tout noté, malgré lui, parce qu'il est, avant tout, malgré tout, un homme de lettres, et qu'il a l'esprit construit de telle sorte, que la répercussion, chez lui, est bien plus vive, plus naturelle pour ainsi dire, que la première secousse, l'écho plus sonore que le son primitif.

Il semble avoir deux âmes, l'une qui note, explique, commente chaque sensation de sa voisine, de l'âme naturelle, commune à tous les hommes; et il vit condamné à être toujours, en toute occasion, un reflet de lui-même et un reflet des autres, condamné à se regarder sentir, agir, aimer, penser, souffrir, et à ne jamais souffrir, penser, aimer, sentir comme tout le monde, bonnement, franchement, simplement, sans s'analyser soi-même après chaque joie et après chaque sanglot.

S'il cause, sa parole semble souvent médisante, uniquement parce que sa pensée est clairvoyante, et qu'il désarticule tous les ressorts cachés des sentiments et des actions des autres.

S'il écrit, il ne peut s'abstenir de jeter en ses livres tout ce qu'il a vu, tout ce qu'il a compris, tout ce qu'il sait; et cela sans exception pour les parents, les amis; mettant à nu, avec une impartialité cruelle, les cœurs de ceux qu'il aime et qu'il a aimés, exagérant même, pour grossir l'effet, uniquement préoccupé de son œuvre et nullement de ses affections.

Et s'il aime, s'il aime une femme, il la dissèque comme un cadavre dans un hôpital. Tout ce qu'elle dit, ce qu'elle fait, est instantanément pesé dans cette délicate balance de l'observation qu'il porte en lui, et classé à sa valeur documentaire. Qu'elle se jette à son cou dans un élan irréfléchi, il jugera le mouvement en raison de son opportunité, de sa justesse, de sa puissance dramatique, et le condamnera tacitement s'il le sent faux ou mal fait.

Acteur et spectateur de lui-même et des autres, il n'est jamais acteur seulement comme les bonnes gens qui vivent sans malice. Tout autour de lui devient de verre, les cœurs, les actes, les intentions secrètes, et il souffre d'un mal étrange, d'une sorte de dédoublement de l'esprit, qui fait de lui un être effroyablement vivant, machiné, compliqué et fatigant pour lui-même.

*
* *

Je prends, dans un livre paru récemment, un exemple frappant de cette observation involontaire pratiquée sur soi-même aux heures les plus douloureuses. Un de ceux qui ont le plus souffert par l'art, Gustave Flaubert, après avoir passé la nuit auprès du corps de son plus cher ami, de celui dont la mort le laissa inconsolable, écrivait à M. Maxime Du Camp une étrange et superbe lettre dont voici des fragments :

Alfred est mort lundi soir, à minuit ; je l'ai enterré hier. Je l'ai gardé pendant deux nuits, je l'ai enseveli dans son drap, je lui ai donné le baiser d'adieu et j'ai vu souder son cercueil. J'ai passé là deux jours larges ; en le gardant, je lisais les Religions de l'Antiquité *de Creuzer.*

La fenêtre était ouverte, la nuit était superbe ; on entendait les chants du coq, et un papillon de nuit voltigeait autour du flambeau. Jamais je n'oublierai tout cela, ni l'air de sa figure, ni le premier soir, à minuit, le son éloigné d'un cor de chasse qui m'est arrivé à travers les bois. Le mercredi, j'ai été me promener tout l'après-midi avec une chienne qui m'a suivi sans que je l'aie appelée. Cette chienne l'avait pris en affection et l'accompagnait toujours quand il sortait seul ; la nuit qui a précédé sa mort, elle a hurlé horriblement sans qu'on ait pu la faire taire.

. . . .

De temps à autre, j'allais lever le voile qu'on lui avait mis sur le visage pour le regarder... Quand le jour a paru, vers quatre heures, moi et la garde nous nous sommes mis à la besogne. Je l'ai soulevé, retourné et enveloppé. L'impression de ses membres froids et roidis m'est restée toute la journée au bout des doigts. Il était affreusement décomposé. Nous lui avons mis deux linceuls.

Quand il a été ainsi arrangé, il ressemblait à une momie égyptienne serrée dans ses bandelettes, et j'ai éprouvé je ne puis dire quel sentiment énorme de joie et de liberté pour lui. Le brouillard était blanc; les bois commençaient à se détacher sur le ciel; les deux flambeaux brillaient dans cette blancheur naissante; des oiseaux ont chanté, et je me suis dit cette phrase de son Bélial : « Il ira, joyeux oiseau, saluer dans les pins le soleil levant. »

....

On l'a porté à bras au cimetière; la course a duré plus d'une heure. Placé derrière, je voyais le cercueil osciller avec un mouvement de barque qui remue au roulis. L'office a été atroce de longueur. Au cimetière, la terre était grasse; je me suis approché sur le bord et j'ai regardé une à une toutes les pelletées tomber. Il m'a semblé qu'il en tombait cent mille.

....

***

Un autre eût pleuré simplement, puis oublié. Il me semble que ces douleurs clairvoyantes doivent être plus aiguës, et ces âmes attentives et complexes plus malheureuses que celles des autres.

(*Le Gaulois,* 6 novembre 1882.)

L'ANGLAIS D'ÉTRETAT

Un grand poète anglais vient de traverser la France pour saluer Victor Hugo. Tous les journaux sont pleins de son nom et des légendes courent sur son compte à travers les salons. J'ai eu, voici quinze ans déjà, l'occasion de rencontrer plusieurs fois Algernon-Charles Swinburne. Je veux essayer de le montrer tel que je l'ai vu, et de fixer l'étrange impression qu'il m'a faite, restée toujours vive en moi malgré le temps.

C'était en 1867 ou 1868, je crois; un jeune Anglais inconnu venait d'acheter à Etretat une petite chaumière cachée sous de grands arbres. Il vivait là, toujours seul, d'une manière bizarre, disait-on, et il soulevait l'étonnement hostile des indigènes, le peuple étant sournois et niaisement malveillant comme tout peuple de petite ville.

On racontait que cet Anglais fantaisiste ne mangeait que du singe bouilli, rôti, sauté, confit; qu'il ne voulait voir personne, qu'il parlait haut, tout seul, pendant des heures; enfin mille choses surprenantes qui faisaient conclure aux raisonneurs du lieu qu'il n'était pas fait comme tout le monde.

On s'étonnait surtout qu'il vécût familièrement avec un singe, un grand singe libre dans sa demeure. C'eût été un chien, un chat, on n'eût rien dit. Mais un singe? n'était-ce pas affreux? Fallait-il avoir des goûts de sauvage!

Je ne connaissais ce jeune homme que pour le rencontrer dans la rue. Il était petit, gras sans être gros, d'allure douce, et portait une moustache blonde presque invisible. Un hasard nous fit causer ensemble. Ce sauvage avait des manières aimables et aisées ; mais il était bien un de ces Anglais étranges qu'on rencontre çà et là par le monde.

Doué d'une intelligence remarquable, il semblait vivre dans un rêve fantastique comme dut le faire Edgar Poe. Il avait traduit en anglais un volume de surprenantes légendes islandaises que je désirerais ardemment voir maintenant traduites en français. Il aimait le surnaturel, le macabre, le torturé, le compliqué, tous les détraquements cérébraux ; mais il parlait des choses les plus stupéfiantes avec un flegme tout anglais qui leur donnait, sous sa voix douce et tranquille, des allures de bon sens à rendre fou.

Plein d'un mépris hautain pour le monde, ses conventions, ses préjugés, sa morale, il avait cloué à sa maison un nom audacieusement impudent. Le patron d'une auberge déserte écrivant sur sa porte : « Ici on tue les voyageurs ! » ne ferait pas une plus sinistre facétie.

Je n'avais point pénétré chez lui quand je reçus une invitation à déjeuner à la suite d'un accident arrivé à un de ses amis, qui avait failli se noyer et que j'avais voulu secourir.

Bien qu'accouru après le sauvetage, je reçus les remerciements empressés des deux Anglais, et je me rendis chez eux le lendemain.

L'ami était un garçon d'une trentaine d'années qui portait sur un corps d'enfant, — un corps sans poitrine et sans épaules, — une tête énorme. Un front démesuré, qui semblait avoir dévoré tout le reste de l'homme, se développait comme un dôme au-dessus d'une mince figure, terminée en fuseau par la barbiche d'un menton pointu. Les yeux aigus et la bouche fuyante donnaient l'impression d'une tête de reptile, tandis que le crâne magnifique éveillait l'idée du génie.

Une trépidation nerveuse agitait cet être singulier qui

marchait, remuait, agissait par saccades, comme aux secousses d'un ressort détraqué.

C'était Algernon-Charles Swinburne, fils d'un amiral anglais et petit-fils, par sa mère, du comte d'Ashburnham.

Sa physionomie, troublante, inquiétante même, se transfigurait quand il parlait. J'ai rarement vu un homme plus saisissant, plus éloquent, plus incisif, plus charmant dans l'action de la parole. Son imagination rapide, claire, suraiguë et fantasque semblait glisser dans sa voix, faire vivants et nerveux les mots. Son geste à sursauts scandait sa phrase sautillante qui vous pénétrait dans l'esprit comme une pointe, et il avait soudain des éclats de pensée, comme les phares ont des éclats de feu, de grandes lumières géniales qui semblent éclairer tout un monde d'idées.

La maison des deux amis était jolie et peu ordinaire. Partout des tableaux, parfois superbes, parfois étranges, fixant des conceptions d'aliénés. Une aquarelle, si je me souviens bien, représentait une tête de mort naviguant dans une coquille rose, sur un océan sans limites, sous une lune à figure humaine.

De place en place, on rencontrait des ossements. Je remarquai surtout une affreuse main d'écorché qui gardait sa peau séchée, ses muscles noirs mis à nu, et sur l'os, blanc comme de la neige, des traces de sang ancien.

La nourriture me parut une énigme que je ne devinais pas. Etait-ce bon? Etait-ce mauvais? Je ne le pourrais établir. Un rôti de singe m'ôta l'envie de manger ordinairement de cet animal; et le grand singe en liberté qui rôdait autour de nous et me poussait, par farce, la tête dans mon verre quand j'allais boire, m'enleva tout désir d'avoir un de ses frères pour compagnon de tous les jours.

Quant aux deux hommes, ils m'ont laissé l'impression de deux esprits singulièrement originaux et remarquables, totalement bizarres, appartenant à cette race particulière d'hallucinés de talent dont sont sortis Poe, Hoffmann et d'autres encore.

Si le génie est, comme on le croit communément, une sorte de délire des grandes intelligences, Algernon-Charles Swinburne est assurément un homme de génie.

Les vastes esprits raisonnables ne sont jamais considérés comme géniaux, tandis qu'on prodigue une sublime qualification à des cerveaux souvent de second ordre, mais qu'agite un peu de folie.

Dans tous les cas, ce poëte reste un des premiers de son temps par l'originalité de son invention et la prodigieuse habileté de sa forme. C'est un lyrique exalté, un lyrique forcené qui ne se préoccupe guère de cette humble et bonne vérité que recherchent aujourd'hui si obstinément et si patiemment les artistes français, mais qui s'évertue à fixer des songes, des pensées subtiles, tantôt ingénieusement grandioses, tantôt simplement enflées, parfois aussi magnifiques.

Deux ans plus tard, je trouvai la maison fermée, les hôtes partis, on vendait les meubles. J'achetai, en souvenir d'eux, la hideuse main d'écorché. Sur le gazon, un énorme bloc carré de granit portait gravé ce simple mot : « Nip ». Au-dessus, une pierre creuse, pleine d'eau, offrait à boire aux oiseaux. C'était la sépulture du singe, pendu par un jeune domestique nègre et vindicatif. Ce serviteur violent s'était ensuite enfui, disait-on, devant le revolver du maître exaspéré. Mais, après avoir erré sans toit, ni pain, pendant plusieurs jours, il reparut et se mit à vendre des sucres d'orge par les rues. Il fut définitivement expulsé du pays après avoir étranglé aux trois quarts un consommateur mécontent.

La terre serait plus gaie si on rencontrait souvent des intérieurs comme celui-là.

(Le Gaulois, 29 novembre 1882.)

POT-POURRI

Comme elle est étrange cette foule des jours de fête, gauche, maladroite, endimanchée, drôlement inhabile à circuler, à se ranger, encombrant les trottoirs, sorte de pâtée grouillante, macaroni humain dont on peut couper les fils.

Et regardons les têtes! des têtes de petite ville, des têtes mal coiffées, des têtes grotesques. Ce sont les provinciaux de Paris qui passent.

Les provinciaux de Paris restent les plus endurcis des provinciaux, ceux que rien ne civilisera jamais.

Ils ne savent rien, ne soupçonnent rien de la vie ardente, passionnée, énervante et précipitée de la grande ville qu'ils habitent. Ils sont à Paris comme ils seraient à Clermont-Ferrand, et cela uniquement parce qu'ils sont nés dans une peau de provincial, nés pour habiter une petite ville. Ils sont fermés.

Leurs préoccupations restent bornées par le souci du ménage et de la place qu'ils ont; leurs idées sont limitées par quelques principes transmis dans la famille et quelques notions de politique; leurs passions n'ont pas d'envergure.

Beaucoup, pourtant, ont vu le jour à Paris, issus de parents parisiens; et voilà encore les plus provinciaux de tous. Leur rue, leur quartier et leurs quelques connaissances arrêtent leur horizon.

Dans le bas, ce sont de petits marchands rivés à leur comptoir; la débitante de tabac qui depuis douze ans n'a fait d'autres promenades que celles du boulevard aux jours de fête.

Dans le haut, des employés, des fonctionnaires endormis dans leurs habitudes régulières, gens qui vous invitent à leur dîner de famille et vous font retrouver des sensations oubliées depuis vingt ans, avec de vieux souvenirs de la maison paternelle.

Ils vous servent encore du vol-au-vent, et des petits gâteaux comme on en a mangé dans sa première jeunesse, et des confitures dans un pot de verre évasé.

Et rien ne les pourrait dégourdir. Ils forment une race, la race de province. Cela est dans leur nature, dans leur constitution, dans leur sang. On croit souvent que ce provincialisme tient à leur position modeste, non pas, car on rencontre à tout moment quelque employé à deux mille francs; tapis tout le jour dans quelque sombre bureau, et sortant de là pour courir la ville, les théâtres, les salons, Parisien jusqu'aux moelles à qui rien n'échappe de toutes les nuances infinies, imperceptibles, bizarres, opposées et diverses dont est fait l'esprit parisien.

Rien n'est triste et désolant comme les boulevards, un jour de fête.

**

On répète souvent que les Parisiens sont les seuls à ignorer Paris. Ils en savent juste ce qu'il en faut savoir : c'est qu'ils en respirent l'atmosphère. Le provincial visite les monuments, mais il vous soutiendra avec énergie et naïveté qu'on absorbe à Paris le même air qu'à Lyon ou qu'à Rouen, avec cette seule différence que l'air de Paris est moins sain.

Les provinciaux de Paris respirent sur le boulevard ou dans les Champs-Elysées le même air qu'à Rouen ou qu'à Lyon, et voilà tout ce qui les distingue.

Il serait inutile de leur expliquer cette subtilité, car ils ne la saisiraient pas.

Quant au Parisien, il faut avouer qu'il est aussi bien enfermé dans le cercle de ses habitudes et qu'il ne voit guère ce qui se passe autour de lui.

On pourrait chaque jour lui signaler quelqu'une des étranges et cocasses choses dont le mystérieux Paris fourmille; et il lèverait les bras d'étonnement.

On a parlé déjà plusieurs fois dans les journaux d'une religion, ou plutôt d'une secte nouvellement établie ici, et qui s'appelle l'Armée du Salut. Les meilleures farces du Palais-Royal n'atteignent pas au niveau de ce qu'on raconte de cette association religioso-militaire.

Cette église d'opéra-bouffe, dont seul le grand Offenbach aurait pu composer les airs sacrés, a pour chef une jolie femme anglaise qui porte, dans l'exercice du culte, le titre de général. Deux officiers d'état-major, deux hommes, l'aident dans ses fonctions.

On se réunit dans un grand bâtiment, là-bas, vers la Villette.

On boit, on mange, on chante des psaumes et on se confesse en public.

Chaque adhérent a un grade comme dans la territoriale.

La confession publique forme le plus grand attrait des séances et amène les aveux les plus drôles.

« Je m'accuse d'avoir fait des choses dégoûtantes », dit une jeune fille. Oh! mademoiselle!

Des fumistes s'en mêlent, apportant des révélations stupéfiantes qui font dresser les cheveux de l'auditoire.

Mais la sainte association a trouvé le moyen d'empêcher les horribles confidences. Aussitôt qu'un pénitent passe les bornes de la décence, toute l'assistance entonne un psaume qui couvre les dangereuses paroles.

**

Je ne voudrais point médire des braves gens qui cherchent le salut dans ces pratiques respectables mais comiques. Une citation me dispensera de parler davantage de ces sortes de dissidents.

Il existe un livre très rare d'Henry Monnier, qui a pour titre *Les Bas-Fonds de la Société*. On n'en saurait conseiller la lecture. On trouve là-dedans quelques perles, et, entre autres, un dialogue étourdissant de drôlerie entre deux ouvriers, intitulé : *L'Église française*. C'est toute l'histoire, en quelques pages, d'une église qui rappelle un peu celle du célèbre abbé Loyson.

Boireau et Forget, deux ouvriers, se retrouvent et entrent ensemble au café. Forget est préoccupé, inquiet, et finit par avouer le souci qui le tracasse.

Marié en fait, mais non en droit, comme disait un témoin de l'affaire Peltzer, il vient d'avoir une fille et l'annonce à Boireau.

BOIREAU

Après.

FORGET

Eh ben sa mère veut absolument qu'on la baptise.

BOIREAU

Tiens. Tiens, tiens.

FORGET

Et tel que tu m'vois, j'suis en train d'sercher un prêtre; alle en veut, alle en a besoin, y en faut, alle en rêve.

(Mais Forget est fort perplexe, ne se trouvant pas dans une situation très régulière. S'il va trouver un prêtre, il faudra avouer qu'il n'est pas marié.)

Ça, vois-tu, ça m'écœure. Quoi leur y répondre, quoi, dis-je ?

BOIREAU

J'en sais rien, mais disant qu'tu l'es, tu mens pas.

FORGET

Oui, mais avec une aut', elle aussi... Enfin, si faut que j'te dise ?

Dis toujours, accouche, conte ton conte, va bon train, aie pas peur.

Eh ben non, j'ose pas, v'là le fait.

(Alors, Boireau indique une église réformée dont il parle avec un enthousiasme délirant.)

C'est mieux qu'les protestants, mieux qu'les juifs, mieux qu'les catholiques, mieux qu'tout. Eune nouvelle religion, vois-tu, c'est-à-dire que c'est la seule, l'unique, la vraie, la seule au monde dans deux ans. Tout c'qu'on y débite, un enfant le comprendrait, vu d'abord qu'c'est en français ; pisqu'c'est c'te religion-là la religion du peuple, eune religion, pour te finir, eune religion qu'on y fait tout c'qu'on veut ; on rend compte de c'qu'on fait à personne.

Et on y baptise?

Si on y baptise?...

Oui.

Tout c'qu'on y présente.

Et tu crois qu'moi, y m'nant ma p'tite.

T'auras pas seulement l'temps d'te r'tourner, a sera baptisée. — Eh ben, vieux, voyons, franchement, ça t'chauffe t'y?

(Forget perd la tête de joie, demande l'adresse, le nom du chef — « chef-prince, primat des Gaules, l'abbé Chatel ». Et les deux amis se séparent après un long dialogue infiniment amusant.

Quinze jours plus tard ils se rencontrent de nouveau, et Boireau s'informe du baptême.)

FORGET

En v'là un prêtre. Si tous étaient comme ça, vois-tu!...

BOIREAU

Va j't'écoute.

FORGET

... Oui. J'vois la maison qu'tu m'avais dit, j'demande au concierge qu'était une portière, j'demande m'sieu Duchatel.

BOIREAU

Chatel que j't'avais dit.

FORGET

... Quoi qu'y fait qu'alle ajoute. Y dit la messe que j'reprends... La messe en français. — Voyez dans la cour, qu'a dit, la première écurie à main gauche...

J'entre donc dans la cour : je serche, je serche et j'découvre eune tite croix sus eune porte. Ça doit êt' là que j'me dis. Je frappe, et j'entends quéqu'un qui m'crie : « Entrez! » J'entre et j'vois dans n'eune grande salle des chaises, des bancs, des tabourets, pis des chandeliers avec un prêt' qui disait la messe à deux vieilles femmes, deux vieux bas d'buffet qu'écoutaient... J'vas tout d'suite au prêt' et j'y dis : Pardon excuse si j'vous dérange, m'sieu Duchatel que j'y dis, c'est-y vous?

BOIREAU

Chatel que j't'avais dit.

Oui. J'aurais deux mots à vous dire. Je suis à vous qui dit. J'ai core quelques bredouilles à débiter. Allez faire un tour su l'boulevard. J'en ai pas pour longtemps...

(Forget fait un tour, entre chez le chand de vins, puis revient.)

... Allez vot'train, qui m'répond, j'vous écoute. — V'là la chose. J'ai eune enfant, eune tite fille, eune mômesse, eune moutarde, avec une femme avec qui que je n'suis pas marié, vu qu'alle l'est, moi aussi.

— Très bien, qui dit.

BOIREAU

Quand j'te disais !

FORGET

Alle a comme envie d'la faire baptiser. Y a pas d'mal à ça, qui dit ; si ça y fait pas d'bien, ça peut pas y faire de mal... Mais là, vois-tu, tout comme j'dis.

BOIREAU

Le roi des hommes !

(Forget invite à déjeuner l'abbé Chatel après la cérémonie. L'abbé accepte avec entraînement, Forget perd la tête de joie : « J'étais content, vois-tu, j'l'aurais embrassé si j'eus osé... J'avoue sur ça que j'y ai serré la main et de bon cœur. »)

BOIREAU

Tu l'devais. Hein, qué brave homme.

FORGET

Je l'regarde comme mon s'cond père. — Et ma femme, faut la voir, ma femme avec lui. Il y dit des choses, vois-tu, mais des choses... — qu'un sapeur en rougirait.

. . . .

On pourrait rougir aussi aux confessions publiques de l'Armée du Salut.

Eglise de l'abbé Chatel, église de l'abbé Loyson, église de la jolie générale anglaise, tout cela se vaut, à peu près.

(*Le Gaulois,* 3 janvier 1883.)

CHEZ LE MINISTRE

Les journaux nous ont annoncé l'autre jour un fait absolument surprenant. Un étudiant, M. Martin, vient de se voir exclu pour la vie des Facultés de l'Etat, c'est-à-dire mis dans l'impossibilité d'exercer jamais une carrière exigeant des diplômes, d'être avocat, médecin, etc., pour avoir collaboré à un petit journal grivois, nommé *La Bavarde*.

Cette décision du conseil de l'instruction publique semble si monstrueuse, si invraisemblablement révoltante qu'on hésite d'abord à y croire. Comment, voici un homme exclu d'une bonne moitié des professions libérales pour avoir écrit quelques articles moins impudiques, assurément, que les œuvres d'Aristophane, d'Apulée, d'Ovide, de Plaute, de Rabelais, de Brantôme, de La Fontaine, de Boccace, de Voltaire, de Rameau, de Diderot, de Th. Gautier (voir *le Parnasse satyrique*), et de bien d'autres. Voici un homme privé de tout moyen d'existence s'il se destinait à la médecine, puisqu'on ne peut exercer cet art sans l'autorisation de l'Etat, privé de tout moyen d'existence s'il voulait être avocat, puisque ce brevet de bavard patenté doit être signé par des hommes autorisés, et cela, parce qu'il a plaisanté, sans doute, sur les diverses manières de faire des enfants, car le délit d'outrage aux bonnes mœurs ne vise guère que cet acte honorable et si naturel auquel tout le monde se livre régulièrement et sans lequel l'humanité n'existerait pas.

Ce qu'il y a de particulièrement frappant dans cette affaire, c'est, d'abord, l'incroyable abus d'autorité qu'elle renferme, puis la tendance de plus en plus marquée de nos ministres vers l'ancienne morale autoritaire des gouvernements ecclésiastiques. Ne croirait-on pas, en effet, lire un arrêt d'un antique tribunal d'évêques gouvernant quelque université de Salamanque?

Quant à M. Martin, s'il a quelque talent, ce que j'ignore, je le félicite sincèrement de la mesure qui le frappe. Le voilà du moins bien certain d'échapper à l'influence abrutissante des hautes écoles de l'Etat.

On se demande depuis longtemps d'où vient l'impuissance artistique des universitaires. Voici peut-être le problème résolu. C'est sans doute à leur extrême chasteté qu'on doit attribuer leur stérilité littéraire.

***

Puisque nous sommes dans le département de l'instruction publique, restons-y.

On a beaucoup remarqué, ces jours derniers, qu'aucun homme de lettres n'avait été décoré à l'occasion du jour de l'an, et on a cherché bien des raisons à cette exclusion qui paraît systématique depuis plusieurs années.

En principe, je ne vois aucun mal à ce que les hommes de lettres ne soient pas décorés, par ce simple motif qu'un ministre n'est en aucune façon compétent pour apprécier leurs mérites. Nous en avons un exemple sous les yeux. Voici M. Duvaux, qui fut professeur de troisième, et dont l'autorité est incontestable quand il s'agit de barbarismes ou de solécismes dans un thème latin, mais dont l'incompétence devient flagrante s'il s'agit de juger la valeur d'hommes comme MM. Leconte de Lisle, Banville, Barbey d'Aurevilly, Zola, Armand Silvestre, Catulle Mendès, Léon Cladel, Jean Richepin, Daudet, etc.

On aurait haussé les épaules de pitié devant la

prétention d'un élève de M. Duvaux qui aurait voulu apprécier la capacité de son professeur; mais la distance est infiniment plus grande entre les maîtres de l'art français et cet ancien maître de latin, qu'entre lui et ses écoliers.

J'ai entendu dire bien des choses sur cette question de décoration. Des hommes — et ils sont nombreux — soutiennent cette thèse : on ne décore que ceux qui peuvent donner quelque chose; on décore les peintres qui peuvent donner des tableaux, les sculpteurs qui peuvent donner des statuettes, les collectionneurs qui peuvent donner des bibelots, les chapeliers qui peuvent donner des chapeaux, les restaurateurs qui peuvent donner des dîners, les journalistes qui peuvent donner un coup d'épaule, mais jamais les simples hommes de lettres qui ne peuvent rien donner du tout.

Ce sont là des calomnies, je pense.

Pour les journalistes, la question est spéciale. On décore les journalistes qui rendent des services au pouvoir, comme on décore les employés de ministère qui ont rendu des services à l'administration.

On récompense de fidèles serviteurs, voilà tout. La question de talent n'a rien à voir là-dedans. On vient de donner la croix à M. Laffitte, qui l'a certes méritée par ses bons offices envers le gouvernement, mais qui n'avait assurément pas la prétention de l'obtenir par ses mérites d'écrivain.

On reste parfois stupéfait de voir le ruban rouge sur certaines poitrines; et on se dit : « Comment, X... est décoré, alors que Wolff et Chapron ne le sont pas? »

Et voilà la preuve que le talent ne compte pour rien en cette question. Ecartons M. Wolff comme rédacteur d'un journal réactionnaire. Pourquoi M. Chapron n'est-il pas chevalier? Pourquoi? Parce qu'il est un indépendant et nullement un officieux.

Je me hâte d'ajouter que le hasard des distributions a fait quelquefois aussi tomber cet emblème sur des journalistes de grand mérite.

Quant aux hommes de lettres, on dirait que les ministres jouent à colin-maillard quand il s'agit de leur poser la croix. L'élève Emile Augier est premier avec le ruban de grand officier, et l'élève Victor Hugo vingtième avec le ruban de simple officier, les élèves Taine et Leconte de Lisle cent cinquantièmes, avec un petit ruban de chevalier.

L'élève Barbey d'Aurevilly n'a pas plus de rang que les élèves Catulle Mendès, Silvestre, Richepin.

De son vivant, l'élève Gustave Flaubert avait été classé *ex aequo,* le même jour, avec l'élève Ponson du Terrail.

Eh bien, mes frères, il ne faut pas en vouloir aux ministres de ces étranges fantaisies. Répétons seulement la parole sainte : « Pardonnez-leur, ô maître, car ils ne savent ce qu'ils font. »

***

Voici pourtant que le susnommé M. Duvaux vient d'accomplir une chose bien extraordinaire. Parmi les étrangers qui lui étaient présentés, il en a piqué un au hasard de la fourchette et il est tombé sur un homme de grand talent, M. José-Maria de Heredia, pas l'ex-conseiller municipal.

Le ministre ne s'en doutait certes guère, car M. de Heredia n'a publié jusqu'ici qu'une préface fort remarquable, sans doute, mais insuffisante à constituer ce qu'on appelle un bagage littéraire.

Mais le poète, car Heredia est poète, monsieur le ministre, tout comme MM. Silvestre et Catulle Mendès, le poète possède en ses cartons une centaine de sonnets qui peuvent être classés parmi les plus belles choses de la langue française. Je suis bien aise d'en pouvoir faire connaître un au grand maître de l'Université, en le félicitant sincèrement de son choix :

Comme un vol de gerfauts hors du charnier natal,
Fatigués de porter leurs misères hautaines,
De Palos, de Moguer, routiers et capitaines
Partaient, ivres d'un rêve héroïque et brutal.

Ils allaient conquérir le fabuleux métal
Que Cipango mûrit dans ses mines lointaines.
Et les vents alizés inclinaient leurs antennes
Aux bords mystérieux du monde occidental.

Chaque soir, espérant des lendemains épiques,
L'azur phosphorescent de la mer des Tropiques
Enchantait leur orgueil d'un mirage doré ;

Ou penchés à l'avant des blanches caravelles
Ils regardaient monter dans un ciel ignoré
Du fond de l'océan des étoiles nouvelles.

Que conclure de cela. Que si MM. Zola ou Barbey d'Aurevilly tenaient à être décorés (ils n'y tiennent guère, heureusement pour eux), ils auraient un moyen bien simple d'y parvenir, c'est de se faire naturaliser Espagnols, Anglais ou Suisses, et on les nommerait, le lendemain, chevaliers de la Légion d'honneur, car il est indubitable qu'on vient de décorer M. de Heredia, écrivain français, uniquement parce qu'il est Espagnol.

Une autre raison s'oppose encore à la décoration des hommes de lettres. C'est qu'il est d'usage constant de ne donner la croix qu'à ceux qui l'ont demandée.

Cette règle est inflexible. Quand la démarche n'est pas faite personnellement elle doit être accomplie au moins par un ami. Il faut être souples, mes frères.

D'où il résulte ceci : ce n'est pas le gouvernement qui juge la valeur de l'homme qu'il va récompenser, mais c'est le candidat qui apprécie lui-même s'il est mûr pour cette distinction. Il se dit : « Voyons, n'est-il pas temps de me faire décorer? J'ai fait ceci, j'ai fait cela. Mais certes, je le mérite! et mille fois! Écrivons au ministre.

Et si on ne me rend point justice, j'ai mon journal, nous verrons. » Et il écrit, en faisant valoir ses titres. Le ministre, qui ne le connaissait pas une heure auparavant, lit sa lettre avec attention, puis, comme il a peur de se tromper, il écrit en marge : « Examiner avec soin. » « Avec soin » équivaut à une recommandation dont tient compte le directeur, qui donne un avis favorable. Et c'est fait.

Quant à ceux qui sont trop fiers pour tendre la poitrine, ils peuvent attendre sous l'orme. N'est-ce pas le comble du grotesque?

P.-S. J'apprends au dernier moment que M. José-Maria de Heredia a été décoré directement par M. le ministre des Affaires étrangères. Je retire donc mes félicitations à M. Duvaux et je les présente à M. Duclerc.

(*Gil Blas,* 9 janvier 1883.)

MÉDITATION D'UN BOURGEOIS

M. Pomarel vient de lire ses journaux. Il se lève et marche avec agitation, en parlant tout haut.

— Bêtise, gâchis, ignorance! Rien ne manque à la situation. Personne ne l'ignore hormis les députés! Et tout le monde le leur dit; et ils sont si bêtes qu'ils s'imaginent qu'on leur fait des compliments. Quant à moi, je n'y comprends rien; et je ne suis pas le seul. Je voudrais cependant me faire une idée à peu près nette sur les causes de cet état.

La République! Ah! quelle foi j'avais dans ce mot; et comme je criais de bon cœur : « Vive la République! » J'oubliais alors que, sans les hommes, le mot n'est rien.

« En République, vous aurez la paix, la tranquillité, le bien-être, le travail, le sommeil paisible et l'esprit calme », disait-on. Vas-y voir.

Ça allait à peu près, pourtant; puis voilà que ces gueux de députés troublent tout, tournent les têtes, affolent le pays, rendent monarchistes les plus sensés républicains comme moi, et révolutionnaires les hommes les plus pacifiques! Ganaches, va!

Et pourquoi? Parce que le prince Jérôme Bonaparte a lancé un petit manifeste que tout le monde avait pris d'abord pour une blague.

Mais M. le comte de Chambord en avait déjà fait, des manifestes, qui n'ont troublé personne.

Alors pourquoi ce grabuge?

La République éperdue expulse les princes auxquels elle a confié précédemment les plus grands commandements militaires du pays.

Elle leur a rendu leurs biens confisqués jadis. Elle les a accueillis comme des enfants de France, fidèles et sans arrière-pensée.

Aujourd'hui elle les chasse? Sans aucune raison. Sans aucun prétexte.

Pourquoi ce changement, cette peur, ce trouble, cette faiblesse, ces précautions, cet affolement?

C'est que M. Gambetta est mort.

Qu'était donc M. Gambetta? Un grand orateur? un grand homme de guerre? un grand politique? ou seulement une grande figure intègre autour de laquelle pouvaient se grouper tous les honnêtes gens?

Mais non. Un simple jeteur de poudre aux yeux! Un tribun dont la puissance reste inexplicable.

Il a charmé les foules, gouverné la France et dirigé les Parlements avec une faconde du plus mauvais goût. Ses proclamations emphatiques, pendant la guerre de 1870, resteront comme des modèles d'éloquence grotesque; et le meilleur de ses discours ne peut être relu sans qu'on demeure effaré devant l'incorrection des phrases, la boursouflure des mots, la banalité des idées, le vide général de l'ensemble. Il savait uniquement faire ronfler des lieux communs.

Il a trouvé, il est vrai, quelques formules caractérisant les situations d'une façon merveilleusement précise. « Se soumettre ou se démettre » demeurera un mot historique. Mais ce sera là tout.

Il a échoué en tous ses projets; il est tombé chaque fois qu'il a voulu monter; toutes ses espérances ont avorté. Sa politique était contestée, même par les gens de son parti. On se demandait, dans les derniers temps, s'il était quelqu'un et s'il serait jamais quelque chose.

Beaucoup le considéraient comme usé, fini, à réformer.

Il meurt. Et brusquement son influence apparaît si prépondérante que, lui disparu, il semble que la France ait perdu sa béquille. Des gens se mettent à crier : « Gambetta est mort ! Vive l'empereur ! »

On cherche ses grandes actions, on ne trouve que des ratages ; on cherche ses grands mérites, on ne rencontre que de grandes phrases.

Et cependant il fut quelque chose : un charmeur de foules.

Peut-être avait-il simplement ce mystérieux pouvoir de domination que certains êtres ont possédé, cette influence sur les hommes, cette faculté de commander et d'être obéi, aimé, suivi sans résistance : ce don de fascination accordé aux prophètes, aux bavards et aux conquérants, ces meurtriers. Hoffmann, dans un de ses contes, parle d'un être difforme à qui une fée octroya la faculté surnaturelle de paraître toujours ce qu'il n'était pas. M. Gambetta était peut-être un protégé de cette fée, un de ces privilégiés.

Sa mort nous en est une preuve. Elle fut piteuse et presque risible. Et personne cependant n'eut l'envie ou la pensée d'en rire. Pourquoi ? Ses ennemis eux-mêmes se sont tus. Un roi serait mort ainsi, on l'aurait chansonné le lendemain.

Une blessure ridicule dans une bataille galante, dit-on. Il perd connaissance d'émotion. Dix médecins affolés accourent, le soignent comme un malade de Molière. Mais, en cette assemblée de docteurs, M. Purgon manquait, qui se fût préoccupé de l'état intérieur.

Avec des mots dignes de l'ancien vocabulaire-comique, les hommes de *science* ont ensuite expliqué comment une constipation mal soignée, ayant amené une inflammation, une lésion suivit qui détermina la mort.

C'est du moins là ce qu'on a compris sous l'accumulation de termes baroques dont nous étourdissent les savants. « Trop d'expressions techniques et pas assez d'huile de ricin », semble le résumé de la situation.

Puis on nous a parlé d'un mal innommable qui travaillait depuis longtemps ce corps fatigué. On nous a décrit si complaisamment l'effroyable pourriture de ce cadavre qu'une puanteur semblait couvrir la France.

On s'étonnait, le jour du convoi, de ne point voir du chlore au coin des rues, et de l'acide phénique dans les ruisseaux.

Et cependant il ne s'est rencontré aucun adversaire pour se servir de cette maladie réputée honteuse, pour lancer des insinuations et des attaques perfides.

Son prestige le suivit jusqu'après la mort ; un grand respect l'entoura ; ses funérailles furent magnifiques. Et le pays entier eut la sensation profonde qu'un grand homme venait de disparaître.

**

Certes un grand homme venait de disparaître, grand, parce qu'on s'était accoutumé à voir un chef en lui.

Il était, dans l'esprit de tous, le chef de la République ; il était le chef occulte de la Chambre. Et, la preuve, c'est que, lui parti, la Chambre devient folle, agitée de terreurs enfantines, épouvantée par des fantômes. Il faut à cette nation une idole et un maître. Tant pis pour elle ; c'est ainsi. L'assemblée qui représente le pays, ayant perdu son chef, a perdu la tête.

Quand l'illustre ancêtre de M. Gambetta, énorme et malsain comme lui, la peau verdie par des bains de mercure, Mirabeau-Tonneau, mourut, le visage et l'esprit sereins, inquiet seulement des événements qu'il ne pourrait plus arrêter ; lorsqu'il eut demandé, dominant ses atroces douleurs, qu'on jetât sur son lit des parfums et des fleurs pour s'évanouir dans un rêve, et qu'il eut bu la coupe qu'il croyait contenir de l'opium, et qu'il eut fermé les yeux pour toujours, le roi sentit qu'il avait perdu le seul homme capable de sauver la monarchie, et une panique passa sur la Cour.

Aujourd'hui, après la mort de cet autre puissant tribun, ce sont les républicains qui semblent émus de peur, qui s'affolent, et dressent des listes de proscription, et se barricadent comme si les rois allaient, à leur tour, les chasser.

Ils dressent des listes de proscription. On commence par les princes, mais on finit par les bourgeois qui croyaient à la liberté.

Voilà le danger, pour nous, pour moi.

Et je riais, oui, je riais, imbécile, quand on me racontait les visites de M. Estancelin au château d'Eu.

Chaque fois, dit-on, qu'il entre dans cette habitation des princes, il passe une sorte de visite de commissaire-priseur, s'arrête, inquiet, devant les meubles nouveaux, hausse les épaules devant les installations récentes, les changements, les embellissements du domaine, et, d'un ton navré : « Encore des dépenses, encore des achats, encore des bibelots, encore des tapisseries, encore des folies! Quand donc vous déciderez-vous à vendre tout cela, tout, et à n'avoir ici que des sacs de voyage, rien autre chose, croyez-moi! Dans votre situation, n'achetez que ça, ayez-en partout. »

Et les princes s'amusaient de cette boutade, et les princesses la trouvaient délicieuse.

Qu'en disent-ils aujourd'hui?

Donc on veut exiler les princes. Mais cela prouve qu'on en a grand'peur; et, si on en a grand'peur, je conclus que la République, dont le principe fondamental est la liberté, se sent bien faible.

Mais si la République se sent bien faible...

M. Pomarel s'arrêta, réfléchit, puis se dirigea vers son bureau.

Il en tira un paquet de cartes de visite portant : « Pomarel, commerçant », puis un paquet d'enveloppes; il introduisit les unes dans les autres et se mit, de sa plus belle main, à écrire des noms.

C'étaient :

« Monseigneur le comte de Paris.

« Monseigneur le prince de Joinville.

« Monseigneur le duc d'Aumale, etc. »

Et quand il eut épuisé ses enveloppes, il les cacheta en murmurant :

— Il est toujours inutile que la poste voie mon nom. Mais les princes peut-être le retiendront et s'en souviendront... un jour...

Il y a beaucoup de Pomarels en France.

(Le Gaulois, 31 janvier 1883.)

L'EXIL

L'exil est assurément la plus terrible des peines dont on peut frapper certains hommes. En dehors de ce sentiment idéal qu'on appelle « l'amour de la Patrie », il existe une singulière tendresse, une tendresse instinctive et presque sensuelle, pour le pays où nous sommes nés, qui nous a nourris de son air, de ses plantes et de ses fruits, de la chair de ses bêtes, du jus de ses vignes et de l'eau de ses sources.

Notre corps est fait de sa substance; nos organes sont accoutumés à sa température et à ses formes; notre peau a le ton et la résistance que donne son soleil et qu'exige son climat. Nous sommes les fils de la terre plus encore que les fils de nos mères. L'homme n'est plus le même à vingt lieues de distance, parce que chaque parcelle de pays le fait et le veut différent.

Exiler, c'est arracher l'être de son sol, rompre les racines de ses habitudes et de sa vie, pour les porter sur une terre où il ne s'acclimatera peut-être jamais. C'est ajouter une souffrance physique, incessante et cruelle, à la souffrance morale, non moins douloureuse.

L'exil est le moyen dont se servent le plus souvent les gouvernements pour se débarrasser des gens qu'ils craignent; mais le contrecoup fait que, bien souvent aussi, ceux-ci finissent par jeter par terre le pouvoir qui les a bannis.

L'histoire est pleine d'exemples consolants qui devraient être un enseignement pour ceux qui règnent.

Un homme emprisonné injustement peut oublier; un banni ne pardonne jamais. Les plus terribles adversaires de l'Empire furent ceux qu'il avait chassés de France. Il en est aujourd'hui qui siègent à la Chambre : qu'on leur demande si leur colère est éteinte.

***

Il semblerait, si la logique gouvernait les esprits, que l'exil dût être le plus détestable des moyens pour rendre inoffensifs ceux qu'on redoute : vu qu'il les fait dangereux et actifs, de tranquilles qu'ils étaient.

Il leur rend leur liberté d'action, les soustrait à la surveillance, les affranchit de tout scrupule, de toute contrainte morale, les dégage même des intérêts qu'ils pouvaient avoir à ménager. Prenons un exemple et admettons que Mgr le duc d'Aumale ait pu songer un instant à s'emparer du pouvoir.

Il aurait assurément balancé le pour et le contre, se disant :

— Je vais risquer une grosse aventure. Quel bénéfice en tirerai-je, si je réussis? Je ne suis plus jeune. Je n'ai pas d'enfants. Il faudra donc laisser ma succession à un neveu. En outre, je puis être détrôné du jour au lendemain, en ce pays qu'une révolution secoue tous les dix ans; il est même bien invraisemblable, dans l'état actuel des esprits, que je me maintienne, de toute façon, plus de dix ans.

» Il faudra habiter l'Elysée, ce qui ne vaut pas les Tuileries. Je ne dormirai jamais tranquille.

» Si j'échoue, je serai peut-être exécuté; mais assurément banni.

» Or, je suis colossalement riche. J'ai des palais que des rois ne possèdent point. Je suis prince, entouré, respecté. Chantilly est plus magnifique que n'était Compiègne. Je puis recevoir en frère tous les souverains du monde qui traverseraient ma patrie. Mon ambition n'est pas démesurée, mes goûts ne sont pas excessifs; et, si mon pays courait un danger, je le pourrais défendre, étant un de ses premiers chefs militaires.

» Ne serais-je pas bien fou d'abandonner le certain pour l'inconnu ; de jouer la tranquillité de ma vieillesse, de risquer tout ce que je possède pour conquérir un pouvoir qui me donnerait bien peu en plus. Restons ce que nous sommes. » Mais si le gouvernement bannit le duc d'Aumale, lui fait perdre sa fortune, ses propriétés, son luxe, toute l'opulence et tout le bonheur de sa vie, ce prince, dès lors, n'a plus rien à ménager ; il ne pourrait que gagner à tenter un coup d'Etat, à renverser le pouvoir qui l'a chassé.

Les prétendants opulents et heureux ne sont guère à craindre : seuls les prétendants faméliques sont redoutables.

***

J'ai vu des exilés.

Je suivais depuis six jours, à pied, sur les côtes de la Corse, la grande route qui, partant d'Ajaccio, contourne la mer en montant vers le nord. La montagne inculte et riche était plantée de châtaigniers, d'oliviers, d'orangers et de maquis. En traversant les villages, je rencontrais des tas de paysans inactifs, assis à l'ombre, sur des bancs de granit, vêtus de vestes sombres et coiffés de chapeaux noirs à larges bords, des hommes petits et bruns, rappelant un peu les Bretons. Les femmes, graves, ressemblaient assez aux villageoises d'Alsace.

Or, un soir, comme j'approchais de Calvi, j'aperçus de loin deux grands fantômes blancs, debout sur un petit promontoire en face de la mer.

Le soleil s'abaissait à l'horizon, prêt à plonger dans les flots ; et les deux êtres immobiles semblaient contempler l'astre couchant. J'approchai à grands pas, prenant ces hommes pour des moines en extase devant cette fin superbe du jour. Tout à coup, comme le globe éclatant touchait à l'eau, ils levèrent les bras dans un mouvement grave et magnifique, puis ils les abaissèrent, courbant la tête, courbant l'échine, comme pour saluer le soleil ; et brusquement, ils se prosternèrent, le front par terre, la poitrine par terre, les jambes repliées sous eux.

Et quand je passai tout près je reconnus des Arabes; c'étaient deux chefs de grande tente, prisonniers pour avoir défendu leur patrie contre les Français envahisseurs.

Quand ils se furent relevés ils regagnèrent à pas lents la forteresse qui les attendait; ils regardaient toujours la mer.

Là-bas, derrière l'horizon, c'était l'Afrique! Ils avaient des visages noirs et creusés, de vraies têtes d'oiseaux de proie, une allure majestueuse et résignée.

Je pensais aux lions du Jardin des Plantes, aux vautours en cage, à tous ceux, hommes ou bêtes, que jette loin du sol natal l'odieuse volonté du plus puissant.

***

Voulez-vous voir des exilés?

Allez chaque dimanche sur les fortifications de Paris et regardez les petits troupiers qui marchent deux par deux, en parlant du pays. Ils causent de la ferme, des voisins, des amis, des parents. Ils soupirent et parfois pleurent, ces hommes en culotte rouge dont un sabre bat la cuisse. Ils regardent au loin, avec des yeux mouillés, et se rappellent des soirs semblables, quand ils allaient aux nids, quand ils allaient aux noisettes.

On sourit en les voyant passer avec leur air gauche, épluchant une baguette. Trois mois plus tard, un d'eux sera peut-être couché dans un lit d'hôpital, frappé de ce mal étrange qu'on appelle le « mal du pays ». Et si on ne le renvoie point au triste village dont le souvenir le hante, il mourra aussi sûrement que si une balle l'avait frappé au cœur, car ce mal est inguérissable.

(*Le Gaulois,* 8 février 1883.)

EN RÔDANT

L'omnibus descendait au grand trot la rue des
Martyrs.

Deux hommes, deux amis, étaient assis côte à côte, et
causaient.

C'étaient deux ouvriers, de ces ouvriers de Paris,
doués d'une intelligence étroite et subtile, très pénétrante et très bornée. Ils parlaient politique.

L'un d'eux dit :

— Les députés ne savent pas ce qu'ils font. On dirait
une assemblée de fous.

L'autre reprit :

— Tant mieux, cela déconsidère toujours le gouvernement. Ne voilà-t-il pas ce qu'on appelle un signe
des temps?

Certes le mouvement le plus accusé de l'opinion,
depuis quatre ou cinq ans surtout, est une sorte
d'envahissement, jusqu'au peuple, de scepticisme et de
mépris intellectuel pour les représentants du pouvoir.

Entrez dans les petits restaurants de Paris, ceux où
mangent les travailleurs. Les gens causent, rient et se
moquent de leurs élus, parlant d'eux comme ils feraient
de bonnes ganaches amusantes pour la foule.

Les cochers de fiacre, devant le kiosque de la station,
à côté du sergent de ville qui pointe leurs numéros,
plaisantent agréablement les représentants du peuple.

Dans un salon, plein d'hommes connus, d'artistes et
de mondains, quand on voit entrer quelque monsieur

ignoré et qu'on demande : « Quel est celui-là ? » si on vous répond : « C'est X... un député... » une vague pitié vous prend pour ce pauvre homme.

On est tellement habitué déjà à rire de la Chambre, à la blâmer, à la blaguer, à la bafouer; ses maladresses sont tellement visibles, ses emballements tellement grotesques, que le métier de député devient une profession comique, qui inspirera bientôt un doux mépris aux petits enfants eux-mêmes.

Quand ils verront passer dans la rue quelque pauvre être d'aspect hétéroclite, ils demanderont avec intérêt, habitués aux railleries répétées de leur père :

— C'est un député, dis, papa ?

*
* *

Et, quand on dîne par hasard avec deux ou trois députés, de ceux qui forment la tête de la Chambre, on s'étonne de trouver des gens intelligents, intéressants, spirituels même parfois.

Un vieux représentant du pays, qui n'est plus rien, expliquait dernièrement ce mystère.

— Ce qui leur manque, disait-il, c'est l'habitude de penser ensemble. Ils n'ont pas d'esprit de corps. Il faut une grande pratique de la politique à une assemblée pour qu'elle devienne intelligente en masse.

Les qualités d'initiative intellectuelle, de libre arbitre, de réflexion sage et même de pénétration de tout homme supérieur, pris isolément, disparaissent en général dès que cet homme est mêlé à un grand nombre d'autres hommes. L'ensemble d'une assemblée est singulièrement inférieur à chaque membre de cette assemblée.

Une citation me fera comprendre.

Voici un passage d'une lettre de lord Chesterfield à son fils (1751) qui constate avec une rare humilité cette subite élimination des qualités actives de l'esprit dans toute nombreuse réunion :

« Lord Macclesfield, qui a eu la plus grande part dans la préparation du bill, et qui est l'un des plus grands mathématiciens et astronomes de l'Angleterre, parla ensuite, avec une connaissance approfondie de la question et avec toute la clarté qu'une matière aussi embrouillée pouvait comporter. Mais comme ses mots, ses périodes et son élocution étaient loin de valoir les miens, la préférence me fut donnée à l'unanimité, bien injustement, je l'avoue.

» Ce sera toujours ainsi. Toute assemblée nombreuse est *foule*. Quelles que soient les individualités qui la composent, il ne faut jamais tenir à une foule le langage du bon sens et de la raison pure. C'est seulement à ses passions, à ses sentiments et à ses intérêts apparents qu'il faut s'adresser.

» Une collectivité d'individus n'a plus de faculté de compréhension, etc. »

Voilà qui n'est peut-être pas trop mal vu!

***

Le train allait de Rouen sur Paris.

Nous étions six dans le wagon. Cinq jeunes gens revenaient de faire leur volontariat et parlaient à cœur ouvert de ce métier de soldat auquel tout Français est astreint.

Et tous rapportaient dans leur famille une haine pour le régiment, une exaspération profonde, une joie ardente d'en avoir fini.

Et je pensais : sur dix de ceux qu'on appelle des volontaires, neuf au moins rentrent chez eux avec ce dégoût et cette colère. Et ceux-là sont des bourgeois, des riches, des puissants. Ne voilà-t-il pas un effroyable danger, la fin de l'esprit militaire, l'agonie du patriotisme?

Ces garçons-là qui auraient marché bravement en cas de guerre ne voudront plus, pour rien au monde, entrer dans un régiment, coucher à la chambrée, vivre de la vie du troupier. Le volontariat tuera l'armée en France.

Pourquoi? Parce que cette loi, qui semble juste, de l'égalité sous le drapeau est maladroite.

164

On prend des aristocrates — par aristocrates j'entends des intelligents et des délicats — on les jette dans ce troupeau des lignards, on les force à cette existence brutale de la caserne, aux promiscuités qui répugnent, à bien des choses qui révoltent leurs instincts et leur éducation.

Ils ont, ces jeunes hommes, l'honneur chatouilleux, ils sont habitués à des égards. Le sous-officier les maltraite, les injurie, leur jette des mots qui effleurent à peine un paysan, mais qui traversent leur épiderme léger et font bouillonner leur sang moins épais. L'officier lui-même, accoutumé à faire marcher des lourdauds à coups de juron, ne reconnaît pas, sous l'uniforme, le jeune homme d'une race plus fine.

On dit : « Cela leur apprend l'égalité. » Essayez donc de fouailler un cheval pur-sang comme un cheval de tombereau, sous prétexte de lui apprendre le fouet!

L'égalité n'existe nulle part. Si Pitou et quelque futur grand artiste passent une année côte à côte, l'artiste sera poursuivi toute sa vie par le cauchemar de cette année de bagne; il frémira à ce souvenir, il inoculera, malgré lui, à ses fils, la terreur de la caserne.

Les raisonnements magnanimes n'y feront rien. C'est ainsi. La masse de l'armée doit être formée des humbles, des grossiers, des ignorants, de ceux nés pour être peu. Du moment qu'on ne peut pas faire de l'aristocratie du pays l'aristocratie de l'armée, du moment que les garçons nés pour être des officiers ne pourront être que des pioupious, tout mélange apportera le trouble, et dans l'armée, et dans le pays.

Tant pis pour l'égalité!

Voilà ce qu'on arrive à croire quand on entend causer des volontaires.

(*Le Gaulois*, 14 février 1883.)

EN SÉANCE

La commission d'examen des livres à introduire dans les bibliothèques publiques, populaires, des lycées et des écoles primaires, se réunit dans une grande salle du Ministère de l'instruction publique.

Les membres entrent peu à peu. Les premiers venus sont les administrateurs des grandes bibliothèques de Paris, puis arrivent quatre directeurs du ministère, puis trois collégiens délégués par les lycées, puis le ministre.

M. Jules Ferry, à son entrée, est salué par des applaudissements sympathiques.

On prend place.

La présidence est donnée à un élève de sixième du Lycée Louis-le-Grand qui représente la jeunesse scolaire. Le ministre s'assied à sa droite, le directeur de l'enseignement supérieur à sa gauche. Chaque assistant a devant lui les volumes qu'il a été chargé d'examiner et dont il doit rendre compte à la commission qui décidera leur admission dans les bibliothèques ou leur rejet.

La séance est ouverte.

Le président prend la parole :

« Messieurs, vous pouvez fumer. Nous fumons dans les classes maintenant. Je vais d'ailleurs vous donner l'exemple. Monsieur le ministre, voulez-vous accepter un excellent cigare qui n'est pas de la régie ? »

M. Jules Ferry prend un cigare et l'allume; on s'offre des cigarettes et du feu entre voisins. Trois vieux bibliothécaires se mettent à tousser. Le président les regarde en souriant. Il continue :

« Messieurs, nous marchons dans la voie du progrès; ne nous arrêtons pas en si beau chemin. Jusqu'ici, vos prédécesseurs se sont efforcés de placer uniquement dans les bibliothèques les livres les plus ennuyeux qu'ils ont pu trouver, écrits par d'antiques savants étrangers aux idées nouvelles. Nous allons, si vous le voulez bien, modifier ce système. La science change ses principes tous les quinze ans; n'introduisons pas dans les esprits des méthodes variables, une instruction aussi peu stable. M. de Buffon fait rire aujourd'hui; dans cinquante ans, MM. Pasteur, Paul Bert, Berthelot et autres seront devenus ridicules par la vieillerie de leurs doctrines. Or, messieurs, remarquez, s'il vous plaît, que Aristophane, Rabelais, Boccace, Voltaire ne sont pas encore démodés.

» Nous allons donc, s'il vous plaît, admettre en principe qu'on ne recevra désormais dans les bibliothèques que les pures productions de l'esprit, les romans.

» Un excellent exemple analogue vient de nous être donné. Un théâtre d'un nouveau genre ayant ouvert ses portes, des billets de faveur permanents ont été offerts aux élèves des lycées, qui préfèrent, je ne crains pas de le dire, le séduisant ballet d'*Excelsior* aux ennuyeuses et enfantines expériences de physique de nos professeurs. Une jambe de femme, messieurs, vaut bien la formule $x^2 + px + q = 0$.

» Nous allons donc commencer nos travaux dans cette voie. La parole est à M. le Directeur de l'Enseignement supérieur sur les livres qu'il a bien voulu prendre la peine d'examiner. » M. le Directeur de l'Enseignement supérieur prend la parole : « Messieurs, à tout seigneur tout honneur. Il est indiscutable que le livre le plus important publié cet hiver est *L'Evangéliste* de M. Alphonse Daudet. J'ai donc apporté à l'étude de ce roman tout le soin dont je suis capable et je viens vous proposer son admission dans les bibliothèques de tout ordre.

» Ce qui m'a le plus frappé dans cet ouvrage, c'est l'art merveilleux de conteur que déploie M. Daudet, l'habileté de l'agencement, et le charme extrême et si personnel de cet écrivain.

» Je ne crains pas de placer *L'Evangéliste* en tête de son œuvre, à côté du *Nabab* et de *Fromont,* livres que je mets au premier rang dans mon opinion, sans vouloir pour cela médire des autres. Les préférences sont bien permises. »

M. LE MINISTRE : Je me suis laissé dire qu'il était question de religion dans *L'Evangéliste.* Le titre seul semblerait l'indiquer. M. le directeur s'est-il assuré si les idées exprimées par l'auteur ne sont en rien contraires à l'article 7?

M. LE DIRECTEUR DE L'ENSEIGNEMENT : M. le ministre peut se rassurer ; ce livre contient des critiques contre la religion protestante, critiques qui peuvent s'appliquer également à la religion catholique.

M. LE MINISTRE : Très bien.

M. LE RAPPORTEUR : Dès que le nouveau roman de M. Zola, *Au Bonheur des Dames,* dont le succès est si éclatant dans *Gil Blas,* aura paru, je m'empresserai de l'examiner et de vous dire mon opinion. Je viens, en attendant, vous proposer d'admettre un volume de nouvelles du même auteur, *Le Capitaine Burle* publié à l'automne, et contenant une suite de récits excellents, gais ou dramatiques, que je pourrais comparer à des échantillons du talent si varié du grand romancier.

LE PRÉSIDENT : Accepté. J'ai aussi une idée au sujet de M. Zola. Je voudrais que *Nana* fût donné en prix dans les lycées, et *L'Assommoir* dans les écoles populaires.

LE MINISTRE : Je n'y vois pas d'inconvénient. Mais ce publiciste a donné le jour aussi, paraît-il, à un roman intitulé : *La Faute de l'abbé Mouret.* Je ne l'ai pas lu, mais le titre me fait désirer que cet ouvrage soit compris parmi les livres en usage dans les études.

La commission vote à l'unanimité « oui » sur cette proposition.

LE PRÉSIDENT déboutonne sa tunique, puis sonne. Un huissier paraît et reçoit cet ordre : « Allez chercher vingt-cinq bocks au café, en face; il fait une chaleur de Hammam dans cette cambuse. Je ne dis pas Enfer pour ne pas blesser M. le ministre. »

M. Jules Ferry s'incline avec courtoisie.

LE PRÉSIDENT : La parole est à M. le Directeur de l'Enseignement secondaire.

M. LE DIRECTEUR DE L'ENSEIGNEMENT SECONDAIRE : Messieurs, j'ai lu d'abord avec un certain étonnement un petit volume de M. Alexis (Paul) intitulé *Le Collage*. Les mœurs racontées dans ce volume me sont étrangères, je n'ose pas me prononcer...

LE PRÉSIDENT : Donnez-moi ça, je le lirai.

M. LE DIRECTEUR DE L'ENSEIGNEMENT SECONDAIRE : J'ai examiné ensuite divers ouvrages de M. Maizeroy, et, en particulier le dernier paru : *Celles qu'on aime*. Ces livres, écrits avec une grande souplesse de phrases, contiennent un certain nombre de mots que je ne connais pas et sur lesquels j'aurais besoin de me renseigner préalablement. Je crains, en outre, qu'ils n'aient un effet désastreux sur les imaginations de nos jeunes gens qui ne rêvent plus que petites femmes blondes et alcôves parfumées. Je propose cependant leur admission comme essai, et avec réserve. On pourra expérimenter sur un seul lycée pendant six mois...

L'huissier rentre avec les bocks, et les distribue. Le président en réclame cinq pour lui, et en boit deux coup sur coup. Puis il prononce : « Continuez, monsieur l'orateur. »

LE DIRECTEUR DE L'ENSEIGNEMENT SECONDAIRE : Voici un excellent volume de M. le baron de Vaux : *Les Tireurs de pistolet*. C'est une série de portraits remarquables des hommes de notre époque à qui le maniement des armes à feu est familier.

Je propose son admission.

Le ministre : Impossible, l'auteur est baron, pas de titres.

Le rapporteur : Voici encore une très intéressante histoire des campagnes d'Hannibal par un de nos bibliothécaires, M. Léon Cahun.

Le président (à son sixième bock) : Jamais, Hannibal, Rome et Carthage, je sors d'en prendre. Rejeté, rejeté, rejeté.

Le rapporteur : Voici *La Morale,* par M. Yves Guyot...

Le président : Pas de morale...

Le ministre : Mais c'est de la morale laïque, M. le président...

Le président : Pas de morale, zut. Continuez.

Le rapporteur prend un nouveau livre, rougit, pâlit, cache sa figure entre ses mains et prononce d'une voix tremblante :

« Messieurs, voici un livre infâme dont je n'ose même pas prononcer le titre. Il s'appelle... il s'appelle...

Le président : Accouche donc.

Le rapporteur : Il s'appelle *Charlot s'amuse!*

Le président (à son neuvième bock) : Très chic.

Un long silence. Les membres de la commission baissent les yeux et croisent leurs mains sur la table avec embarras.

Le rapporteur reprend : Les périphrases et les métaphores me manquent pour représenter le sujet de ce livre inqualifiable, de ce livre...

Le président : Dites Manuel.

Le rapporteur : De ce Manuel du solitaire.

Le président : Très chic.

Le ministre : Inutile d'insister, nous comprenons. Un pareil ouvrage offrirait des dangers dans les classes.

Le président : Pas du tout. C'est très chic. Et puis je ferai remarquer à M. le ministre que le héros de ce roman, toujours intéressant bien que monotone, débute dans une école de Frères ignorantins.

Le ministre, *radieux :* Oh! alors, c'est différent.

170

LE RAPPORTEUR : Messieurs, quand un écrivain a l'impudence de toucher à de pareilles choses...

LE PRÉSIDENT : Très chic. Je propose de le nommer inspecteur général de l'Université. Il en examinera, des Charlots. Très chic.

LE MINISTRE : Messieurs, il serait peut-être bon de lever la séance. Le sujet devient brûlant.

LE PRÉSIDENT, *tout à fait gris :* Non, non.

> *Les membres de la commission se lèvent et s'agitent. Ils parlent l'un après l'autre.*

LE PRÉSIDENT : Tas de Charlots... Moi je vais finir ma soirée aux Folies-Bergères. Le proviseur a reçu ce matin pour nous deux cents entrées permanentes. Il m'en a donné six. Venez-vous avec moi, monsieur le ministre?

> *Le ministre s'incline sans répondre et regagne ses appartements.*

(**Gil Blas**, 27 février 1883.)

VIEUX POTS

Le baron Davillier, qui vient de mourir, a été, pour ainsi dire, le Christophe Colomb des faïences hispano-mauresques ; non qu'il en ait découvert l'existence, mais il en a, je crois, découvert et révélé la beauté.

Après avoir fouillé l'Espagne et trouvé de précieux échantillons de cette fabrication jusque-là peu appréciée, il communiqua son enthousiasme au monde extasié des amateurs artistes.

On appelle amateurs artistes des gens au sens délicat qui se pâment devant des morceaux de terre cuite souvent fort laids, uniquement parce que leur laideur est rare, des gens qui savent apprécier d'un coup d'œil la valeur extrême et conventionnelle d'un pot cassé et qui préféreront une antiquaille grotesque aux plus beaux objets modernes. Car l'antiquité sévit d'une façon odieuse et révoltante. Tout bourgeois ayant gagné dix mille francs de rentes dans l'industrie encombre sa salle à manger de ces affreuses assiettes normandes, peinturlurées ignoblement qu'on vend maintenant au prix de la vaisselle plate, et il montre avec orgueil aux invités des vases ébréchés et ridicules achetés fort cher et valant, en vérité, fort peu.

On confond aujourd'hui complètement la rareté et la beauté, et il suffit qu'un bibelot soit difficile à trouver pour qu'il atteigne des prix de courtisane. Les gens qualifiés « connaisseurs » sont assurément ceux à qui les qualités de beauté des choses échappent le plus ; ils ne s'attachent qu'à l'*introuvabilité*, et leur savoir consiste à déterminer immédiatement la provenance et l'époque.

Ils s'indignent et vous traitent d'imbécile quand on proclame tranquillement hideux des objets qui valent cent mille francs. D'autres connaisseurs, des artistes ceux-là, et le baron Davillier était du nombre, s'attachent à découvrir la beauté secrète, la beauté particulière, incompréhensible pour les lourdauds, des menus objets exquis égarés dans la foule banale des bibelots qualifiés de curiosités.

Ces vases hispano-mauresques dont la splendeur l'avait ravi pourraient être exposés devant le public qui passe par les rues sans que personne tournât la tête; car il faut un flair de race pour saisir le charme de ces poteries qu'on dirait vernies avec du soleil.

Les faïences et les porcelaines ont une histoire comme les peuples. Elles ont même un Dieu que chanta Louis Bouilhet.

> *Il est en Chine un petit Dieu bizarre,*
> *Dieu sans pagode et qu'on appelle Pu.*
> *J'ai pris son nom dans un livre assez rare,*
> *Qui le dit frais, souriant et trapu.*
>
> *Il a son peuple au long des poteries,*
> *Et règne en paix sur ces magots poupins,*
> *Qui vont cueillant des pivoines fleuries*
> *Aux buissons bleus des paysages peints.*

. . . .

> *Petit Dieu Pu, Dieu de la porcelaine*
> *J'ai sur ma table, afin d'être joyeux*
> *Lorsque décembre a neigé dans la plaine,*
> *Un pot de Chine aux dessins merveilleux.*

. . . .

Foule à tes pieds et s'il te plaît écrase
Mes plats d'argile et mes grès rabougris,
Mais de tout choc garde aux flancs de mon vase
La glu d'émail où le soleil s'est pris.

La Chine est la patrie de la porcelaine. Sait-on à quelle époque elle en commença la fabrication? Les vases brillants de ce pays étrange qui semble avoir tout connu en des temps où notre pensée même ne remonte pas, pénétrèrent seulement en Europe dans le premier tiers du seizième siècle.

Il ne faut pas oublier d'abord que, pendant les époques qui suivirent les invasions, le secret de la fabrication des faïences fut perdu.

C'est en Espagne que recommença cette industrie rapportée par les Maures. Les Arabes en firent autant en Sicile, et créèrent d'admirables vases d'un goût oriental dont l'émail, entièrement bleu, est couvert d'ornements vermiculés, à reflets d'or et de cuivre, d'un éclat surprenant. La pâte en est presque toujours plus blanche et plus serrée que celle des faïences hispano-mauresques.

Puis l'expédition des Pisans contre Majorque fit connaître à l'Italie la céramique mauresque; et cette nation excella bientôt dans cette artistique industrie.

La France fut l'élève de l'Italie, et nous voyons les fabriques s'établir du Midi vers le Nord : Moustiers, Marseille, Avignon, Nevers et Rouen — Rouen qui porta l'art céramique français à sa pureté la plus extrême. La pâte rouennaise n'est point la plus fine qu'on puisse voir; le grain en est un peu gros, et la transparence reste parfois insuffisante. Mais les belles faïences de ce pays demeurent sans égales au monde par l'émail, le coloris éclatant, et surtout par l'ornementation d'un goût absolument parfait et d'un effet merveilleux.

Il ne faut pas confondre les plats de vieux Rouen, des trois époques distinctes mais également belles où excella cette manufacture, avec les effroyables faïences de toute laideur que les Parisiens achètent chaque année à prix d'or dans la campagne et dans les villes normandes.

C'est à Henri IV que revient l'honneur d'avoir organisé les premiers établissements faïenciers, à Paris, à Nevers, et en Saintonge, la patrie de Bernard Palissy.

Sèvres mit la France au premier rang pour la production des *porcelaines*.

Quoi de plus délicieux, en effet, qu'un bibelot de Sèvres, du vieux sèvres, bien entendu, de cette inimitable pâte tendre dont le secret est oublié? Quoi de plus charmant et de plus délicat que ce bleu pâle qui ne change pas aux lampes, ce bleu de mer, encadrant les fins paysages pleins d'oiseaux éclatants comme des fleurs, perchés sur des arbres coquets qui abritent des bergers courtisant des bergères. Art exquis, maniéré, faux et délicieux, fait pour tromper et séduire, art efféminé de l'époque adorable où peignaient Watteau et Boucher.

Sèvres naquit dans les jupons d'une femme qui s'appelait la Pompadour.

Louis XV avait acheté cette fabrique et il la faisait exploiter sans se préoccuper curieusement des résultats quand sa maîtresse, séduite par des échantillons qu'elle en vit, décida le roi à y faire de grandes dépenses.

Elle prit dès lors l'établissement sous sa protection, le surveilla, le soutint, s'en occupa sans cesse; et sous son inspiration de jolie femme, reine des élégances, la manufacture devint le merveilleux atelier d'où sortit cette porcelaine d'Amour qui semble faite pour les boudoirs.

Puisse M. Grévy prendre une maîtresse qui décide une nouvelle renaissance de cet établissement national. Les vases de Sèvres d'aujourd'hui, d'un bleu violet abominable, sont bons tout au plus à offrir au roi Malikoko, à la reine de Madagascar, au shah de Perse, aux princes nègres que veut séduire M. de Brazza.

On les emploie, du reste, principalement en gratifications offertes aux fonctionnaires et employés du gouvernement, qui font un nez, comme on dit, quand on leur apporte un objet coté cinq cents francs, et qui ne ferait pas mal dans les boutiques à tourniquets des foires.

*
**

Sèvres eut une rivale redoutable, une rivale souvent heureuse, dans la célèbre manufacture de Meissen en Saxe, mère des incomparables bonbonnières, carrées ou rondes, qui portent sur leur couvercle ces paysages aux tons violets si invraisemblablement fins, ces merveilles de couleur unie, où des arbres déliés avoisinent de fluettes maisons dont le toit lance une imperceptible fumée grise sur un ciel couleur de lait.

. . . .

(*Gil Blas*, 6 mars 1883.)

La fin de cette chronique, ici supprimée, reproduit l'avant-dernière et la dernière partie du texte *Les Cadeaux*, publié, dans *Le Gaulois*, le 7 janvier 1881. Voici une application — en exemple — du travail de Maupassant. *N.D.E.*

LE HAUT ET LE BAS

Donc, nous voici condamnés à l'émeute à perpétuité. Hier, c'était l'émeute, et demain ce sera l'émeute, et après-demain encore; car il n'y a aucune raison pour que cet état de choses finisse.

Pourquoi les ouvriers se révoltent-ils? Parce qu'ils n'ont pas de travail! Et pourquoi n'ont-ils pas de travail? Parce que nous ne leur en donnons pas.

Et nous ne leur en donnons pas parce qu'un bourgeois doté d'une fortune moyenne mange un revenu de huit jours en employant pendant huit heures seulement un de ces aimables farceurs qu'on appelle un travailleur.

Voilà. Nous ne pouvons plus nourrir les ouvriers au prix que coûte leur pain; et les ouvriers, pas contents de notre système d'économie, menacent de se payer eux-mêmes sur le bourgeois.

Ah! les ouvriers sont des gens difficiles à contenter! Il est un moyen bien simple de s'assurer de cette vérité.

Quand un pauvre employé change de logement et a la prétention de faire clouer sur ses murs quelques petites baguettes de bois qu'il a payées lui-même 15 centimes le mètre, il fait venir le menuisier voisin. Il évite le tapissier par prudence et appelle un simple menuisier, un citoyen à tablier gris qui empoisonne d'abord l'appartement par toutes les odeurs variées et nauséabondes qu'il porte sur lui (vin, eau-de-vie, etc.)

L'homme se met à l'œuvre, coupe et cloue, pendant

six heures, et, huit jours plus tard, apporte sa note, qui monte à quatre-vingts francs et débute ainsi :

Coupes et pose de cadre, moulures sapin :		
7 mont. ch. 2,15	15,05	
Trav. 1 cours de	10,86	
Autres d. en 0013	17,23	
26 coupes d'onglets ch. 0,20	5,20	
4 coupes à faux ch. 0,40	1,60 - 4994 - 041 - 20,48 F	
Lesdites moulures teintées, vaut ...	4314 - 030 - 12,94 F	

33,42 F

Et cela dure ainsi pendant six pages. Le coup de scie vaut 0,24. L'entaille de développement (?), 0,25. Le coup dans le mur pour porter un cadre, 0,18.

Le malheureux employé perd la tête, essaye de comprendre, n'y peut parvenir, et sait seulement qu'il doit 80 francs pour six heures de travail.

Souvent il paye sans rien dire; mais parfois il va trouver un architecte qui réduit cette note à 45 francs en constatant que tous les *tarifs* ont été forcés. Et il ajoute : « Si vous vous étiez entendus préalablement pour fixer un prix, cela vous aurait coûté vingt francs en tout. »

Donc les tarifs de Paris permettent de demander 45 francs pour un travail qui en vaut 20 à 25. Et, *toujours,* les fournisseurs, les patrons forcent les chiffres de ces tarifs.

Or, ne serait-il pas juste et sage de condamner comme coupable d'une tentative de vol tout maître ouvrier ayant employé cette ruse vis-à-vis du bourgeois qui ignore les prix?

Car, dans ce cas, l'homme a essayé indubitablement de voler son client, les tarifs de la ville de Paris étant des tarifs officiels, imprimés, établis.

Si le simple menuisier agit ainsi, que fera l'ébéniste, et le tapissier? Oh! le tapissier!!! Le maçon, le simple maçon, gagne de 0,60 centimes à 0,80 centimes par heure. En prenant une moyenne de 0,70 centimes, il se fait des journées de 6,80 francs. Eh mais!!!... Nos bons tailleurs gagnent soixante-cinq pour cent environ sur nos vêtements, sous prétexte que certains clients payent mal. Quant au chapelier, il achète en gros 5 à 6 francs le chapeau qu'il nous revend de 18 à 22 francs, les prix des fabricants étant les mêmes pour tous les chapeliers.

Et tous nos fournisseurs, tous les ouvriers, tous ceux qu'on appelle des travailleurs, agissent de même.

Le maçon, bientôt, établira ainsi ses notes : « Le 17 mars, posé 800 briques à 0,20, 16 francs. » Et nous présenterons à nos directeurs un mémoire ainsi rédigé :

Le 17 mars.
Article-tête : 17 500 lettres à 002 350
                 1 200 points à 001 12
                 1 800 virgules à 001 18
                 1 500 points et virgules à 002 30
                                      _____
                                        410

*
**

Des êtres calmes et pacifiques, par exemple, ce sont les misérables employés de l'Etat, douaniers, petits commis des préfectures ou de l'enregistrement, gardes forestiers et autres, gens sobres, sages, économes, rangés, pour qui tout écart de conduite serait fatal, qui forment en somme le personnel le plus honnête, le plus laborieux, le plus méritant et le plus digne de la France, qui ont femme et enfants, et qui gagnent de six à douze cents francs par an.

Mais c'est vous qui devriez vous révolter, braves gens! Et, puisqu'on n'écoute pas vos plaintes timides, vous devriez prendre vos chefs par le cou et les étrangler un peu, pour qu'ils s'occupent enfin de vous.

Debout, employés des ministères et des préfectures, saisissez vos plumes et vos couteaux à papier, et cernez dans leurs cabinets les préfets et les ministres. Cela vous serait si facile, à vous, de murer un ministre pendant quatre ou cinq jours. Mais vous êtes des bourgeois tranquilles et pacifiques, et vous crèverez de faim en silence, pendant que les citoyens braillards, qui gagnent en deux mois autant que vous en un an, pillent les boutiques des boulangers.

Comme ce serait gai pourtant d'apprendre un soir que tous les ministères ont fait prisonniers les ministres, et qu'ils ne les rendront à la France qu'après une augmentation générale des appointements.

Quant aux émeutiers de dimanche prochain, on devrait prendre vis-à-vis d'eux une mesure équitable et simple.

Il faudrait les cerner et les fouiller tout bêtement. Tout homme demandant du pain avec plus de cent sous dans la poche serait nourri par l'Etat, à l'ombre d'une prison, pendant six mois; et les cent sous seraient distribués aux soldats pour les dédommager des corvées que leur imposent ces mauvais plaisants.

***

Que veulent-ils, ces tapageurs? Ils veulent être ministres à leur tour, tout simplement. Il n'y aurait, d'ailleurs, aucun mal à cette révolution. Les nouveaux venus ne seraient pas doux par exemple, ni libéraux, ni conciliants, ni tolérants; mais les émeutes deviendraient plus rares, les citoyens d'en bas étant toujours plus disposés à cogner que les citoyens du milieu.

On ne s'apercevrait du changement que dans les salons officiels. — Et encore!... Car les salons officiels d'aujourd'hui laissent un peu à désirer; non pas que les femmes n'y soient charmantes, mais elles sont toutes, ou presque toutes du Midi, du Midi où l'on a l'*assent*, pécairé! et, si cela rend la causerie charmante pour des Provençaux, il n'en est pas de même pour les gens du Nord, qui ont l'air maintenant de barbares étrangers à la patrie.

Les ambassadeurs voisins eux-mêmes s'étonnent, ne comprenant pas quelle modification profonde subit depuis quelques mois la langue de notre pays. Ils ont d'ailleurs signalé cette particularité à leurs gouvernements.

Lorsqu'on entre maintenant dans une soirée ministérielle, on reste surpris comme lorsqu'on arrive à Marseille pour la première fois.

Quelle étrange sensation, quand on pénètre dans Marseille! On était habitué, jusque-là, à rencontrer, de temps en temps, un Marseillais dont la voix chantante amusait comme une bonne farce. Quand on se trouvait, par le plus grand des hasards, entre deux Marseillais pur-sang, on riait aux larmes, comme lorsqu'on écoute un gai dialogue du Palais-Royal.

Et voilà qu'on tombe dans un pays où tout le monde parle marseillais. On reste d'abord interdit, inquiet, persuadé qu'on est l'objet d'une scie générale, prêt à se fâcher quand un cocher vous dit : « Té, mon bon. » Puis, pécairé! on en prend son parti; et on se met à parler comme tout le monde, trou de l'air! pour ne pas se faire remarquer, zé vous crois! Il en est de même aujourd'hui dans les soirées officielles; et, quand on vous offre une glace, vous vous écriez naturellement : « Une glace? Dé quoi? De l'oranze, mon bon! Ze ne prends zamais que de la fraize. »

On passe auprès de deux dames pavoisées comme Paris au 14 Juillet. On écoute :

— Et té, comment la trouvez-vous, cette robe, ma cère?

— Ze la trouve souperbe.

— Mon mari me disait touzours : « Ma bonne, je ne te trouve pas à ton rang. Fais-toi une robe de femme de ministre. »

— Et cette coiffure té, qu'en dité-vous?

— Ze la trouve étonnante, ma cère!

— Si ze vous disais qu'il a fallu plus d'une heure pour l'établir! Zé sois sûre que z'ai bien un cent d'épingles dedans.

Mais on reconnaît une de ces dames, on s'incline jusqu'à terre en zézayant par politesse :

— Eh! té! bonzour, madame; vous allez bien, au moins?

**

Et le soir, la femme de chambre entend sa maîtresse dire tout bas à son mari :

— Mon céri, ze te prie de mettre dehors ce grand escogriffe d'huissier qui me dévizaze quand je passe, comme s'il ne me connaissait pas encore. Cela me zène tant toutes les fois que je baisse les yeux, mon bon!

Et pourtant elles sont charmantes, aimables, spirituelles et bonnes, ces femmes; mais tout cela en marseillais. Marseille est, il est vrai, une des plus belles villes du monde; et il ne peut être qu'honorable d'avoir pour mère cette opulente et claire cité. Cependant... pour les ambassadeurs étrangers... il serait peut-être bon qu'on eût un peu moins d'*assent* dans le monde officiel.

Alors pourquoi n'attacherait-on pas à chaque ministère une femme du monde sans accent, élégante, distinguée, aimable, qui serait chargée des réceptions?

Les ministres changeraient : elle resterait, comme restent les directeurs, et comme restent les chefs de bureau, et comme restent les huissiers. Elle aurait le titre de « maîtresse des cérémonies », et serait logée dans l'hôtel du ministre, prête à venir recevoir chaque visite.

Elle toucherait vingt mille francs par an, n'ayant droit qu'à l'éclairage et au chauffage, et payant ses toilettes.

Elle devrait être mariée, en ville.

(*Le Gaulois*, 16 mars 1883.)

BIBELOTS

De toutes les passions, de toutes sans exception, la passion du bibelot est peut-être la plus terrible et la plus invincible. L'homme pris par le vieux meuble est un homme perdu. Le bibelot n'est pas seulement une passion, c'est une manie, une maladie incurable. Et il sévit, ce mal, sur toutes les classes de la société.

Tout le monde aujourd'hui collectionne; tout le monde est ou se croit connaisseur; car la mode s'en est mêlée. Les actrices ont presque toutes la rage de bibeloter; tous les hôtels particuliers semblent des musées encombrés de saletés séculaires. Le Vieux gâte notre temps, car il suffit qu'une chose soit ancienne pour qu'on l'accroche aux murs avec prétention. Un homme du monde se croirait déshonoré s'il ne couchait dans un lit de chêne vermoulu, piqué des vers, incommode, rapiécé, dont tous les morceaux sont antiques, il est vrai, mais unis ensemble par le fabricant de Vieux, et peu faits pour ce rapprochement.

Les chaises, les fauteuils, les armoires, tout est vieux, et laid; quoi qu'on prétende, tout cela est incommode et grotesque en notre temps de vie pratique et de lumière électrique. Un siège à la Dagobert ou un casque à la Don Quichotte, au-dessus d'un téléphone, me paraîtront toujours des choses risibles.

Les femmes surtout sont des collectionneuses inénarrablement ridicules, car tout leur manque pour ce métier : la science profonde, la possibilité de voyager à pied, de logis en logis, par les pays peu connus, l'acharnement dans la passion. Il ne suffit pas d'ailleurs d'être un connaisseur, il faut posséder la vocation, une sorte d'intuition, de pénétration particulière, et, par-dessus tout, le sens artiste, ce flair délicat donné à si peu d'hommes.

Les connaisseurs, aujourd'hui, sont nombreux. On court les boutiques, on fréquente la salle Drouot et on apprend en peu de temps à estimer, du premier coup d'œil, à sa valeur, un objet quelconque. On fait, en un mot, fort bien le métier de commissaire-priseur.

Quant à discerner, c'est autre chose. L'amateur d'antiquités aime tout : tout ce qui est vieux, tout ce qui est rare, tout ce qui est étrange, tout ce qui est laid. Il s'extasie devant les ébauches informes des ouvriers primitifs, il pousse des cris en face des hideuses poteries de nos ancêtres naïfs; il sait, certes, il sait au juste à quelle époque fut fabriquée cette grossière statuette de faïence, et il en connaît le prix exact; et il la préfère à quelque ravissante ébauche en terre d'un artiste moderne.

Tout autre doit être celui qui possède ce sens de l'art, ce flair de race des vrais trouveurs. Il ne s'inquiétera guère des raretés; mais il s'efforcera, pour ainsi dire, d'écrémer le passé, de découvrir et de révéler les seules belles choses ignorées ou méconnues.

Le baron Davillier, qui vient de mourir, possédait cette faculté du discernement en art d'une façon singulière. Et ce fut là son rare mérite, qui assurera à son nom une vraie immortalité parmi les collectionneurs de l'avenir.

Mais je veux citer un autre exemple, pour bien montrer ce que doit être le véritable amateur d'art, quelles qualités particulières il lui faut, de quelle sorte de divination il doit être doué par la nature.

Voici trente ans environ, deux jeunes gens, deux

frères, deux de ces garçons travaillés par des besoins d'art encore indécis, par cette démangeaison du Beau que portent en eux ceux qui seront plus tard de grands hommes, visitaient, avec passion, toutes les vieilles boutiques de Paris. Attirés par un invincible attrait vers ce XVIIIe siècle qui est et qui restera le grand siècle de la France, le siècle de l'art par excellence, de la grâce et de la beauté, ils cherchaient dans les cartons des marchands d'estampes tout ce qui venait de cette époque charmante alors méprisée. Ils trouvaient des dessins de Watteau, de Boucher, de Fragonard, de Chardin. Quand l'un mettait la main sur une de ces merveilles méconnues, d'un geste il prévenait l'autre, et, pâle tous deux, ils contemplaient la trouvaille et l'emportaient, le cœur battant.

Leurs amis riaient. On ne comprenait point encore l'inestimable valeur des artistes de cette époque; mais ils ne s'inquiétaient guère des moqueries, car ils sentaient qu'ils achetaient du *Beau* et ils en achetaient sans repos et sans marchander.

Et il arrivait que parfois, leur fortune étant modeste, ils se trouvaient couverts de dettes. Alors, ne pouvant résister au désir de la trouvaille, ils disparaissaient, ils allaient s'enfermer dans quelque auberge de campagne, seuls tous deux, amassant de l'argent sou par sou, et du savoir heure par heure, car ils étudiaient sans relâche leur XVIIIe siècle bien-aimé, ils y pénétraient davantage chaque jour, le fouillaient, le parcouraient jusque dans les petits détails de la toilette et des coutumes. Bientôt ils le possédèrent comme personne, car ils le possédaient dans son art; et ils réunirent une des plus belles collections qui soient de dessins des maîtres d'alors; une collection où l'on retrouve toutes les manifestations du talent gracieux de cette époque.

Ces deux collectionneurs s'appelaient Edmond et Jules de Goncourt.

Veut-on savoir comment ils l'avaient compris et pénétré, ce siècle qu'ils adoraient, alors qu'on le raillait à l'Académie et qu'on le méconnaissait dans le monde? Qu'on lise cet admirable livre, *l'Art au XVIIIe siècle,* que vient de publier l'éditeur Charpentier, et on trouvera de ces choses :

« Les poètes manquent au siècle dernier. Je ne dis pas : les rimeurs, les versificateurs, les aligneurs de mots ; je dis : les poètes. La poésie à prendre l'expression dans la vérité et la hauteur de son sens, la poésie qui est la création par l'image, une élévation ou un enchantement d'imagination, l'apport d'un idéal de rêverie ou de sourire à la pensée humaine, la poésie qui emporte et balance au-dessus de terre l'âme d'un temps et l'esprit d'un peuple, la France du xviiie siècle ne l'a pas connue ; et ses deux seuls poètes ont été deux peintres, Watteau et Fragonard. »

Ecoutons-les maintenant nous expliquer Watteau :

« Le grand poète du xviiie siècle est Watteau. Une création, toute une création de poème et de rêve, sortie de sa tête, emplit son œuvre de l'élégance d'une vie surnaturelle. De la fantaisie de sa cervelle, de son caprice d'art, de son génie tout neuf, une féerie, mille féeries se sont envolées. Le peintre a tiré des visions enchantées de son imagination un monde idéal et au-dessus de son temps ; il a bâti un de ces royaumes shakespeariens, une de ces patries amoureuses et lumineuses, un de ces paradis galants que les Polyphiles bâtissent sur le nuage du songe, pour la joie délicate des vivants poétiques.

» Watteau a renouvelé la grâce... La grâce de Watteau est la grâce. Elle est le rien qui habille la femme d'un agrément, d'une coquetterie, d'un beau au-delà du beau physique.

» Elle est cette chose subtile qui semble le sourire de la ligne, l'âme de la forme, la physionomie spirituelle de la matière. »

Quand des êtres sont doués pour comprendre de cette façon un temps et des artistes méconnus autour d'eux, pour deviner ainsi à travers les admirations convenues, établies, de leurs contemporains, ils peuvent chercher dans les vieux magasins et même sur les étalages des places publiques : ils trouveront toujours car ils possèdent le génie qu'il faut.

Lorsque les premiers objets du Japon sont parvenus à Paris, les deux frères ont encore compris d'un coup d'œil la valeur d'art de ces choses. Dès 1852, Edmond de Goncourt achetait à la *Porte de Chine* un de ces merveilleux albums japonais qui valent aujourd'hui des sommes fabuleuses, et qu'on ne trouve plus d'ailleurs.

Il le paya 80 francs.

Ils ont su acquérir, alors que personne n'y songeait, ces ivoires surprenants qu'on ne possède aujourd'hui pour aucun prix.

J'en citerai trois ou quatre. L'un représente un guerrier qui court sur l'eau. C'est d'un travail incomparable. Un autre nous fait voir la Mort qui regarde un serpent enroulé sous une feuille. La Mort est penchée et, dans son mouvement, on sent une curiosité bienveillante, un intérêt tendre pour la bête empoisonneuse. Voici un singe qui mord un coquillage ; la tête de l'animal est d'un irrésistible comique. Voici encore un rat d'un prodigieux naturel. Or, il paraît que, là-bas, les artisans font, de père en fils, le même objet. Lorsque six générations ont fabriqué des souris, il n'est pas étonnant que les derniers venus les exécutent en perfection.

Combien d'hommes auraient pu, comme les Goncourt, acheter ces merveilles aux jours de leur nouveauté ! S'ils ne l'ont pas fait, c'est qu'ils ne possédaient point ce flair qui devine, ce vrai flair du collectionneur. Les autres s'y connaissent en choses admirées, mais non pas en choses inconnues.

**

Quant aux millionnaires qui achètent aujourd'hui toutes les horreurs que nous ont laissées les siècles passés, ils font partie de cette race que Gautier appelait des *bourgeois*.

Je parierais qu'il existe, dans Paris seulement, dix fois plus de lits seigneuriaux du style Henri II qu'il n'en existait dans toute la France sous ce prince. Et n'oublions pas, en outre, qu'une bonne moitié de cette literie de barbares a été détruite à mesure que s'affinait l'art du sommier.

On nous casse encore le dos et le reste avec les sièges des temps anciens, alors que nous pourrions nous étendre en ces délicieux fauteuils modernes dont les bois sont invisibles. Le bois n'est-il pas la carcasse du meuble dont le crin est la chair et dont l'étoffe est la peau? Le squelette n'est homme que vêtu de chair. Le meuble n'est fauteuil qu'une fois rembourré. Nous ne montrons pas nos os par les rues.

Quant aux collections qu'on nous traîne admirer de temps en temps, ce ne sont en général, que des amas d'objets coûtant fort cher.

Ce sont encore les Goncourt qui ont écrit : « Il y a des collections d'objets d'art qui ne montrent ni une passion, ni un goût, ni une intelligence, rien que la victoire brutale de la richesse. »

(*Le Gaulois,* 22 mars 1883.)

LES FEMMES DE LETTRES

On a, dans le monde, dans le monde des lettres surtout, de certains sourires quand on parle des femmes de lettres. Ce sont des bas-bleus, dit-on. Soit. Mais les bas-bleus sont intéressants.

Beaucoup d'hommes, des philosophes éminents, condamnent en bloc toutes ces femmes en vertu du principe général que voici : « La femme n'est pas faite pour les travaux intellectuels. »

Ils en donnent la preuve, d'ailleurs, une preuve accablante. C'est que, depuis l'origine du monde, aucune femme n'a produit un chef-d'œuvre, si court qu'il soit. Elle n'a pas, malgré des qualités accessoires remarquables, les qualités essentielles de l'esprit qui permettent d'imaginer, de raisonner, d'observer, de pondérer, de mélanger, d'établir les proportions dans les rapports absolus qui font d'une œuvre un chef-d'œuvre.

Les femmes ont répondu :

— Cela tient à un défaut d'éducation. Les femmes ne sont pas élevées comme il faut pour leur permettre de produire des œuvres d'art.

Mais les philosophes ont riposté :

— Vous étudiez plus que nous la peinture et la musique ; vous approfondissez la partie technique de ces deux arts autant qu'aucun homme. Or, citez-moi une seule de vous qui ait jamais été un grand peintre ou un grand musicien.

Un illustre penseur anglais explique ainsi cette infériorité :

— En comparant les facultés intellectuelles des deux sexes, on ne distingue pas assez la réceptivité de la faculté créatrice. Ces deux choses sont presque incommensurables ; la réceptivité peut exister — cela se présente souvent — et être très développée là où il n'y a que peu ou même point de faculté créatrice.

« Mais la plus grave des erreurs que l'on commet généralement en faisant ces comparaisons, c'est peut-être de négliger la limite du pouvoir mental normal. Chaque sexe est capable, sous l'influence de stimulants particuliers, de manifester des facultés ordinairement réservées à l'autre ; mais nous ne devons pas considérer les déviations amenées par ces causes comme fournissant des points de comparaison convenables. Ainsi, pour prendre un cas extrême, une excitation spéciale peut faire donner du lait aux mamelles des hommes : on connaît plusieurs cas de gynécomastie, et on a vu, pendant des famines, de petits enfants privés de leurs mères être sauvés de cette façon. Nous ne mettrons pourtant cette faculté d'avoir du lait, qui doit, quand elle apparaît, s'exercer aux dépens de la force masculine, au nombre des attributs du mâle. De même, sous l'influence d'une discipline spéciale, l'intelligence féminine donnera des produits supérieurs à ceux que peut donner l'intelligence de la plupart des hommes. Mais nous ne devons pas compter cette capacité de production comme réellement féminine si elle est aux dépens des fonctions naturelles. La seule vigueur mentale normale féminine est celle qui peut coexister avec la production et l'allaitement du nombre voulu d'enfants bien portants. Une force d'intelligence qui amènerait la disparition d'une société si elle était générale parmi les femmes de cette société, doit être négligée dans l'estimation de la nature féminine, en tant que facteur social. »

Donc, les vraies femmes de lettres sont des phénomènes — pardon, mesdames. Mais, par cela même qu'elles sont des phénomènes, elles doivent nous sembler plus précieuses, dans le bon sens du mot, plus intéressantes, plus curieuses à étudier, à connaître. Leur rareté fait leur prix. Et ce serait un livre curieux, celui qui nous dirait l'histoire de l'intelligence féminine, de l'intelligence créatrice des femmes, depuis Sapho jusqu'à Mlle Marie Colombier.

Ce qu'on pourrait, en général, reprocher à tous ces écrivains en robe, c'est l'absence de cette chose subtile, indéfinissable, qu'on appelle l'art. Force mystérieuse que produisent certains esprits d'élite, souffle inconnu qui glisse dans les mots, harmonie insaisissable, âme de la phrase, que sais-je? On ne peut dire où réside, d'où vient, comment s'exhale ce parfum délicat des livres. Mais on sait qu'il est, on le sent, on le subit, on s'en grise. La femme, en général, quel que soit son génie, ne connaît point, ne produit point, et ne comprend guère cette chose vague et toute-puissante.

Le Beau littéraire n'est point ce qu'elle cherche. La première des femmes-écrivains, George Sand, ne semble jamais avoir été effleurée par ce mal étrange, par cette torture des artistes que travaille l'amour, l'appétit, la rage du style. Et *style* n'est pas le mot qu'il faudrait employer. La langue ne fournit pas de terme pour exprimer cette idée de l'harmonie littéraire, de cette concordance des mots avec les choses, qui est l'art.

La femme s'efforce souvent d'exprimer ses rêveries, sans avoir jamais été atteinte par la fièvre de l'adjectif, par la grande passion du verbe. Elle écrit naïvement, souvent très bien, sans recherche, avec aisance. On peut classer en deux camps les femmes-auteurs :

1° Celles qui ont un tempérament d'écrivain;
2° Celles qui ont de la grâce et de l'esprit.

Je veux citer quelques-unes de celles dont on parle le plus.

*
**

La plus connue est assurément Mme Juliette Lamber. Hantée par l'amour de la Grèce, elle conçoit un livre comme un sculpteur rêve une statue. Elle croit aux dieux, aux choses antiques, aux formes pures, aux grands sentiments, et elle produit des œuvres en qui revit quelque chose de l'autrefois païen. Belle d'une beauté puissante et saine, sans coquetterie apprise, sans maniérisme aucun, elle est bien la femme de son âme et de ses croyances.

Mais un nouveau roman de cet écrivain est sur le point de paraître, *Païenne*. C'est alors qu'il conviendra de parler longuement du livre et de l'auteur.

Voici une autre femme de lettres qui ne ressemble guère à M\ :sup:`me` Juliette Lamber.

Celle-là, c'est une Parisienne moderne, et une raffinée, et une coquette, en littérature, naturellement. Elle signait jadis des chroniques charmantes du nom de Thilda, au journal *La France,* et d'autres, non moins charmantes, du nom de Jeanne, au *Gil Blas.* Aujourd'hui, elle est devenue Jeanne-Thilda, et publie un livre excellent, ayant pour titre : *Pour se damner.*

C'est un recueil de fines nouvelles, joyeuses, bien nées, un peu poivrées parfois, mais jamais trop. Cela est alerte, bien français, bien spirituel et bien galant. On sent Paris dans ce livre, on y sent le boulevard et le salon. Le style élégant garde une sorte de grâce féminine ; il sent bon comme un bouquet de corsage ; et vraiment quelque chose de subtilement amoureux semble courir dans les pages. *Pour se damner* est bien le titre qu'il fallait.

L'auteur, Jeanne-Thilda, est une grande femme à la chevelure ardente, à l'œil hardi, à la taille élégante ; elle aime le monde, on le sait ; elle aime les hommages, on le devine ; elle aime toutes les élégances et tous les raffinements de la vie, on le sent.

Je prédis un grand succès à votre livre.

***

J'ouvris un jour, par hasard, un roman intitulé *L'Idiot*. C'était une œuvre singulière, naïve et puissante.

L'auteur, doué remarquablement, mais inhabile, révélait un vrai tempérament d'écrivain, instinctif, sans raisonnement ni science.

On sentait qu'il devait écrire d'abondance, laissant couler les phrases et les choses, simplement, sans apprêt, sans artifice. Et cette simple manière donnait parfois des effets singulièrement beaux. Cet homme voyait juste par nature; il avait l'œil d'un observateur, et cependant il gâtait souvent des pages excellentes et justes par l'inexpérience de son imagination, par des inventions inutiles, par une abondance regrettable.

Son pseudonyme me surprit. Paria-Korigan! Pourquoi cet étrange accouplement de mots baroques? Une femme seule pouvait avoir combiné ce nom plus bizarre qu'heureux.

L'*Idiot* est une femme, en effet.

Et cette femme possède des qualités bien rares dans son sexe. Elle est douée, elle est née avec un cerveau de romancier remarquable. Elle fera, certes, des livres, de vrais livres qui contiendront de la vraie vie, et de vrais paysages, et des sensations vraies.

Si j'avais un conseil timide à lui donner, ce serait de se méfier de son imagination et de son enthousiasme; car ses qualités maîtresses sont justement les qualités contraires : l'observation, la vision juste, l'intuition nette des choses. Elle a un tempérament d'homme auquel se mêle une exaltation de femme.

De toutes les femmes de lettres de France, Mme Henry Gréville est celle dont les livres atteignent le plus d'éditions. Celle-là est surtout un conteur, un conteur gracieux et attendri. On la lit avec un plaisir doux et continu; et, qand on connait un de ses livres, on prendra toujours volontiers les autres.

Mmes Georges de Peyrebrune, Gyp, Mary Summer, de Grandfort, ont écrit aussi des œuvres pleines de qualités charmantes. Mme de Montifaud, cette victime de l'intolérance des mâles, chassée de partout, emprisonnée, honnie pour des livres qui n'auraient pas fait sourciller signés d'un homme, a donné, certes, des preuves de talent.

Mais avez-vous lu ce récit exquis, depuis longtemps célèbre d'ailleurs, qui s'appelle *Le Péché de Madeleine ?*

L'auteur ?... On nomme tout bas Mme Caro. Qui que vous soyez, madame, pourquoi ne faites-vous plus rien ?

(*Le Gaulois,* 24 avril 1883.)

M. VICTOR CHERBULIEZ

On ne parle guère du dernier livre de M. Victor Cherbuliez : *La Ferme du Choquard*. Cet ouvrage vaut bien
pourtant, à certains égards, qu'on le lise et qu'on
l'analyse.

M. Cherbuliez est entré à l'Académie à l'ancienneté.
Il méritait cet honneur. Il a su créer une langue dans la
langue. Il emploie, il est vrai, des mots français selon les
formes grammaticales, et cependant son style semble
d'autre part que de France. L'étonnement qu'on ressent
d'abord en ouvrant cet auteur s'apaise bientôt, on
comprend qu'il se sert d'un français d'outre-monts, du
français de son pays, car il est Suisse. Il nous révèle le
suisse, langue molle, douceâtre, sans odeur ni saveur.
Les livres de cet écrivain pondéré pourront être plus
tard d'une inestimable valeur pour les philologues.

A ce titre, *La Ferme du Choquard* peut être placée au
premier rang, comme modèle de douce platitude littéraire.

C'est un roman du genre champêtre. Il faut, dans ces
œuvres d'une apparente simplicité, une science profonde
du style, un art infini des nuances, une habileté hors
ligne pour émouvoir avec des personnages inférieurs,
avec des faits d'une apparente banalité.

Les qualités de M. Cherbuliez sont tout autres. Un
homme d'une extrême originalité peut seul, par le fait
même de sa nature, donner de la couleur et de l'intérêt
aux choses médiocres de la vie. Un homme d'un

tempérament moyen, qui plaît plutôt par des effets, rendra insipides, en les faisant passer par son cerveau, les sujets déjà ternes par eux-mêmes. Prenons *La Ferme du Choquard*.

On devine, dès les premières lignes, le roman jusqu'au bout. La ferme du Choquard est une sorte de ferme modèle en Brie. Les propriétaires sont plus fiers que des grands d'Espagne. On voit d'abord la mère, vieille femme opiniâtre, le fils qui a voyagé et qui rêve de l'Océan, grand garçon noble, instruit, généreux, etc., puis une petite fille excellente, orpheline adoptée, bonne et dévouée, qui aime son maître naturellement. Un vieux médecin joue le rôle classique du bon docteur, confident général.

Non loin de la ferme existe, bien entendu, une auberge mal famée tenue par les Guépie, gens peu recommandables, paresseux, voleurs, sales, tout à fait vilains.

Ai-je besoin de dire qu'ils ont une fille merveilleusement belle, belle comme Vénus, mais perfide, rusée, habile, ange par la séduction, et démon par le cœur.

Est-il nécessaire encore de raconter qu'elle entreprend, grâce à des malices de pensionnaire, la conquête du beau fermier du Choquard, et qu'elle l'accomplit à son gré.

On devine les scènes entre la mère et le fils, le désespoir de l'orpheline adoptée, l'émoi dans le pays. Le mariage a lieu.

Le roman ne serait pas complet sans un jeune marquis blasé, fatigué par la vie orageuse. Il est justement l'ami du fermier. Il sera le traître nécessaire, l'amant de la fermière.

Pour se faire libre elle tente d'empoisonner son mari que sauve l'orpheline dévouée. Et la belle fermière se noie, sans savoir même son crime découvert. Elle se noie on ne sait comment, poursuivie par un chien qui lui fait peur. Cette mort est la seule chose du roman qu'on ne puisse prévoir d'avance, la seule aussi qu'on ne puisse expliquer ensuite.

Le fermier épouse l'orpheline.

Résumée en quelques lignes, l'action semble peut-être moins insignifiante que développée en cinq cents pages.

Pourtant on a fait des livres charmants sur des sujets si ténus, si vagues! D'où vient l'invincible somnolence qui vous prend en lisant ce gros roman?

Elle vient de la pâleur du style, de l'uniforme banalité de la phrase, du français-suisse, enfin.

Qu'est-ce donc au juste que le suisse employé avec tant de supériorité par M. Cherbuliez? Une langue correcte pourtant, mais d'autant plus correcte qu'elle est faite de toutes les locutions connues et adoptées, de toutes les idées reçues ayant cours, de toutes les périphrases en usage pour mal dire les choses.

Les éditeurs Marpon et Flammarion viennent de mettre en vente un très intéressant *Dictionnaire de la Langue verte,* par M. Alfred Delvau; les éditeurs Hachette devraient répondre à cette audace par un dictionnaire des idées reçues et des phrases toutes faites, prises dans les Œuvres complètes de M. Victor Cherbuliez, de l'Académie française.

A toute page, on en peut cueillir dans *La Ferme du Choquard.*

Je prends au hasard :

« Se mettre martel en tête.

» Se résigner à son bonheur.

» Donner un libre cours à sa colère. »

Choisissons des exemples plus complets :

« En arrivant dans la cour, elle entendit un *concert d'aboiements furieux.* Deux chiens étrangers *étaient aux prises* avec ceux de la ferme qui *les recevaient de la belle manière.* »

Il parle d'un pensionnat « dont la directrice était Mlle Bardèche, *excellente et digne personne.* »

Je continue : « Il ne faut pas trop en vouloir à un *petit serpent de fille* si elle tire la langue à un vieux docteur qui ne consent pas à être sa dupe. »

Quelquefois pourtant l'image est hardie. M. Cherbuliez met en scène un pauvre valet d'écurie, un Suisse, un compatriote, et il le compare à un cheval.

« A peine écorchait-il quelques mots de français, dont il se servait bravement pour expliquer son affaire, comme Charmant se servait de sa queue trop courte pour s'émoucher. »

M. Cherbuliez n'est pas étranger à la science moderne. Il nous donne, en passant, l'explication des phénomènes cérébraux. « Ses projets d'abord un peu vagues ne tardèrent pas à se préciser. La matière chimique en effervescence se précipita. »

Quelquefois il fait, involontairement, des vers qui portent bien la même marque. Ces deux alexandrins sont alignés en prose dans le texte :

Il allait et venait à travers les guérets
Et sa jument semblait fière de le porter.

Il émet aussi avec autorité des vérités indiscutables. Exemple :

« Il est fort désagréable de s'enfoncer une épine si profondément dans la main, qu'on craint, en l'extirpant, d'attaquer le périoste. Il ne l'est pas moins, quand on voyage en chemin de fer, et qu'on met imprudemment la tête à la portière, de recevoir dans l'œil un petit fragment de charbon. Il en résulte quelquefois une inflammation douloureuse. »

Aucun homme sensé ne pourra nier ni contester des observations de ce genre.

J'aime moins la phrase suivante qui laisse un doute dans l'esprit : « Et il lui entra dans le cœur une telle abondance de joie qu'il craignait de n'y pouvoir *suffire*. »

Que pouvait-il craindre? Qu'arrive-t-il quand on ne suffit pas à la joie qui entre en vous? J'avoue, à mon tour, ne le pouvoir deviner.

Ce sont là des critiques qui sembleront peut-être mesquines. Mais le nombre en fait l'importance; on pourrait, à la rigueur, les répéter presque à chaque ligne.

M. Victor Cherbuliez a fait, jadis, de meilleurs livres.
Deux romans surtout ont attiré l'attention du public :
Le Comte Kostia et *L'Aventure de Ladislas Bolski*.

Ce sont là de bons romans d'aventures, de ces romans
faits pour charmer l'âme tendre des femmes. Ce ne sont
point d'héroïques et invraisemblables épopées comme
celles que racontait si brillamment Alexandre Dumas
père, ni de ces livres d'observation qui remuent profondément le cœur, mais des récits doucement émouvants
où tout est disposé pour plaire, même les crimes qu'on y
commet. Les scènes violentes attendrissent tant elles
sont présentées avec ménagement, le sang versé fait
plaisir ; on fond en larmes aux dénouements.

On trouve cependant dans *Le Comte Kostia* une
sensation bien particulière dont on ne s'explique point
la cause tout d'abord.

Ce roman, honnête et chaste, étonne parfois ainsi
qu'un livre défendu ; parfois on croit lire entre les lignes
et on retrouve comme un souffle de ces émotions
malsaines que vous jettent dans l'âme les écrivains
géniaux et pervers.

C'est que l'auteur, sans y prendre garde, dans
l'honnêteté de sa conscience, a dépeint l'amour naissant
d'un homme pour une femme vêtue en homme et qu'il
croit être un homme, De là un trouble étrange, une
confusion pénible, puissante comme art, gênante aussi.

En suivant le développement de cette passion légitime
on côtoie, semble-t-il, le lac gomorrhéen des passions
honteuses. Je sais que toutes les intentions définitives
sont honnêtes ; cela n'empêche que l'amitié particulière
de cet homme pour un enfant, bien qu'elle ne puisse
blesser la morale tant les moyens sont ménagés, peut du
moins éveiller dans l'âme du lecteur des suppositions
alarmantes.

J'ai d'ailleurs cette conviction, sans doute fausse, que
les livres les plus dangereux pour les âmes et les plus

immoraux en somme, sont les livres dits les plus moraux, les plus poétiques, les plus exaltants et les plus décevants, les livres où triomphe éternellement l'amour.

P.-S. J'ai voulu relire, pour l'acquit de ma conscience, le discours de réception de M. Cherbuliez à l'Académie française.

On y rencontre des audaces. Celle-ci mérite d'être citée : « Je me trompe, il (M. Dufaure) n'avait point de procédés ; il avait, ce qui vaut mille fois mieux, une méthode. Depuis l'*astre naissant,* qui semble *chercher à tâtons* son chemin dans l'espace, jusqu'à la plante soulevant la pierre de son tombeau pour apparaître au jour qu'elle semble fuir... »

N'est-on point ému en songeant aux dangers que courent les jeunes astres sans méthode exposés à de pareilles hauteurs ?

On lit chaque jour tant de récits d'enfants tombés par les fenêtres ! Les fenêtres, au moins, on les peut fermer avec des grilles... Mais l'espace ?...

(*Gil Blas,* 1ᵉʳ mai 1883.)

SÈVRES

J'ai dit dernièrement dans ce journal ce que je pensais des horribles vases fabriqués aujourd'hui par Sèvres et offerts cérémonieusement en cadeau à toutes les personnes à qui l'État veut faire une politesse.

Une coupe, d'une forme élégante et d'une décoration charmante, sortie récemment de cette manufacture et vue par hasard dans une collection, m'a donné le désir de visiter cet établissement national. De grands progrès y ont été réalisés. Nous sommes, d'ailleurs, en pleine épidémie d'expositions. Les Parisiens vont, comme un flot, du Salon de peinture des Champs-Elysées à l'Exposition japonaise de la rue de Sèze, et des galeries du quai Voltaire où l'on voit les portraits du siècle aux tapisseries de Cluny.

Mais il fait beau, les arbres verdissent; le bois est charmant à traverser. Pourquoi, après avoir longé les lacs, n'irait-on point, par un clair après-midi, jusqu'à Sèvres, où l'on peut voir encore des choses aussi curieuses que belles, et bien ignorées.

Qui donc a visité Sèvres? Qui donc connaît les dedans de ce grand bâtiment muet, endormi, semble-t-il, au bord de la Seine.

Entrons dans cette vaste maison.

L'histoire de Sèvres est bien simple. Je l'ai racontée ici-même. Une femme, une adorable femme, presque une reine, créa Sèvres, d'un baiser peut-être, dans un caprice de coquette.

201

Louis XV avait acheté cette manufacture et il ne s'en occupait guère quand Mme de Pompadour vit quelques produits sortis de ses ateliers et fut séduite. Elle aimait les arts, dessinait un peu, savait faire naître des modes charmantes. Elle fut, en France, la mère du Joli.

Elle prit Sèvres sous son patronage, s'en occupa, se passionna, y appela des artistes, mit dans les pâtes, dans les adorables pâtes tendres, quelque chose de sa beauté, de son sourire et de son charme. Regardez-les ces sèvres Louis XV, gracieux, maniérés et délicieux. C'est bien là de la porcelaine de jolie femme, porcelaine née d'un caprice, faite pour les doigts légers et parfumés.

Et voilà d'où vint sans doute ensuite la rapide décadence de Sèvres. On a voulu continuer la tradition d'élégance précieuse donnée par la Pompadour; mais l'inspiratrice étant morte, les artistes en cherchant à retrouver la grâce qui venait de cette femme charmante et si personnelle sont tombés dans le mauvais goût.

Et puis des questions pratiques, la nécessité d'obtenir une pâte plus résistante que la pâte tendre et présentant cependant à peu près les mêmes qualités, ont fait remplacer les vrais artistes par les chimistes, pour qui la composition de la matière présentait infiniment plus d'importance que l'élégance de l'ornementation.

La pâte tendre est inimitable comme beauté, comme transparence; et, cuite à de basses températures, elle peut recevoir les nuances les plus variées.

La pâte dure, cuite à 1 800 degrés, n'acceptait jusqu'ici qu'un nombre limité de tons, les couleurs se vitrifiant à la chaleur excessive qu'exige cette porcelaine.

Aujourd'hui, la question semble résolue par l'habile administrateur de la manufacture, M. Lauth. Il a trouvé une pâte intermédiaire, unissant les qualités des deux autres, la solidité et la beauté.

***

Mais visitons par le commencement le grand établissement national.

On entre d'abord dans le musée. Il présente des échantillons de toutes les porcelaines ou faïences connues ; mais tous ces modèles ne sont pas aussi beaux qu'on le pourrait désirer.

Voici les principales pièces :

Tout au fond de la galerie, on aperçoit une grande faïence émaillée du xe siècle, une Vierge blanche, de l'école de Luca della Robbia ; puis une remarquable gaine en terre cuite du château d'Oiron (1545-1555).

Viennent ensuite de belles poteries vernissées de Beauvais (1674), un magnifique Urbino du xvie siècle, un Gubbio signé, un Nevers imité de Palissy et signé Agostino Corado, en 1602, et d'autres fort belles pièces de Nevers.

Le Rouen est représenté par un assez grand nombre de faïences assez jolies et par un beau morceau de la fabrique de Henry : un tuyau de cheminée émaillé, au pied duquel jouent deux gros enfants en terre cuite (vers 1780).

La plus belle pièce de Rouen est une table à ouvrage du xviiie siècle.

On rencontre encore un remarquable Moustiers (1729), signé Landès Hyacinthus Raverus ; un retable d'autel de la fabrique de Lille, signé Jacobus Feburier (1716), une assiette polychrome de même provenance, au nom de maître Baligne.

**

Les poteries dures de la Chine offrent une singulière analogie avec les faïences qu'on produit partout en France en ce moment.

Parmi les Parisiens qui passent l'hiver à Cannes, il n'en est guère qui n'aient visité l'intéressante fabrique de M. Clément Massier, au golfe Juan. Beaucoup de modèles et des tons communs dans ses ateliers ont été jadis obtenus, là-bas, dans cette Chine mystérieuse qui a tout fait, quelques milliers d'ans avant nous.

Mais nous voici dans la partie du musée où sont

exposées les pièces de Sèvres. On voit peu d'échantillons de la belle époque. Les particuliers possèdent presque tout; M. de Rothschild à lui seul détient à peu près la moitié des plus remarquables morceaux connus.

C'est de 1830 à 1840 qu'éclate dans la porcelaine de Sèvres le plus odieux mauvais goût; et pourtant c'est peut-être dans cette même période qu'on remarque la plus surprenante habileté.

Les praticiens ont toujours été remarquables dans cette fabrique, les artistes y ont souvent fait défaut. La raison en est facile à comprendre.

Les hommes enfermés là-dedans sont des fonctionnaires pourvus d'une place qu'on ne peut leur enlever, rentés, inattaquables, des bureaucrates. Ils ne sont point stimulés par l'émulation du commerce, par la possibilité de gros gains qui fouette l'activité. Ils avancent soit à l'ancienneté, soit au mérite, d'une façon régulière et lente. Quand un dessinateur est médiocre, l'administrateur doit l'employer quand même. Il ne le peut mettre dehors.

Ces hommes n'auront point l'ardeur des commerçants inquiets ni l'indépendance audacieuse des artistes libres. Mais aussi, liés aux mêmes besognes pendant des temps indéfinis, ils finiront par acquérir, presque malgré eux, une remarquable habileté de main. Nullement fouettés par la préoccupation de bénéfices rapides, ils passent des années à terminer le même vase, menant à la perfection leur délicat ouvrage, conçu souvent sans cette inspiration de l'artiste que la concurrence harcèle, que l'émulation exalte, mais exécuté avec une patience infatigable d'homme tranquille sur ses fins de mois et dont les heures ne sont point comptées.

Quelques-uns de ces fonctionnaires-artistes sont doués d'une très grande valeur. On peut, au premier rang, citer M. Gobert, qu'ont rendu célèbre des travaux très personnels, d'une exquise originalité et d'une perfection absolue.

On voit, en particulier, des émaux sur cuivre terminés par lui en 1871 et admirablement beaux.

Je ne raconterai point toutes les opérations que subit une pièce avant d'être parfaite. Certains grands morceaux demandent jusqu'à trois ou quatre ans de travail. Leur valeur alors représente trente ou quarante mille francs. Quelle industrie particulière pourrait donner de pareils soins à sa fabrication et courir de pareils risques?

Quand une pièce est prête à cuire, quand elle sort des moules et des mains des ouvriers qui ont rendu ses formes irréprochables, on lui fait subir une première cuisson à la chaleur perdue, dans la partie supérieure des fours. Elle ne subira pas alors une température supérieure à douze cents degrés.

Elle sort de là « dégourdie », poreuse, prête à recevoir l'émail. On la trempe dans un bain de feldspath, pierre blanche et luisante, broyée et délayée. Après cette première cuisson, la pièce a diminué de grandeur d'une façon surprenante. Elle est ensuite livrée aux artistes qui la décorent, qui lui font subir une suite d'opérations difficiles, depuis les simples ornementations de couleur unie jusqu'aux applications de pâte sur pâte si difficiles.

Elle est alors cuite définitivement dans la partie basse du four, à une température de dix-huit cents degrés environ. Le four met huit jours à refroidir.

Pendant cette grande affaire de la cuisson, tout le monde est sur pied, anxieux. Le FEU est le maître, le puissant maître dont on ne parle qu'avec terreur et respect. Il fait ce qu'il veut, détruit en une minute un travail de deux ans, fond les couleurs à sa guise, déjoue les combinaisons des artistes et des chimistes, dégrade les tons, retravaille l'œuvre des hommes comme un Esprit malin et malfaisant.

On le craint; on dit : « Voilà une pièce qui sera réussie, si le feu le permet », comme on disait aux temps pieux : « Si Dieu le veut ».

Devant le four qui rougit, le ventre plein de sa nourriture délicate empaquetée en des récipients de terre qui garantissent les objets, tout le monde attend avec inquiétude. L'administrateur passe la nuit, l'ingénieur, le directeur des travaux, le chimiste, les peintres tremblants pour leur œuvre, tous sont là qui regardent le monstre de briques cerclé de fer devenir ardent.

Une troisième cuisson a lieu, pour les ors et certaines ornementations réappliquées.

***

Ce qui distingue la nouvelle fabrication de M. Lauth, c'est la grande variété des modèles et des décorations. Sèvres renaît. Quelques vases encore se ressentent de la pauvreté de style des époques précédentes; mais d'autres, les plus nombreux, révèlent une matière nouvelle, une originalité rare, des efforts constants.

Loin de chercher à reproduire sur la porcelaine des sujets et des tableaux comme les peintres en font sur les toiles, le nouvel administrateur s'attache surtout à l'effet décoratif. Et c'est là, en effet, ce qu'on doit uniquement rechercher dans la fabrication des porcelaines ou des faïences artistiques.

Une des plus grosses difficultés est d'obtenir un grand nombre de nuances qui résistent à la haute température où l'on cuit les porcelaines dures. Sèvres, sur ce point, est plus riche actuellement que n'importe quelle fabrique du monde. Et cependant, les produits de cette manufacture sont relativement méprisés. D'où vient cela? De l'abus des cadeaux faits par l'Etat.

Chaque jour, le président de la République et les ministres réclament des pièces de Sèvres pour les offrir à des particuliers, à des sociétés de science ou de gymnastique, à des ambassadeurs, à des préfets, à des organisateurs d'œuvres de bienfaisance, à des chefs de bureau, à des attachés de cabinet, à des maires, à des comités quelconques.

Il faut donc produire une quantité inconcevable de morceaux à bon marché, d'une valeur insignifiante, coûtant de vingt à trente francs l'un dans l'autre. Et cette production d'horribles vases gros bleu doit absorber encore plus d'un tiers du budget de la manufacture.

Ces produits communs sont répandus à travers

l'Europe et à travers la France, et causent à notre porcelainerie nationale un tort inappréciable.

Ne vaudrait-il pas mieux offrir aux sociétés, aux maires et aux ambassadeurs, de simples boîtes de cigares, et ne produire à Sèvres que des pièces exceptionnelles, dignes de soutenir la vieille réputation de grâce qu'acquit jadis l'élégante fabrique française, fille de la marquise de Pompadour?

(*Gil Blas,* 8 mai 1883.)

L'AMOUR DES POÈTES

La ville de Rouen, après de longues résistances, a inauguré l'été dernier le petit monument élevé au poète Louis Bouilhet par les amis fidèles du mort.

La cérémonie, mal préparée, mal organisée, fut piteuse. Les gens de lettres parisiens, invités la veille, ou non prévenus, n'y purent venir. Le commerce local figurait seul à cette solennité.

Aujourd'hui, la ville de Cany élève à son tour un monument au poète né dans ses murs, à son poète. Le maire, les adjoints, tout le conseil municipal ont voulu donner l'exemple. Ils ont donné, également, et sans compter, leur temps et leurs écus.

Donc dimanche prochain, 27 mai, un nouveau buste de Louis Bouilhet s'élèvera sur la place de sa ville natale. Et la charmante petite cité normande illuminera, chantera, banquettera et dansera en l'honneur de son fils disparu, mais immortel.

C'est un petit journal de Rouen, *le Rabelais*, qui a pris l'initiative de cette fête. En province, c'est souvent dans les petits journaux qu'on trouve ainsi l'amour désintéressé des arts et l'audace qu'il faut pour entreprendre des œuvres pieuses de cette nature, qui ne rapporteront point d'*argent*.

Comme beaucoup de poètes, Louis Bouilhet fut malheureux. Sa vie ne fut guère qu'une suite d'espoirs irréalisés.

Il demeura pauvre, comme l'étaient presque tous les

hommes de lettres de sa génération. Il souffrit de la misère, il souffrit de l'indifférence du public pour ses œuvres qu'il sentait supérieures; et il mourut brusquement alors qu'il semblait plein de force et de vie, miné par les attentes sans fin, les chagrins secrets et le manque d'argent. Car il faut de l'argent à un artiste comme il faut de la liberté à l'oiseau. On ne connut pourtant jamais les tortures de son âme, car il était de cette race forte de souriants chez qui tout semble gai, même la douleur. Son esprit mordant savait rire de tout, de ses misères aussi. Il en riait amèrement, douloureusement, mais il en riait. Les larmoyants l'irritaient, l'exaspéraient. Il avait, au fond de l'esprit, une philosophie paisible, découragée, ironique et plaisante qui s'accommodait de tout, résignée d'avance à tout, et se vengeait des événements par un mépris railleur. Son âme avait deux faces, ou, peut-être, portait deux masques. Et tous deux, parfois, se montraient en même temps, l'un était jovial, l'autre majestueux. Son talent fut familier, gai héroïque et pompeux.

Il adorait les farces, les bonnes farces gauloises. Un jour, dans une diligence pleine de bourgeois du pays, il dit gravement à un de ses amis fort connu, décoré, homme politique influent, après une causerie grave d'une heure que tout le monde écoutait : « C'était à l'époque de ta sortie de la maison centrale de Poissy, après ton affaire de Bruxelles ». Dans ses œuvres, le fond désespéré de sa nature se montre quelquefois. Il jette tout à coup un cri de désespoir affreux qu'on sent venu des entrailles. Il lève la robe dont il se pare et montre la plaie saignante.

> Toute ma lampe a brûlé goutte à goutte,
> Mon feu s'éteint avec un dernier bruit,
> Sans un ami, sans un chien qui m'écoute,
> Je pleure seul dans la profonde nuit.
>
> . . . .
>
> Oh! la nuit froide! Oh! la nuit douloureuse,
> Ma main bondit sur mon sein palpitant.

Qui frappe ainsi dans ma poitrine creuse,
Quels sont ces coups sinistres qu'on entend?

Qu'es-tu? Qu'es-tu? parle, ô monstre indomptable
Qui te débats en mes flancs enfermé.
Une voix dit, une voix lamentable :
« Je suis ton cœur et je n'ai pas aimé! »

*
* *

La soif de l'amour semble avoir toujours été la maladie incurable des poètes, ces grands enfants, impuissants décrocheurs d'étoiles. L'exaltation naturelle d'une âme poétique, exaspérée par l'excitation artistique qu'il faut pour produire, pousse ces êtres d'élite, mais sans équilibre, à concevoir une sorte d'amour idéal, ennuagé, éperdument tendre, extatique, jamais rassasié, sensuel sans être charnel, tellement délicat qu'un rien le fait s'évanouir, irréalisable et surhumain. Et les poètes sont peut-être les seuls hommes qui n'aient jamais aimé une femme, une vraie femme, en chair et en os, avec ses qualités de femme, ses défauts de femme, son esprit de femme, restreint et charmant, ses nerfs de femme et sa troublante femellerie.

Toute femme devant qui s'exalte leur rêve est le symbole d'un être mystérieux, mais féerique : l'être qu'ils chantent, ces chanteurs d'illusions. Elle est, cette vivante adorée par eux, quelque chose comme la statue peinte, image d'un Dieu devant qui s'agenouille le peuple. Où est ce Dieu? Quel est ce Dieu? Dans quelle partie du Ciel habite l'inconnue qu'ils ont tous idolâtrée, ces fous, depuis le premier rêveur jusqu'au dernier. Sitôt qu'ils touchent une main qui répond à leur pression, leur âme s'envole dans l'invisible songe loin de la charnelle réalité. Et la femme, éperdue, frémit jusqu'au cœur, d'être aimée ainsi par un poète! Elle, simple, l'aime comme elles aiment toutes, humainement, avec sa poésie un peu niaise, son exaltation bourgeoise, avec un mélange confus d'idéal et de sensuel, de câlinerie et d'imagination, de baisers et de mots sonores. Mais c'est lui qu'elle aime, lui seul, rien que lui, tel qu'il est en chair et en âme.

Tandis que lui! Si vous saviez? C'est vous qu'il possède! mais comme vous êtes autre dans son esprit, dans son amour. Comme il vous transforme, vous complète, vous défigure avec son art de poète. Ce ne sont pas vos lèvres qu'il baise ainsi, ce sont les lèvres rêvées! Ce n'est pas au fond de vos yeux bleus ou noirs que se perd ainsi son regard exalté. C'est dans quelque chose d'inconnu et d'insaisissable! Votre œil n'est que la vitre par laquelle il regarde le Paradis de l'Amour idéal. Il vous étreint, il râle, il semble fou, il délire devant votre corps ferme et blanc; et il crie ces mots brûlants qui enflamment le sang dans les veines. Et cependant vous n'êtes pour lui qu'une forme quelconque qui lui permet de croire avoir un instant saisi son illusion chérie.

En voulez-vous des preuves? Quel poète a jamais aimé? Cherchons.

Est-ce Virgile? Pour quel sexe alors étaient ses préférences? On l'ignore!

Les Grecs méprisaient aussi l'amour des femmes qui ne répondaient point à leur idéal de beauté plastique!

Qui donc aima? Le sombre Dante, le modèle des amants? Béatrix avait douze ans quand il la vit et l'adora! Il lui fallait une femme pour chanter! Cette enfant suffit à son âme frémissante. Il l'aima dans la solitude et la fièvre du délire poétique, comme on aime l'inspiratrice. Il la connut à peine. Il n'avait pas besoin d'elle. Elle ne fut que la forme désirée, de loin, par son rêve!

Qui donc aima? Pétrarque! Laure ne lui appartint jamais. Il faut un marbre aux sculpteurs pour modeler une statue; elle fut le marbre. Elle était bonne femme et bonne mère, entourée d'enfants, bourgeoise et placide. Que lui importait à lui?

Qui donc aima, parmi les poètes? Gœthe? Il lui fallait cinq maîtresses sans qu'il en préférât aucune, afin de posséder en même temps toute la gamme des tendresses humaines, toutes les sortes d'inspirations nécessaires à son talent.

Il garnissait toujours le fond de son cœur d'une passion purement idéale pour une grande dame inaccessible, quelque chose d'élevé, de pur, occupant son cerveau d'artiste.

Il avait en même temps *une liaison* avec quelque femme du monde, intelligente et belle. Amour de l'âme et des sens, délicat et distingué, mélange de tendresse, de poésie et d'étreintes.

Il entretenait une fille, chair docile à sa fantaisie; instrument servile de plaisir et de repos; table toujours mise, bras toujours ouverts.

Mais il ne méprisait pas la bonne, la servante d'auberge aux bras bleus, aux mains rouges, aux cheveux gras, au linge dur et suspect. Car il faut aussi satisfaire les instincts grossiers.

Et il courait le soir, dans les ruelles, après les marchandes de spasmes.

Qui donc aima parmi les poètes? Lamartine?

Qu'est-ce qu'Elvire, sinon le nuage devenu femme? sinon cette forme flottante aux contours de corps humain qu'est toujours la femme des poètes!

Musset? Las de chercher, sans la trouver, celle qu'appelaient son cœur et ses vers, il la poursuivit dans les logis publics, à travers les fumées de l'ivresse. Et il mourut, celui-là, de son rêve irréalisé!

Aucun n'aima! Quelques-uns eurent pendant quelques heures l'illusion de l'amour, et c'est tout.

D'autres, désespérés de leurs efforts sans fin, s'écrient, comme Sully Prudhomme :

> *Les caresses ne sont que d'inquiets transports,*
> *Infructueux essai du pauvre amour qui tente*
> *L'impossible union des âmes par les corps.*

Car l'amour, le simple amour qui attache deux êtres l'un à l'autre est trop bourgeois, trop raisonnable, trop humainement commun, et trop bête en somme pour ces êtres privilégiés que sont les poètes. Il leur en faut plus. Ils ne sauraient se contenter du PEU qu'est l'amour.

Quand ils sont des buveurs d'illusions, ils croient aimer, comme Dante, et il leur suffit alors d'une image.

Quand ils sont des chercheurs insatiables, comme Musset; quand ils poursuivent jusqu'au bout leur rêve impossible, ils meurent désespérés sur le ventre d'une fille publique.

Quand ils sont clairvoyants et raisonnables, désabusés et désolés, ils s'écrient, comme Bouilhet :

> *Qu'es-tu? qu'es-tu? Parle, ô monstre indomptable*
> *Qui te débats, en mes flancs enfermé !*
> *Une voix dit, une voix lamentable :*
> *« Je suis ton cœur, et je n'ai pas aimé! »*

(*Gil Blas*, 22 mai 1883.)

LES MASQUES

En lisant un roman nouveau, l'autre jour, je me posais cette question difficile à résoudre : « Jusqu'où va le droit du romancier de sauter par-dessus le fameux mur de la vie privée et de cueillir dans l'existence du voisin les détails souvent scabreux dont il a besoin pour ses romans. »

La loi, toujours si facile à tourner, défend la médisance et la punit. Mais du moment qu'on ne nomme personne, du moment qu'on désigne M. Bataille sous le transparent synonyme de M. Combat, la loi devient aveugle et laisse faire. L'homme désigné, s'il se reconnaît ou juge utile de se reconnaître, n'a que la ressource d'envoyer des témoins à l'écrivain. L'affaire se termine par une piqûre au bras, et le livre reste, devenu plus clair, plus dangereux, plus salissant pour les personnes racontées dedans.

D'un autre côté, les romanciers ne travaillant aujourd'hui que d'après nature, prenant tous leurs sujets, toutes leurs combinaisons, tous leurs menus détails dans la vie, ne peuvent que s'inspirer des faits dont ils sont témoins. Si le hasard les met en présence de quelque histoire fort ridicule, de quelque situation dramatique, ou même de quelqu'une de ces infamies que la loi ne peut atteindre, que l'opinion publique complaisante laisse passer, que tolère la morale hypocrite du monde, n'ont-ils pas le droit, presque le devoir, de s'en emparer, et n'est-ce pas tant pis pour ceux dont sont dévoilés ainsi les défauts grotesques, les vices ou les turpitudes.

En général les romanciers défendent, non sans raison leur droit de se servir de tout spectacle humain qui leur passe sous les yeux.

Mais les gens du monde, menacés de voir ainsi déchirer les *apparences* dont ils se couvrent si facilement, crient à l'infamie et se révoltent même dès qu'ils retrouvent dans un livre, sans désignation de personnes, une des choses un peu honteuses qu'on fait tous les jours mais qu'on n'avoue pas. Si on racontait, si on osait raconter tout ce qu'on sait, tout ce qu'on voit, tout ce qu'on découvre à chaque moment dans la vie de tous ceux qui nous entourent, de tous ceux qu'on dit, qu'on croit honnêtes, de tous ceux qui sont respectés, honorés et cités, si on osait raconter aussi tout ce qu'on fait soi-même, les vilaines duplicités d'âme qu'on ne s'avoue seulement pas, les secrets qu'on a vis-à-vis de sa propre honnêteté, si on analysait sincèrement nos pactisations, nos raisonnements hypocrites, nos douteuses résolutions, toute notre cuisine de conscience, ce serait un tel scandale que l'écrivain serait mis à l'index jusqu'à sa mort, peut-être même emprisonné pour outrage à la morale.

La hardiesse et la conscience littéraires ne vont pas jusque-là. On se borne généralement à s'emparer d'un fait connu, chuchoté sinon crié par la voix publique ; on l'arrange, on le pare, on l'accommode à sa façon et on le sert dans un livre à sensation.

L'homme de lettres a-t-il ou n'a-t-il pas le droit, le droit moral, de faire cela ?

**

Tout bien considéré, il n'y a là qu'une question de nuances et de délicatesse.

La vie humaine, toute la vie qui nous passe sous les yeux nous appartient comme romanciers, mais non comme moralistes, comme policiers. Je m'explique. J'entends par là qu'en aucun cas nous n'avons le droit de paraître désigner quelqu'un, même si nous prenons dans son existence un fait qui intéresse notre art. Toute personne doit être respectée de telle sorte qu'on ne puisse jamais dire : « Tiens, il a dépeint M. Un tel », même si on reconnaît un épisode de l'histoire de cet individu, si on dit : « Ce qu'il a raconté là est arrivé à M. Un tel. »

La vie nous appartient en effaçant les noms, en changeant les visages, si bien qu'on ne les puisse désigner. Voici, par exemple, le livre dont je parlais au début, *la Dernière Croisade,* de M. René Maizeroy. C'est l'histoire non voilée de la catastrophe financière de l'an dernier. Le fait est public, patent ; il fut retentissant, il appartient au romancier comme tous les faits dont s'émeut l'opinion.

Cependant si Maizeroy avait esquissé, même à peine, quelque profil des personnages qui furent mêlés, de près ou de loin à cette affaire, il excédait son droit. Il a eu soin, au contraire, de créer une série d'êtres de fantaisie, si différents des véritables que personne ne pourrait en reconnaître un seul, et il a fait s'accomplir entre eux l'histoire complète du krach presque absolument comme elle s'est passée en réalité.

Le romancier n'est pas un moraliste ; il n'a pas mission pour corriger ou modifier les mœurs. Son rôle se borne à observer et à décrire, suivant son tempérament, selon les limites de son talent. Viser quelqu'un, c'est faire un acte déshonnête, comme artiste d'abord, comme homme ensuite. Mais prendre dans chaque existence les anecdotes et les observations qui nous intéressent, et s'en servir dans le roman en ne laissant point deviner les acteurs véritables, en démarquant, pour ainsi dire, le fait arrivé, c'est faire acte d'artiste consciencieux ; et personne ne peut se blesser de ce procédé.

**

Le public qui s'indigne si facilement en certains cas, se montre en certains autres d'une curiosité aussi bête que malsaine. Tantôt on lui dit : « c'est l'histoire de Mme A... ». Et il se révolte. Tantôt on lui dit : « c'est l'histoire de Mme B... » et il achète. Il adore le scandale quand il ne soupçonne pas qu'il puisse être atteint à son tour, mais il s'indigne quand il croit pouvoir être également touché un jour ou l'autre.

Toutes les fois que paraît un nouveau livre de Goncourt, de Zola ou de Daudet, on s'évertue à *lever les masques* avec la conviction que l'œuvre est pleine d'intentions mesquines et perfides. Que n'a-t-on pas dit sur *La Faustin,* cette haute et superbe étude de la Comédienne moderne. Pour les uns c'était Rachel, pour les autres c'était Sarah Bernhardt que le romancier avait visée. Personne ne s'apercevait qu'il s'agissait tout simplement de la Faustin qui n'est ni Sarah Bernhardt ni Rachel, qui ne ressemble ni à l'une ni à l'autre, tout en participant des deux, et qui est un résumé de celle-ci, de celle-là, et de bien d'autres, un personnage formé de toutes. Quand a paru, cet hiver, ce roman si large et si puissant qui s'appelle *Au bonheur des Dames,* cette étude si admirablement complète du développement d'un de ces immenses magasins modernes qui mangent, en quelques années, tout le commerce d'un quartier, le lecteur n'avait qu'une préoccupation, savoir quel était celui des directeurs des grands bazars parisiens que Zola avait voulu représenter. On ne se pouvait figurer qu'il n'eût pas pris celui-ci plutôt que celui-là, qu'il n'eût pas eu l'intention d'en désigner un spécialement. Certaines gens ont même prétendu, en hochant finement la tête, que ce roman n'était, en somme, qu'une réclame déguisée servant de prélude à l'ouverture du Printemps.

Les livres de Daudet constituent des casse-tête pour les trois quarts des lecteurs qui passent des soirs à discuter et à chercher les noms véritables, comme on passe des soirs en certaines familles à deviner les énigmes et les mots carrés des journaux.

N'a-t-on pas cru, n'a-t-on pas dit et répété que l'intéressante étude de femme de Gustave Toudouze, *La*

Baronne, n'était que l'histoire d'une autre Baronne dont la laideur, du reste, rend énigmatique la fortune.

Si vous allez le même soir dans deux salons, vous entendez dire ici : « J'aime bien les romans dont les personnages sont des gens connus. »

Mais, à côté, d'autres mondains s'écrient : « Les romanciers n'ont pas le droit de regarder dans la vie privée. »

Et voilà pourquoi c'est là une simple question d'art et de tact. L'artiste a le droit de tout voir, de tout noter, de se servir de tout. Mais les masques qu'il met sur ses personnages, il faut qu'on ne les puisse lever.

(Gil blas, 5 juin 1883.)

DE PARIS A ROUEN

Notes de deux navigateurs trouvées dans une bouteille, au fil de l'eau.

... D'autres vont en Amérique voir les chutes du Niagara et des élections à coups de revolver; d'autres vont au Tonkin se faire casser la tête; d'autres vont au Japon apprendre l'art délicat de manier l'éventail; d'autres vont aux Indes contempler les bayadères; d'autres à Constantinople rôder autour des harems; d'autres en Afrique voir galoper des hommes drapés de blanc dans les sables interminables; d'autres à Tahiti se faire baptiser Bibi-Tutu par des demi-sauvagesses de mauvaises mœurs que poétisèrent des navigateurs naïfs; d'autres vont ici, d'autres vont là, mais toujours très loin, car un voyage n'est un voyage que lorsque les heures de chemin de fer, additionnées avec les heures de paquebot, donnent un total de dix-huit mois de fatigue.

Il faut traverser des contrées stériles où la soif vous dévore, des contrées tellement feuillues qu'on coupe les lianes à coups de hâche, des contrées tellement glacées qu'on ouvre les banquises à coups de bateau à vapeur. Il faut dormir à côté des tigres, entendre siffler les serpents, recevoir des balles de fusil, escalader des montagnes qui vous font sortir le sang par les oreilles. Si vous n'avez pas fait tout cela, vous n'avez pas voyagé.

Et pourtant, si loin que vous alliez, beaucoup d'autres ont passé par les mêmes routes, ont étudié les mêmes peuples, ont écrit leurs impressions sur ces contrées réputées inconnues.

A quoi sert donc d'aller si loin!

Or, nous, Pierre Simon Remou et Jacques Dérive, nous avons accompli en quatre jours un voyage que bien peu de Français ont fait, un voyage plein d'accidents, d'émotions, même de dangers, un voyage délicieux à travers le plus adorable pays du monde et le plus propre aux descriptions.

Et cela sans chemin de fer, sans paquebot fétide, sans diligence abrutissante, sans rien des ennuis ou des servitudes des voyages. Nous avons simplement descendu la Seine, la belle et calme rivière, de Paris à Rouen, dans un de ces petits bateaux à deux personnes qu'on nomme des yoles.

Notre embarcation, si légère qu'un seul de nous peut la porter, longue, mince, élégante, vernie à se mirer dedans, membrée d'acajou, pointue comme une aiguille de bois, si plate qu'elle n'entre point dans l'eau et glisse dessus comme si elle patinait, si mince qu'un pied posé hors des planchers la crèverait aussitôt, si étroite qu'un mouvement brusque la ferait chavirer, nous inspire autant d'affection qu'un être humain.

Elle nous porte, nous berce, nous distrait et nous amuse. Nous la rentrons le soir dans la cour des auberges, où elle dort sa nuit à côté des voitures au repos, nous la lavons chaque jour avec de fines éponges, soignant sa toilette comme celle d'une belle fille coquette; nous avons souci que rien ne la heurte, qu'aucune pierre ne la froisse, qu'aucune berge ne la blesse. Elle est notre amie et notre servante, notre compagne et notre joie. Elle s'appelle Rose. Salut ma belle.

**

Ne lisez point ce petit voyage, vous qui n'avez jamais descendu la rivière voilée de brumes, au soleil levant. L'eau pacifique coulant sans bruit, coulant, coulant

220

sous le duvet de vapeurs qui flotte à sa surface, quand le grand astre jaune apparaît au bord des côtes, dans son décor de nuages écarlates, l'eau tiède et plate où nagent des brins d'herbe, des branches cassées, mille choses emportées lentement au courant, glisse, muette et caressante, le long des rives, les lis, les iris luisants comme des flammes de cierges, les nénuphars pâles, entrouverts au milieu de leurs larges feuilles qui s'étalent, rondes et bercées, îles peuplées d'araignées d'eau.

Une aubépine, penchée à la berge, se mire, rose ou blanche, et jette son parfum sur le fleuve. De grosses racines tordues comme des serpents sortent de terre, y rentrent, se croisent, se mêlent, et plongent dans la rivière.

De leurs bras enlacés un énorme rat sort, et court vivement, disparaît sous un tronc, puis reparaît, fuyant devant nous. Un martin-pêcheur passe comme un éclair bleu dans un rayon de soleil, et file de son vol rapide et droit, jusqu'au prochain tournant du fleuve. Les culs-blancs, poussant leur cri, se sauvent d'une berge à l'autre en rasant la surface de l'eau. Des tourterelles roucoulent dans les peupliers; un lapin, nous voyant venir, rentre au terrier et nous montre, une seconde, la tache neigeuse de son derrière.

Des bergeronnettes courent sur les étroites plages de sable piquant des insectes d'un coup de bec; un vaste héron, parfois, s'élève d'un buisson et monte dans le ciel à grands coups d'aile, la tête allongée et la patte pendante.

L'air est doux, le charme pénétrant des rivières calmes vous enveloppe, vous possède; on respire lentement avec une joie infinie, dans un bien-être absolu, dans un repos divin, dans une souveraine quiétude.

**

À l'exemple des gens qui traversèrent l'Afrique, nous allons noter jour par jour, heure par heure, nos impressions et nos observations sur les diverses populations que nous avons rencontrées. Cette prétention peut paraître étrange. Mais qu'on ne s'y trompe pas, un habitant de Rouen ne ressemble pas plus à un habitant de Paris qu'un lapin ne ressemble à un Arabe (au moral); et un habitant d'Elbœuf diffère autant d'un Rouennais qu'un Marseillais d'un Normand. Car le caractère de toute agglomération d'hommes se modifie selon les courants d'intérêts et de passions que mille circonstances diverses font s'établir dans chaque milieu. Nous publierons, lors de notre retour, une petite notice traitant « du caractère rouennais » qui fera toucher du doigt, aux incrédules, nos théories physiologiques. Nous noterons, en passant, la situation politique de chaque ville, l'état des esprits, la moralité générale ainsi que les réclamations inutiles des administrés au gouvernement.

De Paris à Maisons, le littoral est trop connu pour que nous nous arrêtions à le décrire.

Nous avons donc quitté Maisons-Laffitte, un mardi matin, à huit heures, par un beau temps clair. La yole, revernie, luisante et pimpante, secouée régulièrement par le va-et-vient continu du banc à coulisses, gouvernée par Jacques Dérive au départ et enlevée vigoureusement par moi Remou Simon Pierre, se mit à descendre le fleuve tout moiré par le soleil déjà haut.

Nos valises indiquent aux riverains ahuris que nous partons pour un long voyage.

Une boîte à suif est ouverte à côté du rameur, qui graisse à tout instant ses avirons, ses mains, ses bras nus; car le suif est l'âme du canotage, comme diraient MM. Prudhomme et autres académiciens.

La Seine fait une large courbe. Nous passons devant le hameau de la Frette, égrené en chapelet le long du bord entre la côte et la rive; nous apercevons l'église d'Herblay, puis Conflans avec sa tour carrée en ruine. Voici l'Oise qui nous apporte le *concours de ses ondes;* Andrésy, cher aux amoureux; Poissy, célèbre par sa maison centrale, son ancien marché aux bœufs et ses pêcheurs à la ligne.

M. Meissonnier habite ici, sur la gauche; Mlle Suzanne Lagier prit plus de goujons dans ce petit bout de rivière qu'il n'y a de rosières à Nanterre. Beaucoup d'artistes dramatiques viennent chaque dimanche empaler des asticots dans ce pays. Le fleuve s'élargit, peuplé d'îles ravissantes. Des arbres énormes couvrent les petits bras. On sent enfin la campagne. Le courant galope dans les cours d'eau peu profonds; la yole légère glisse et court, évite les pieux d'un ancien moulin, passe comme un trait sous un petit pont qui paraît, de loin, large comme un trou d'aiguille et fait frissonner les voyageurs.

Deux hommes debout sur la berge nous appellent. Ils cherchent un noyé qu'on a vu traverser Villennes et qui suit le même chemin que nous. On le recommande à nos soins, et nous voilà rôdant le long des buissons des rives, guettant tout ce qui flotte, penchés sur l'eau. Nous ne trouvons pas le macchabée.

Médan. Nous descendons pour saluer Zola. Il nous apparaît au milieu d'un peuple de maçons et de jardiniers, dirigeant l'installation de sa basse-cour. Il est gai, heureux de voir pousser ses arbres. Car les joies les plus fortes qu'un homme puisse éprouver sont celles que donne la propriété.

Nous repartons. Voici Meulan avec ses parcs magnifiques, venant jusqu'au fleuve, ses îles dans le cœur de la ville. Cette cité fut rendue célèbre par un aveugle qui, pendant vingt ans, joua le même air de flûte aux voyageurs arrêtés dans la gare.

Cet homme est mort. Une souscription est ouverte à la mairie pour lui élever une statue.

Les berges sont plantées d'arbres, tout l'horizon verdoyant. Nous signalons sur la droite le bois de Troucaberbis, aussi inconnu assurément que les grands lacs du centre de l'Afrique.

La nuit descend. Une tour ronde apparaît au loin, c'est Mantes! Mantes-la-Jolie. Il pleut.

Si jamais ville a volé l'épithète de jolie, c'est bien celle-là. Bien que la lune soit cachée, aucun bec de gaz n'éclaire les rues la nuit. Aucun plaisir n'est possible pour les voyageurs, aucun café ne montre ses vitres éclairées, aucun théâtre! Rien! Rien!

Il pleut toujours. Jacques Dérive débaptise cette ville et la dénomme Mantes à l'eau.

Elle est administrée par un maire qui avait, lors de notre passage, une polémique virulente, par l'organe du journal officieux, avec un fort aimable et spirituel journaliste parisien, M. Avonde, qui dirige le *Petit Mantais*.

Cette polémique nous a paru avoir pour objet trois pompiers qui refusaient d'accompagner en armes la visite des autorités supérieures.

Ces pompiers donnent pour raison de leur résistance qu'ils ont la mission d'éteindre les incendies et non celle de parader autour de gens engalonnés.

Cette querelle aussi importante assurément que la dispute de MM. Marais et Koning passionnait la population. Nous ignorons quelle en fut la fin.

Le peuple mantais semble réclamer de nombreuses réformes si nous en croyons le journal de l'opposition. Rien ne laisse à désirer si nous en croyons son rival.

Les destinées de cette cité sont aux mains d'un sous-préfet qui passe l'hiver à Paris et l'été à Trouville. Les administrés ne s'en trouvent pas plus mal. Le maire n'est pas aimé.

**

Nous repartons au jour levant. Voici Vétheuil où l'on déjeune, La Roche-Guyon dans une situation charmante au pied d'une colline boisée, Bonnières, un des plus ravissants villages qui soient, en face de grandes îles couvertes d'arbres magnifiques. Après dix heures d'aviron, nous nous arrêtons à Vernon.

Vernon est la cité des tilleuls. Partout des avenues à quatre rangs d'arbres, se croisant, traversant la ville de part en part. Ils sont surprenants de taille, ces tilleuls, démesurés, touffus, impénétrables à l'œil.

Une garnison de cavalerie, d'artillerie et le train des équipages rendent Vernon plus vivant que Mantes. On y rencontre les distractions nécessaires aux militaires, des cafés, des lieux de réunion. Les becs de gaz sont allumés.

Et nous voici encore en route, le lendemain, toujours à la force des bras. Nous signalons à gauche le ruisseau Saint-Just et le ruisseau Saint-Ouen, à droite les villages de Pressagny-l'Orgueilleux, de Port-Mort et de Vezillon ; puis soudain une côte nue se dresse, surmontée d'une ruine altière, c'est le Château-Gaillard qui fut à Robert le Diable.

Nous arrivons aux Andelys. C'est ici qu'on commence à boire du cidre.

Vive le fils d'Arlette
Normands
Vive le fils d'Arlette.

Au sortir des Andelys, nous nous engageons avec imprudence dans un petit bras du fleuve si séduisant qu'il nous attire follement. Les arbres penchés forment voûte au-dessus mettant l'eau dans une ombre froide et délicieuse.

Pendant une heure, nous allons ainsi. Hélas, un bruit singulier nous fait dresser l'oreille, et bientôt, un moulin nous arrête, un bon vieux moulin tranquille, dont la roue tourne doucement, sous l'arcade de pierres enjambant la rivière.

Il faut porter la yole à travers l'île, jusqu'à l'autre bras du fleuve.

Si les géographes ignorent où sont situés les villages de Portejoie, de Port-Pinche, de Pampou, de Tournedos, nous pouvons le leur apprendre.

Nous couchons à Pont-de-l'Arche. La seule observation que nous ayons faite sur cette ville, c'est qu'elle aurait été plus logiquement baptisée : Arche-du-Pont. On ne dit pas : la voiture de la roue, mais bien la roue de la voiture.

225

Nous déjeunons à Elbeuf, patrie du drap. Partout des cheminées qui fument dans le ciel, des égouts qui crachent au fleuve des eaux vertes, rouges, jaunes ou bleues. Les vastes bâtiments tremblent, secoués par des roues qui tournent ; la terre frémit, agitée par la fièvre des chaudières, par les hoquets de la vapeur, par le battement des machines. Tout ronfle, palpite, sue et halète.

L'industrie règne ici.

Nous sommes reçus par le président du cercle des Commerçants, un ami charmant et spirituel, et un des plus raffinés amateurs et connaisseurs de vins qui soient sur terre.

Jacques Dérive déclare en le quittant : si on ne l'aimait pas pour lui, on l'aimerait pour sa cave.

Et voici Rouen, Rouen l'opulente, la ville aux clochers, aux merveilleux monuments, aux vieilles rues tortueuses.

On ne la peut décrire. Il la faut connaître.

*
* *

Rouen, patrie de Corneille, de Géricault, de Boieldieu, de Louis Bouilhet et de Gustave Flaubert, est aujourd'hui administrée par un maire retardataire contre lequel nous croyons de notre devoir de protester, persuadés d'ailleurs que notre journal de voyage n'arrivera jamais à la postérité. Cet homme élevé, paraît-il, dans des principes inflexibles, vient de fermer le seul, oui le seul restaurant de nuit de la ville. De sorte qu'à Rouen on ne peut pas souper. Ne l'oubliez pas, messieurs les voyageurs.

Ce maire, d'une excessive moralité, affirme même qu'on ne saurait trouver à Paris un seul restaurant ouvert après une heure du matin ! O sainte ignorance !

Nous nous sommes couchés le ventre vide.

Or, nous étant informés, nous avons appris bien d'autres choses. Ainsi, les coulisses du théâtre des Arts sont interdites aux journalistes, sous peine de procès-verbal !!!

226

Le maire seul et les adjoints peuvent pénétrer dans ce lieu, sans danger pour eux... et même pour ces dames.

Quiconque franchit le seuil de ce pouvoir municipal est traîné devant le juge de paix, qui condamne d'un air sévère. Ne se croirait-on pas vraiment au grand-duché de Gérolstein? Or, il ne suffisait pas à M. le maire de fermer les portes de cet endroit dangereux, sale et charmant qu'on nomme les coulisses pour sauvegarder les mœurs de ses actrices, il s'est dit que les mauvais sujets pourraient, la représentation finie, emmener souper les chastes pensionnaires de la ville et il a fermé aussi le restaurant de nuit. V'lan!

En voilà un pasteur de vestales!

Elles ne sont pas contentes, les actrices. Ni celles du grand théâtre, ni celles du gentil Théâtre-Français, ni celles des Folies-Bergère; M. le maire reste inflexible.

Mais on dit tout bas, tout bas, que cela profite beaucoup, beaucoup, à d'autres établissements qui ne ferment pas la nuit, ceux-là, et que la police municipale tolère, bien que la morale les repousse.

C'est là qu'on va boire, passé minuit.

Fermez donc ça, monsieur le maire!...

. . . .

***

Sur le point de repartir pour Paris par l'odieux chemin de fer, nous jetons à l'eau ce journal, pour que le courant l'emporte à la mer.

Qui le trouvera? Un Chinois peut-être? Qui sait?

Et nous signons :

PIERRE-SIMON REMOU
JACQUES DÉRIVE

Trouvé par

Maufrigneuse.
(*Gil Blas*, 19 juin 1883.)

L'ÉGALITÉ

De toutes les sottises avec lesquelles on gouverne les peuples, l'*égalité* est peut-être la plus grande, parce qu'elle est la plus chimérique des utopies.

Quand on aura établi l'égalité des tailles et l'égalité des nez, je croirai à l'égalité des êtres.

On me répondra : « Nous ne voulons parler ni d'égalité sociale, — un ministre est plus qu'un charbonnier, — ni d'égalité intellectuelle, — un artiste est plus qu'un ministre, — ni d'égalité de fortune, — M. de Rothschild possède plus qu'un simple électeur, son égal par le vote, — ni d'aucune sorte d'égalité effective ; nous voulons dire seulement que tous les Français sont égaux devant la loi. » (Ce principe, bien entendu, n'est ni appliqué ni applicable rigoureusement.)

Cependant cette idée de l'égalité des êtres a déjà fait faire, en politique, une série de folies que va bientôt terminer la plus pommée de toutes. Je veux parler du service militaire de trois ans obligatoire pour tout le monde.

Donc, on va prendre tous les Français quels qu'ils soient, de vingt à vingt-trois ans, et on va les enfermer dans une caserne où des sergents instructeurs leur apprendront à distinguer leur pied droit de leur pied gauche et à tourner au commandement.

Au bout de ces trois ans d'instruction militaire, ces hommes, redevenus citoyens, ne seront plus bons à grand-chose. Ils auront, dans tous les cas, perdu absolument l'habitude du travail intellectuel spécial de leur profession.

On n'y gagnera même pas un bon officier, car les bons officiers sont ceux qui, se sentant la vocation militaire, ont choisi spontanément la carrière des armes.

C'est ce qu'on appelle du patriotisme bien compris et de l'égalité bien entendue.

Des princes qu'on nommait les Médicis, et dont le nom est encore entouré d'une certaine gloire, ont eu jadis une manière de voir et de gouverner toute différente de celle que nous appliquent nos députés.

Ils ont pensé, ces naïfs, qu'un peuple était surtout grand par les arts, grand par ses grands hommes, grand par toutes les manifestations du talent et du génie. L'égalité ne les inquiétait guère! Ils n'auraient point confondu Michel-Ange avec le fusilier Pitou. Ils n'auraient pas invité le sieur Raphaël, exerçant la profession de peintre, à perdre trois ans de ses travaux, afin d'apprendre à marcher en ligne et à astiquer des boutons de cuivre pour la plus grande gloire et le plus grand bien de sa patrie.

Ils s'étaient dit qu'un gouvernement artiste est le plus immortel de tous, et ils ont protégé les artistes, ils les ont aimés, soutenus, payés, attirés de tous les coins du monde; si bien que le monde entier, encore aujourd'hui, a les yeux sur l'Italie. De tous les bouts de la terre, on vient voir cette terre peuplée de chefs-d'œuvre, mère des arts, mère des peintres, des poètes, des sculpteurs, des ciseleurs et des architectes; non pas l'Italie du roi Humbert, ni l'Italie de Garibaldi, — on va voir l'Italie des Médicis, celle qu'ils ont faite et laissée immortelle, celle qu'ils ont meublée de merveilles pour jusqu'à la fin des siècles, celle où ils ont su faire éclore tous les génies en même temps.

On ne dit pas : le siècle de Charlemagne, ni le siècle de Henri IV, ni le siècle de Napoléon. On ne dira point, plus tard, le siècle de Bismarck, malgré les victoires de ce ravageur stérile. On ne dira pas non plus : le siècle de la République, soyons-en bien persuadés.

Mais on dit : les siècles de Périclès, d'Auguste, de Louis XIV et des Médicis.

***

La France cependant aimait les arts et les pratiquait avec un certain succès.

Ils ne survivront point au coup que leur portent messieurs de la Chambre, au nom de l'égalité.

Donc, on va prendre, à vingt ans, tous ceux qui auraient été des artistes et, pendant trois ans, on va les faire oublier de force le métier, on va les détourner violemment de leurs préoccupations, de leurs études, de la pratique de leur art ; on va les abrutir le plus qu'on pourra, en faire des quelconques, des médiocres, et cela au nom du patriotisme et de l'égalité. On les prend à vingt ans, c'est-à-dire à l'âge où l'artiste éclôt, où le tempérament se forme, où l'esprit commence à se posséder lui-même, à comprendre, à concevoir, à s'élargir, à s'envoler. On les garde trois ans, c'est-à-dire pendant la période où le talent en germe allait fleurir, où l'âme inquiète de l'adolescent allait devenir l'âme mûre de l'artiste, pendant la période où le talent se décide, choisit sa voie, porte ses premiers fruits. On les prend juste à l'heure du plus grand effort, à l'heure de la poussée de la sève, à l'heure décisive où ils ont le plus besoin de tout leur temps, de toute leur volonté, de toute leur force de travail, de toute leur liberté. Et quand on les rendra à la vie, ces peintres, ces musiciens, ces écrivains, ils auront tout oublié ; la flamme de l'art sera morte ; ils seront engourdis, incapables de reprendre leurs études. On va leur casser l'aile, comme on fait aux oiseaux captifs.

Car il n'est pas un tempérament d'artiste sur cent capable de résister à trois ans de caserne.

Ne voudrait-on pas voir, au contraire, tous ceux qui donnent des espérances de renommée pour cette France qui fut, qui est une terre artiste, protégés, secourus, mis à part, aidés dans leurs efforts et dans leur développement intellectuel, en dépit de la loi commune et de la fausse égalité?

De la fausse égalité, car ce service de trois ans est une odieuse injustice. Tout, dans la vie, subit la loi des proportions. Ne serait-il pas injuste d'établir un impôt unique de cinq cents francs ou de mille francs par tête? Cette charge, insignifiante pour les riches, serait accablante pour les pauvres.

Les mille francs du maçon ou du petit employé ont une autre valeur que les mille francs du baron de Rothschild.

Or, dites-moi, s'il vous plaît, si les trois ans de MM. Gounod, Meissonnier, Clairin, Gervex, Massenet, Saint-Saëns, etc., etc., n'ont pas une autre valeur que les trois ans du terrassier. Dites-moi s'il ne serait pas plus profitable à la patrie que ces hommes donnassent tout leur temps à l'art plutôt qu'à la caserne.

Trois ans de la vie d'un artiste, juste au moment où cet artiste se forme, où il va devenir *lui,* où il va s'affirmer, naître, mais cela vaut la vie entière de cent mille commerçants et de cent millions d'ouvriers!

MM. les députés ne pensent pas ainsi. Tant pis pour eux. Cela prouve qu'il y a loin entre eux et les princes de Médicis.

***

Ceux qui ont préparé la loi ont même une peur si véhémente qu'un jeune homme ne trouve le moyen d'échapper à la théorie qu'ils ont eu soin d'établir cette réserve :

« Nous proscrivons l'engagement volontaire dans les troupes non combattantes, afin de faire cesser un abus véritablement scandaleux. Sous prétexte, en effet, que les engagés volontaires sont admis à choisir le corps où ils veulent servir, nombre de jeunes gens, quelques jours avant de comparaître devant le conseil de révision, s'engagent dans les compagnies d'infirmiers ou d'ouvriers d'administration.

» Ces corps, par suite, sont encombrés de sujets dont les facultés, en temps de paix comme en temps de guerre, trouveraient un beaucoup plus utile emploi dans les troupes actives.

» Une si ardente recherche de situations que l'on suppose exemptes de toute fatigue et de tout danger est une honte pour la jeunesse française. »

Scandaleux, une honte. Voici d'abord un remarquable exemple de savoir-vivre, de bonne éducation politique! Voici des compliments tout à fait distingués à l'adresse de tout le personnel du corps de l'intendance, qui avait sans doute la prétention de servir son pays avec ses facultés (facultés qui trouveraient, sans doute aussi, un plus utile emploi dans l'infanterie). Donc, les intendants ne servent pas leur patrie. Il résulte également de ce libellé que les facultés d'un boulanger, d'un tailleur, d'un bottier trouveraient un plus utile emploi appliquées aux marches militaires qu'utilisées pour la fabrication du pain, des culottes ou des souliers nécessaires aux troupes. Si un comptable me disait : « Je vais m'engager dans les bureaux où on se servira de mes connaissances », il se tromperait sur l'usage qu'on doit faire de ses facultés, et il commettrait une action véritablement honteuse. Quiconque a des facultés ne doit s'occuper que de la théorie. Quant aux officiers d'administration et aux ouvriers militaires, tous des cancres sans doute!

Ne dirait-on pas cette loi-là rédigée par le colonel Ramollot!

***

C'est qu'il ne s'agit ici que de l'éternelle question de la réclame électorale.

L'égalité est en ce cas le grand *cheval de bataille* du corps des députés qui, eux aussi, utiliseraient sans doute plus avantageusement leurs facultés à la caserne qu'à la Chambre.

Ils vont tuer, d'un coup, toute la production artistique de notre pays. Le talent et le génie ont besoin d'être traités comme les plantes délicates qu'on élève en serre. Ils meurent étouffés dans la forêt populaire.

L'égalité est le mal dont nous mourrons, parce qu'elle n'existe nulle part dans la création ; elle est contraire aux lois du monde et dangereuse comme tout ce qui fait obstacle à l'ordonnance naturelle des choses.

Que MM. les députés se considèrent comme les égaux du premier venu, c'est leur droit.

D'autres ont l'orgueil excessif de s'estimer davantage.

(*Le Gaulois,* 25 juin 1883.)

PETITS VOYAGES

En Auvergne

L'an dernier, les lecteurs l'ont oublié sans doute, j'avais entrepris de raconter une série de petits voyages pour ceux qui ne peuvent quitter leur demeure. Ils sont nombreux, hélas, ceux qu'attache au logis une profession tyrannique.

Parmi les riches et les demi-riches, tout le monde peut sortir de Paris au moins huit ou quinze jours par été, mais parmi les pauvres, j'entends surtout les pauvres ignorés, combien restent condamnés à la prison de la rue chaude et infecte! Le métier les tient, les lie. On les voit, le soir, sur la chaise de paille au seuil de la boutique, le long du trottoir que baigne le ruisseau tari comme une simple rivière. Ils lèvent parfois les yeux vers la bande de ciel aperçue entre les toits, et ils regardent les traînées de pourpre que jette sur l'azur pâli le grand soleil qui se couche, là-bas, dans les campagnes vertes. Puis ce dernier flamboiement du jour s'éteint; les étoiles à leur tour s'allument dans la ligne noire tracée par les murs de la rue; on dirait une écharpe d'Orient constellée d'or. Les prisonniers de la ville regardent encore là-haut comme pour aspirer un peu de l'air frais des soirs, de cet air limpide et léger qui glisse dans les feuilles, à la nuit tombée.

Mais l'égout, l'égout du coin, souffle son haleine empestée, exhale les puanteurs violentes des fosses

234

mêlées à la senteur plus fade et non moins odieuse des eaux charriées par les ruisseaux, des eaux de rue et de vaisselle.

Paris devient la cuve d'infection qu'il est aujourd'hui chaque soir. Et les pauvres gens, écœurés et patients, se lèvent, rentrent leurs chaises et vont se coucher, en fermant avec soin leurs fenêtres pour empêcher les haleines de la ville d'empuantir leurs chambres.

Etrange peuple qui fait des révolutions pour un mot dénué de sens, qui condamne, bannit, fusille, massacre des gens parce qu'ils ont à l'âme une opinion, une croyance niaise et inoffensive, et qui se laissent empoisonner sans murmurer par une société de malfaiteurs publics qu'on nomme, je crois, les ingénieurs de la ville.

Mais voilà ceux qu'il faut pendre, bourgeois, aux becs de gaz, autour des bouches d'égout. Faites-les fumer là-dessus, comme on fume dans les cheminées les jambons et les harengs ; passez-les aux vapeurs des fosses comme on parfume au benjoin.

Il vous faut des otages, gens de Belleville et de Montmartre. Cessez donc d'inscrire des innocents sur vos listes ; prenez vos conseillers municipaux, les directeurs des travaux, les ingénieurs. Leurs noms sont dans les annuaires, avec leurs adresses, ô citoyens, on les peut trouver facilement !

Un massacre d'ingénieurs serait d'ailleurs un bienfait public. Quand il s'agit de gâter une ville, un paysage, une chose belle et grande, ils arrivent ; et, inspirés par un génie spécial qu'on peut appeler le génie du Laid, ils gâtent tout d'un simple coup de plume.

Nous avons une chose unique au monde, si belle qu'on ne la peut imaginer quand on ne l'a pas vue. Le Mont Saint-Michel. Un bijou de granit, un colosse de dentelle, une merveille incomparable encadrée dans un paysage d'une invraisemblable beauté, dans un golfe de sable jaune, s'étendant à perte de vue.

Les ingénieurs sont arrivés qui ont fait une digue. La digue menace le monument et doit faire pousser des choux dans la mer de sable qui semble, au soleil couchant, un océan d'or.

Les architectes désespérés ont protesté, mais les ingénieurs tenaient bon pour les navets et pour la chute du monastère. Il a fallu réunir les ministres pour décider cette question.

Ils feraient des bords de trottoirs avec des marbres antiques, des tableaux à algèbre avec les toiles du Louvre, des cheminées de fabrique avec les tours de Notre-Dame, ces gens; ils ont le génie du Laid.

Dans la charmante ville d'Ajaccio existait une adorable promenade, ombragée d'arbres, le long du golfe. C'était la promenade des soirées où tout le monde allait regarder la mer.

Les ingénieurs sont venus, et ils ont construit un mur, un mur de trois kilomètres, un mur deux fois plus haut qu'un homme entre le golfe et le chemin.

On circule aujourd'hui dans un couloir. Et la ville n'a plus de promenade.

Et pourquoi ce mur? Pour rien! Pour cacher la vue! Parce que les ingénieurs ont jugé bon de faire un mur coûtant très cher.

L'indignation des habitants fut telle qu'on va, dit-on, détruire cette maçonnerie. Allons, tant mieux. Mais il serait préférable de détruire les ingénieurs, en y comprenant ceux des Tabacs qui nous fabriquent des cigares infiniment inférieurs à ceux que les négresses, là-bas, roulent sur leur cuisse, sans mathématiques. On ne pourrait faire grâce qu'aux ingénieurs des mines, leurs vilains travaux échappant au moins à nos yeux, et à notre odorat.

Quant aux autres! Dès qu'ils arrivent dans un pays, ces gens à compas, ils sont plus dangereux que le choléra dont on nous menace, car le choléra ne détruit que des hommes et la nature les remplace, tandis que les ingénieurs détruisent la nature elle-même, la rendent grotesque comme ils voulaient faire au mont Saint-Michel, ou la rendent nuisible comme à Paris.

Donc, si vous voyez un ingénieur près de votre

propriété, tuez-le. Car vous ne pouvez prévoir les imaginations effroyables de son esprit destructeur de la ligne et du beau!

Mais nous voici loin.

Je disais que l'an dernier, j'ai raconté quelques excursions, deux en Bretagne, une à Menton, une en Corse. Cette année nous avons visité Cannes, et fait dernièrement un petit voyage de Paris à Rouen, par la Seine. Traversons aujourd'hui l'Auvergne.

**

L'Auvergne est la terre des malades. Tous ses volcans éteints semblent des chaudières fermées où chauffent encore, dans le ventre du sol, les eaux minérales de toute nature. De ces grandes marmites cachées partent des sources chaudes qui contiennent tous les médicaments propres à toutes les maladies. Voici Vichy où l'on soigne les affections du foie, de la vessie, de l'estomac, des reins, de la gorge, de la rate, etc.; voici Royat, où l'on guérit les maladies de la rate, de la gorge, des reins, de l'estomac, de la vessie, du foie, etc. Voici le Mont-Dore, La Bourboule, Saint-Nectaire, Châtel-Guyon, et tant d'autres lieux à filets de liquide minéralisé qui se vend en bains, en bouteilles et en douches ascendantes ou descendantes, selon les besoins de la clientèle.

La grande pharmacie souterraine d'Auvergne répond à toutes les exigences. Clermont-Ferrand, la capitale, s'étale dans une grande plaine enfermée par des montagnes. La ville est triste, un peu morte, et semble uniquement habitée par des paysans, tant on y rencontre de gens en blouse. L'Auvergnat manque d'élégance native. Il n'est pas fier comme l'Arabe, arrogant comme l'Espagnol, élégant et coloré comme l'Italien. Mais il n'a pas l'air non plus hâbleur comme le Méridional, ni rusé comme le Normand. Il semble honnête, simple et bon. On se sent ici chez un peuple de braves gens.

Un grand amphithéâtre de sommets entoure Clermont, dominé par le cône pesant et majestueux du Puy-de-Dôme, que couronnent les ruines d'un temple à Mercure. Une statue colossale du dieu dominait jadis toute la contrée.

Moins hauts, le Puy de la Vache, le Puy-Minchier, le Puy du Pariou, le Puy de la Vachère forment à leur grand frère un état-major de pics. Et sur presque tous ces sommets se creusent d'immenses cuvettes, anciens cratères, aujourd'hui des lacs. Ceux qui n'ont point d'eau, comme le Pariou, servent de nids aux orages. Dans cet immense entonnoir, profond de cent mètres, les nuages s'amassent, s'entassent, et la foudre soudain gronde au fond de la montagne, comme s'il s'y livrait une bataille de tonnerres.

Si Clermont n'a point l'aspect d'une ville gaie, elle possède au moins un bois de Boulogne aussi élégant et aussi fréquenté que celui de Paris. C'est Royat.

Tout au bout de la ville, dans un pli de montagne, la station thermale et charmante accumule ses grands hôtels sur la pente rapide d'une côte.

Une route s'en va vers le Nord. Suivons-la. Elle monte, elle monte, et la vue s'étend sur une plaine infinie peuplée de villages et de villes, riche et boisée, la Limagne. Plus on s'élève, plus l'on voit loin, jusqu'à d'autres sommets, là-bas, les montagnes du Forez. Tout cet horizon démesuré est voilé d'une vapeur laiteuse, douce et claire. Les lointains d'Auvergne ont une grâce infinie dans leur brume transparente.

La route est bordée de noyers énormes qui la mettent presque toujours à l'abri du soleil. Les pentes des monts sont couvertes de châtaigniers en fleur dont les grappes, plus pâles que les feuilles, semblent grises dans la verdure sombre. Sur les pics, on voit partout des châteaux en ruine. Cette terre fut hérissée de manoirs guerriers. Tous se ressemblaient d'ailleurs.

Au-dessus d'un vaste bâtiment carré, festonné de créneaux, s'élève une tour. Les murs n'ont pas de fenêtres, rien que des trous presque imperceptibles. On dirait que ces forteresses ont poussé sur les hauteurs comme des champignons de montagne. Elles sont construites en pierre grise, qui n'est autre chose que la lave des anciens volcans, devenue plus noire encore avec les siècles.

Et, tout le long des chemins, on rencontre des attelages de vaches traînant des dômes de foin. Les deux bêtes vont d'un pas lent, dans les descentes et les montées rapides, tirant ou retenant la charge énorme. Un homme marche devant et règle leur pas avec une longue baguette dont il les touche par moments. Jamais il ne frappe, il semble surtout les guider par les mouvements du bâton, à la façon d'un chef d'orchestre. Il a le geste grave qui commande aux bêtes; et il se retourne souvent pour indiquer ses volontés. On ne voit jamais de chevaux, sauf aux diligences ou aux voitures de louage, et la poussière des routes, quand il fait chaud et qu'elle s'envole sous les rafales, porte en elle une odeur sucrée qui rappelle un peu la vanille et qui fait songer aux étables.

Tout le pays aussi est parfumé par des arbres odorants. La vigne à peine défleurie exhale une odeur peu sensible mais exquise. Les châtaigniers, les acacias, les tilleuls, les sapins, les foins et les fleurs sauvages des fossés chargent l'air de senteurs légères et persistantes.

On suit toujours la montagne. Toujours se déroule à droite l'immense plaine de la Limagne. On entre enfin dans Volvic, petite ville où l'on exploite la lave et que domine une vierge démesurée plantée au faîte de la côte.

Bientôt apparaît un château féodal en ruine, Tournoël, puis un village, à l'entrée d'une gorge superbe qu'on a baptisée : « La fin du Monde. »

On dirait en effet que le monde finit là. La douce montagne d'Auvergne fait la sauvage et veut jouer au précipice. On s'avance dans une impasse de rochers nus d'où s'élance un torrent. On monte, on grimpe le long des corniches de pierre; et soudain on parvient en haut, dans un petit vallon qui semble un parc anglais où le torrent de tout à l'heure n'est plus qu'un ruisseau clair, coulant sous les arbres, entre deux prairies que terminent des petits bois.

La route tourne dans un repli ombreux et voici Châtel-Guyon.

Cette ville où l'on soigne, comme chez ses rivales de l'Auvergne et d'ailleurs toutes les maladies connues, a cela de particulier qu'on y renouvelle chaque jour un des plus terribles supplices pratiqués par l'Inquisition, celui de l'eau. Comme on a beaucoup parlé, ces jours derniers, de cette opération délicate que les médecins voulaient expérimenter sur le comte de Chambord, je prendrai la peine de la décrire tout au long.

Trois hommes sont enfermés dans la salle de souffrance. Un d'eux, coiffé d'un bonnet grec, vêtu d'un tablier blanc, grand et fort avec des traits durs, tient dans les mains une sorte de camisole de force en caoutchouc. C'est le valet de torture, l'aide du grand exécuteur. Celui-ci, en redingote, le chapeau sur la tête, barbu, l'œil tranquille, inspecte les instruments. Partout des conduits de plomb et des robinets de cuivre. Une tige droite et menaçante descend directement du plafond, terminée par un bec assez semblable à ceux du gaz.

Un homme pâle, la face secouée de tressaillements, assis sur une chaise au milieu de l'appartement, regarde avec horreur autour de lui.

L'aide s'approche, saisit le patient, passe ses bras dans la cuirasse de caoutchouc, qui l'enferme et l'étreint. Une serviette encore lui serre le cou. C'est l'heure.

Deux récipients de verre sont posés à terre pareils à des bocaux pour poissons vivants. Dans l'un d'eux, nage et flotte une sorte de serpent rouge qui semble avoir trois têtes. Il est long, mince, roulé sur lui-même. L'exécuteur le saisit. C'est un tube à trois embouchures.

Une d'elles est appliquée au bout de la tige de fer tombant du plafond. Une autre descend dans un des récipients de verre. L'exécuteur prend la dernière. Le patient, pâle comme un mort, ouvre la bouche.

240

Alors, l'exécuteur, lui tenant le front, introduit au fond de sa gorge cette troisième tête du serpent. L'homme frémit, tousse, s'étouffe, se tord. Le tortureur pousse, enfonce, introduit jusqu'au fond l'instrument de supplice.

Le patient tend les mains, râle, bave comme un chien enragé, et secoué de hoquets à la façon des gens atteints du mal de mer, cherche à rejeter l'horrible tube qui lui pénètre au fond du ventre. Alors, tout à coup, l'aide tourne un robinet et l'eau pénètre le patient, le gonfle à la façon des chameaux qui boivent aux citernes la provision d'un mois.

Son corps se tend, sa face devient violette. On croit qu'il va expirer!... Mais, ô miracle, un filet d'eau soudain jaillit de l'embouchure posée dans le récipient de verre; un filet d'eau qui n'est pas claire, mais qui soulage. Oh oui! oh oui!

Et la source ainsi passe dans le corps du malade; le lavant, le nettoyant dans les coins inconnus de l'estomac! L'eau coule, coule encore, coule toujours, jusqu'au moment où l'aide ferme le robinet. Alors, l'exécuteur enlève délicatement le tube, qu'on laisse ensuite tremper longtemps, non sans raison.

C'est là ce qu'on appelle vous laver l'estomac.

Au fond Châtel-Guyon pourrait bien n'être qu'une académie d'Aïssaouas où l'on apprend tout simplement à avaler des serpents, des sabres, et autres corps singuliers; et je ne serais point surpris de voir débuter cet hiver aux Folies-Bergère la troupe de malades qui fait en ce moment son apprentissage. Les cures opérées en Auvergne sont parfois miraculeuses, et les médecins avantageusement remplacés par des gendarmes. Dans un village non loin d'ici est une vierge privilégiée qui rend grosses les femmes stériles. Il s'agit d'une vierge de pierre.

L'opération dite du Saint-Esprit avait eu lieu jadis de la façon suivante : chaque postulante devait frotter sa chemise contre Marie. Mais des scènes scandaleuses eurent lieu, et on fut contraint d'interdire le contact de la Vierge.

Comme la consigne n'était point observée, on appela un peloton de gendarmes qui se mit en bataille autour de la statue pour en interdire l'approche. Que firent alors les femmes? Elles prièrent les gendarmes de se charger de frotter les chemises; et chacune tendit un linge aux militaires. Le Français est galant. Les hommes prirent ce qu'on leur offrait et se mirent avec conscience à essuyer la bonne vierge, depuis le matin jusqu'au soir.

Le miracle fut complet. Toutes les femmes devinrent enceintes... grâce aux gendarmes.

Châtel-Guyon, qui n'a point de vierge fertilisante, avait l'an dernier un curé dont il voulait se débarrasser. L'histoire mérite d'être dite.

Une députation d'habitants alla trouver l'archevêque, qui refusa de changer son prêtre.

Alors le maire réunit son conseil municipal, qui décida la conversion en masse de la commune au protestantisme.

Un pasteur fut appelé. Il vint, ouvrit un temple. La population tout entière suivit ses prêches. L'Angleterre s'émut. Des journaux spéciaux, à Londres, annoncèrent cette conversion, prédirent celle de la France entière.

Le révérend, enthousiasmé, résolut de s'installer dans ce pays béni du ciel, et il partit pour chercher ses meubles.

Or, l'archevêque, dupé, mais malin, saisit juste ce moment pour envoyer un autre curé.

Quand le pasteur revint, il crut le pays devenu désert. Il allait de porte en porte, appelant par leurs noms ses anciens auditeurs. Ils ne répondaient point, cachés au fond des caves. Après un mois d'attente, il repartit, et il parle encore aujourd'hui, dit-on, de cette ruse funeste du démon.

**

Sur un monticule s'élève un petit casino, temple d'un autre genre où un maître de chapelle de Paris, M. Bertringer, musicien enthousiaste, organise des concerts, qui seraient peut-être suivis s'ils étaient moins remarquables. On fait là, dans cette gorge de montagne, loin de toute ville, de la grande et vraie musique.

Une jeune fille, Mlle Gentil, qui sera célèbre comme pianiste, fait partie de cette petite troupe excellente.

On joue aussi la comédie... Les acteurs appartiennent au jeune personnel de l'Odéon. L'actrice (elle est seule), Mlle Pinson, est charmante.

Et de la terrasse on aperçoit encore, entre deux roches, là-bas, la Limagne, la grande plaine d'Auvergne, avec la ville de Thiers tout au fond.

(Gil Blas, 17 juillet 1883.)

IVAN TOURGUENEFF

Le grand romancier russe, qui avait adopté la France pour patrie, Ivan Tourgueneff, vient de mourir après une horrible agonie qui durait depuis près d'un mois.

Il fut un des plus remarquables écrivains de ce siècle et en même temps l'homme le plus honnête, le plus droit, le plus sincère en tout, le plus dévoué qu'il soit possible de rencontrer. Poussant la modestie presque jusqu'à l'humilité, il ne voulait point qu'on parlât de lui dans les journaux; et, plus d'une fois, des articles pleins d'éloges l'ont blessé comme des injures, car il n'admettait pas qu'on écrivît autre chose que des œuvres littéraires. La critique même des œuvres d'art lui semblait pur bavardage, et, quand un journaliste donnait, à propos d'un de ses livres, des détails particuliers sur lui et sur sa vie, il éprouvait une véritable irritation mêlée d'une sorte de honte d'écrivain, chez qui la modestie semble une pudeur.

Aujourd'hui que vient de disparaître ce grand homme, disons, en quelques mots, ce qu'il fut.

***

La première fois que je vis Ivan Tourgueneff, c'était chez Gustave Flaubert.

Une porte s'ouvrit. Un géant parut. Un géant à tête d'argent, comme on dirait dans un conte de fées. Il avait de longs cheveux blancs, de gros sourcils blancs, et une grande barbe blanche, et vraiment d'un blanc d'argent, luisant, tout éclairé de reflets ; et, dans cette blancheur, un bon visage calme, aux traits un peu forts ; une vraie tête de Fleuve « épanchant ses ondes », ou bien, encore, une tête de Père Eternel.

Son corps était très haut, large, plein sans être gros, et ce colosse avait des gestes d'enfant, timides et retenus. Il parlait d'une voix très douce, un peu molle, comme si la langue trop épaisse se fût remuée difficilement. Parfois, il hésitait, cherchant le mot précis en français pour exprimer sa pensée, mais il le trouvait toujours avec une étonnante justesse, et cette légère hésitation donnait à sa parole un charme particulier.

Il savait conter d'une façon charmante, prêtant aux moindres faits une importance artistique et une couleur amusante, mais on l'aimait moins encore pour la haute valeur de son esprit que pour sa naïveté bonne et toujours étonnée. Car il était invraisemblablement naïf, ce romancier de génie qui avait parcouru le monde, connu tous les grands hommes de son siècle, lu tout ce qu'un être humain peut lire, et qui parlait aussi bien que la sienne, toutes les langues de l'Europe. Il demeurait surpris, stupéfait devant les choses qui paraîtraient simples à des collégiens de Paris.

On eût dit que la réalité palpable le blessait, car son esprit ne s'étonnait point des choses écrites, alors qu'il se révoltait des moindres choses vécues. Peut-être son extrême droiture et sa large bonté instinctive lui faisaient-elles éprouver une sorte de froissement au contact des duretés, des vices et des duplicités de la nature humaine ; tandis que son intelligence, au contraire, alors qu'il songeait seul devant sa table, lui faisait comprendre et pénétrer la vie jusque dans ses hontes secrètes comme on voit, d'une fenêtre, dans la rue, des événements auxquels on ne prend point part.

Il était simple, bon et droit avec excès, obligeant comme personne, dévoué comme on ne l'est guère, et fidèle aux amis morts ou vivants.

Ses opinions littéraires avaient une valeur et une

portée d'autant plus considérables qu'il ne jugeait pas au point de vue restreint et spécial auquel nous nous plaçons tous, mais qu'il établissait une sorte de comparaison entre les littératures de tous les peuples du monde qu'il connaissait à fond, élargissant ainsi le champ de ses observations, faisant des rapprochements entre deux livres parus aux deux bouts de la terre, en deux langues différentes.

Malgré son âge et sa carrière presque finie, il avait sur les lettres les idées les plus modernes et les plus avancées, rejetant toutes les vieilles formes des romans à ficelles et à combinaisons dramatiques et savantes, demandant qu'on fît « de la vie », rien que de la vie, — des « tranches de vie » sans intrigues et sans grosses aventures.

Le « roman », disait-il, est la forme la plus récente de l'art littéraire. Il se dégage à peine aujourd'hui des *procédés de la féerie* qu'il a employés tout d'abord. Il a séduit, par un certain charme romanesque, les imaginations naïves. Mais, maintenant que le goût s'épure, il faut rejeter tous ces moyens inférieurs, simplifier et élever cet art qui est l'art de la vie, qui doit être l'histoire de la vie.

Quand on lui parlait des grosses ventes de certains livres du *genre séduisant*, il disait :

— Les gens qui ont l'esprit commun sont beaucoup plus nombreux que ceux doués d'un esprit délicat. Tout dépend de la classe d'intelligence à laquelle vous vous adressez. Un livre qui plaît à une foule ne nous plaira point à nous le plus souvent. Et, s'il nous plaît en même temps qu'à la foule, soyez sûrs que ce sera pour des raisons absolument opposées. Le don puissant d'observation qu'il avait lui fit apercevoir, bien avant qu'il apparût au grand jour, le germe fermentant de la révolution russe. Il constata cet état nouveau des esprits dans un livre célèbre, *Pères et Enfants*. Il avait appelé *nihilistes* les sectaires nouveaux qu'il venait de découvrir dans la foule agitée du peuple, comme un naturaliste baptise l'animal inconnu dont il révèle l'existence.

Un grand bruit se fit autour de ce roman. Les uns plaisantaient, d'autres s'indignaient; personne ne voulait croire ce qu'annonçait l'écrivain. Ce nom de *nihiliste* resta sur la secte naissante, dont on a bientôt cessé de nier l'existence.

Depuis lors, Tourgueneff suivit avec cette passion désintéressée de l'artiste la marche et le développement de la doctrine révolutionnaire qu'il avait pressentie, reconnue et dévoilée.

N'appartenant à aucun parti, attaqué souvent par les uns et par les autres, se contentant de noter et d'observer, il publia successivement *Fumées* et *Terres vierges,* livres qui montrent de la façon la plus nette les étapes des nihilistes, la force et la faiblesse de ces esprits troublés, les causes de leurs défaillances et celles de leurs progrès.

Adoré par la jeunesse libérale, reçu avec des ovations, chaque fois qu'il rentrait en Russie, redouté par le pouvoir, un peu suspect aux partis extrêmes, admiré par tous, Tourgueneff ne retournait pourtant pas volontiers dans son pays, qu'il aimait ardemment; car il gardait le souvenir de quelques jours de prison qu'il avait faits après la publication des *Mémoires d'un Seigneur russe*.

On ne peut faire ici l'analyse des œuvres de ce très grand homme, qui demeurera un des plus hauts génies de la littérature russe. Il restera, — à côté du poète Pouchkine, son ami, qu'il admirait ardemment, du poète Lermontoff et du romancier Gogol, — un de ceux à qui la Russie devra la plus grande et la plus éternelle reconnaissance, parce qu'il aura donné à ce peuple quelque chose d'immortel et d'inestimable : un art, des œuvres inoubliables, une gloire plus précieuse et plus impérissable que toutes les gloires! Des hommes comme lui font plus pour leur patrie que des hommes comme le prince de Bismarck : ils se font aimer de tous les esprits élevés, dans toutes les parties de la terre.

***

Il fut, en France, l'ami de Gustave Flaubert, d'Edmond de Goncourt, de Victor Hugo, d'Emile Zola, d'Alphonse Daudet, de tous les artistes aujourd'hui connus.

Il adorait la musique et la peinture, vivant dans une atmosphère d'art, vibrant à toutes les impressions subtiles, à toutes les vagues sensations que donne l'art, et sans cesse à la recherche de ces jouissances délicates et rares.

Aucune âme ne fut plus ouverte, plus fine et plus pénétrante, aucun talent plus séduisant, aucun cœur plus loyal et plus généreux.

(*Le Gaulois,* 5 septembre 1883.)

IVAN TOURGUENEFF

Le nom du remarquable écrivain qui vient de mourir restera dans l'avenir parmi les grands noms de l'histoire des lettres.

Quand la Russie sera sortie de la période difficile qu'elle traverse ; quand ce peuple jeune et neuf aura pris sa place dans la civilisation et dans les arts, on reconnaîtra mieux qu'aujourd'hui quels génies lui ont ouvert la route.

Tourgueneff occupera le premier rang parmi ces esprits de la première heure, et par son talent, et par le rôle particulier qu'il a joué dans la politique par les lettres.

Ils ne seront d'ailleurs que cinq ou six, ces écrivains qui marcheront à la tête de la jeune littérature dans leur patrie.

Nous connaissons à peine leurs noms, nous autres qui ne savons rien de ce qui existe hors de chez nous.

Ce sont : Pouchkine, un Shakespeare adolescent, mort en plein génie, quand son âme, suivant son expression, s'élargissait, quand il « se sentait mûr pour concevoir et enfanter des œuvres puissantes. »

Il fut tué en duel en 1837.

Lermontoff, un poète byronien plus original même, et plus vivant, et plus vibrant et plus violent que Byron.

Il fut tué en duel en 1841 à l'âge de vingt-sept ans.

Gogol, un romancier de grande envergure, un créateur de la race de Balzac et de Dickens.

Il en reste un, bien vivant, homme politique autant que romancier et qui vient de jouer un rôle considérable dans les dernières années; c'est le comte Léon Tolstoï, l'auteur de ce livre qui eut, par exception, un grand succès chez nous : *la Paix et la Guerre*.

Enfin, Ivan Tourgueneff vient de mourir.

**

La carrière littéraire de Tourgueneff fut des plus mouvementées et des plus singulières.

Il débuta jeune, très jeune. Se croyant poète comme tous les romanciers qui débutent, il avait fait quelques vers publiés sans grand succès. Alors, sentant venir le découragement, prêt à renoncer aux lettres, il allait partir pour étudier la philosophie en Allemagne, quand un encouragement inattendu lui vint du célèbre critique russe Belinski. Cet homme exerça sur le mouvement littéraire de son pays une influence décisive, et son autorité fut plus étendue, plus dominatrice que celle d'aucun autre critique en aucun temps et aucun lieu.

Il dirigeait alors une revue appelée « Le Contemporain », et il exigea de Tourgueneff une petite nouvelle en prose destinée à ce recueil.

Tourgueneff jeune, ardent, libéral, élevé en pleine province, dans la steppe, ayant vu le paysan chez lui dans ses souffrances et ses effroyables labeurs, dans son servage et sa misère, était plein de pitié pour ce travailleur humble et patient, plein d'indignation contre les oppresseurs, plein de haine pour la tyrannie.

Il décrivit en quelques pages les tortures de ces déshérités, mais avec tant d'ardeur, de vérité, de véhémence et de style, qu'une grande émotion s'en répandit, s'étendant à toutes les classes de la société.

Emporté par ce succès rapide et imprévu, il continua une série de courtes études prises toujours chez le peuple des campagnes; et comme une multitude de flèches allant frapper au même but, chacune de ces pages frappait en plein cœur la domination seigneuriale, le principe odieux du servage.

C'est ainsi que fut composé ce livre désormais historique, qui a pour titre : *Les Mémoires d'un Seigneur russe.* Mais quand il voulut réunir en volume tous ces morceaux détachés, l'éternelle censure mit son veto.

Le hasard d'un tête-à-tête en chemin de fer avec un des membres de cette institution tutélaire fit obtenir au jeune auteur l'autorisation demandée au personnage officiel qui paya de sa place cette complaisance.

Le livre eut un retentissement immense, fut saisi, et l'auteur arrêté passa un mois sous les verrous, non pas dans une prison comme celles où l'on enferme, chez nous, les hommes condamnés pour ces sortes de délits, mais *au violon* avec les vagabonds et les voleurs de grand chemin ; puis il fut envoyé en exil par l'empereur Nicolas.

Sa grâce, bien que réclamée par le czarewitch, fut longue à venir. La raison en tient peut-être à ce que, sur la demande de l'héritier impérial, Tourgueneff ayant adressé une lettre au souverain ne se prosterna point à ses pieds sacrés (variante de notre formule : « Votre très humble et très obéissant serviteur. »)

Il revint plus tard dans son pays, mais ne l'habita plus guère. Enfin, le 19 février 1861, l'empereur Alexandre, fils de Nicolas, proclama l'abolition du servage ; et un banquet annuel commémoratif fut institué où assistaient tous ceux qui avaient pris part à ce grand acte politique. Or, dans une de ces réunions, un célèbre homme d'Etat russe, Milutine, portant un toast à Tourgueneff, lui dit : « Le czar, monsieur, m'a spécialement chargé de vous répéter qu'une des causes qui l'ont le plus décidé à émanciper les serfs est la lecture de votre livre *Les Mémoires d'un Seigneur russe.* »

Ce livre est resté, en Russie, populaire et presque classique. Tout le monde le connaît, le sait par cœur et l'admire. Il fut l'origine de la grande réputation de son auteur comme écrivain et comme libéral (on pourrait dire comme libérateur) en même temps qu'il fut le principe de son immense popularité.

**

Mais un autre rôle politique était encore réservé à cet écrivain : c'est lui qui devait découvrir et baptiser les nihilistes.

Une agitation vague, encore insaisissable, travaillait la nation russe, comme ces ferments de maladie qui troublent longtemps notre corps avant qu'on puisse découvrir de quelle nature est l'atteinte. Or Tourgueneff, observateur attentif et profond, remarqua le premier cet état nouveau des esprits, l'éclosion lente de cette crise des maladies populaires, cette fermentation politique et philosophique encore obscure, qui devait soulever la Russie tout entière.

Dans un livre qui fit grand bruit : *Pères et Enfants,* il constata la situation morale de cette secte naissante. Pour la désigner clairement il inventa, il créa un mot : *les Nihilistes.*

L'opinion publique, toujours aveugle, s'indigna ou ricana. La jeunesse fut partagée en deux camps; l'un protesta, mais l'autre applaudit, déclarant : « C'est vrai, lui seul a vu juste, nous sommes bien ce qu'il affirme. » C'est à partir de ce moment que la doctrine encore flottante, *qui était dans l'air,* fut formulée d'une façon nette, que *les nihilistes* eux-mêmes eurent vraiment conscience de leur existence et de leur force et formèrent un parti redoutable.

Dans un autre livre, *Fumée,* Tourgueneff suivit les progrès, la marche des esprits révolutionnaires, en même temps que leurs défaillances, les causes de leur impuissance. Il fut alors attaqué des deux côtés à la fois; et son impartialité ameuta contre lui les deux partis rivaux.

C'est qu'en Russie comme en France, il faut appartenir à un parti. Soyez l'ami ou l'ennemi du pouvoir, croyez blanc ou croyez rouge, mais croyez. Si vous vous contentez d'observer tranquillement en sceptique déterminé; si vous restez en dehors des luttes qui vous paraissent secondaires; ou si, même étant d'une faction, vous osez constater les défaillances et les folies de vos amis, ou vous traitera comme une bête dangereuse; on vous traquera partout; vous serez injurié, conspué, traître et renégat; car la seule chose que haïssent tous les hommes, en religion comme en politique, c'est la véritable indépendance d'esprit.

Tourgueneff était, avec raison, considéré comme un libéral. Ayant raconté les faiblesses des révolutionnaires, on le traita comme un faux frère. Il n'en continua pas moins ses études sur ce parti toujours grandissant, si curieux et si terrible, et son dernier grand roman, *Terres vierges,* indique avec une surprenante clarté l'*état mental* du nihilisme actuel.

Il avait, par suite d'une indépendance absolue, une singulière situation dans sa patrie. Suspect aux gens du pouvoir et suspect aux révolutionnaires, il était, en réalité, un ami fidèle pour les uns et pour les autres et sans opinion. Les nihilistes réfugiés à Paris trouvaient toujours sa porte ouverte; aussi chaque fois qu'il faisait en Russie son voyage annuel, ses amis français craignaient-ils quelque mesure de rigueur du gouvernement à son égard. La cour le ménageait sans lui témoigner grande amitié. Mais la jeunesse l'adorait, lui faisait des ovations bruyantes dans les rues de Saint-Pétersbourg.

* *
*

Son œuvre littéraire est assez considérable. Ce n'est point le lieu de l'analyser ici. Mentionnons encore un fort beau roman : *Les Eaux printanières*.

Mais c'est peut-être dans les courtes nouvelles que se développe le plus l'originalité de cet écrivain qui est un prodigieux conteur.

Psychologue profond et artiste raffiné, il sait composer en quelques pages une œuvre absolue, indiquer des figures complètes en quelques traits si légers, si habiles qu'on ne comprend point comment de pareils effets peuvent être obtenus avec des moyens en apparence si simples. C'est un évocateur d'âmes, sans rival pour nous faire pénétrer les dedans d'un être dont il nous montre aussi les dehors comme si on le voyait, et cela sans qu'on remarque jamais ses procédés, ses mots, ses intentions et ses malices d'écrivain. Il sait créer surtout l'atmosphère de ses contes avec un incomparable génie. On se sent, dès qu'on lit une de ses œuvres, pris soi-même dans le milieu qu'il évoque, on en respire l'air, on en partage les tristesses, les angoisses ou les joies. Il apporte aux poumons une saveur étrange et particulière, il nous donne le *goût* de ses livres comme si on buvait quelque boisson délicieusement amère.

Lui aussi, c'était un mélancolique, mais un mélancolique doux, un résigné constatant la misère des choses et des êtres sans se révolter ou s'indigner. Il donne bien toute sa note si personnelle dans ces chefs-d'œuvre qui s'appellent *l'Abandonnée, le Gentilhomme de la steppe, Trois Rencontres, le Roi Lear de la steppe, le Journal d'un homme de trop.*

Il était, en littérature, dans les idées les plus modernes et les plus avancées, estimant que le romancier, n'ayant d'autre modèle que la vie, ne doit dépeindre que la vie telle qu'elle est, sans combinaisons ni aventures extraordinaires. Ce qu'on appelle l'*intrigue* dans un roman l'indignait, car il ne comprenait pas comment des gens peuvent être d'esprit assez naïf pour s'intéresser à des événements privés de vraisemblance. Il adorait cependant les poètes dont l'art, au contraire, consiste à nous nourrir de visions et d'illusions. Il mettait au premier rang Shakespeare, Gœthe et Pouchkine. Son esprit net s'accommodait mal de l'abondance sonore de Victor Hugo qui personnifie la poésie française. Peut-être aussi le tempérament philosophique de Tourgueneff s'étonnait-il du tempérament purement rêveur de Victor Hugo.

Les conceptions mystiques, étrangement déistes, les théories religioso-fantaisistes du grand poète français, son absence totale de génie scientifique, et les élans sublimes mais illogiques de son prodigieux génie poétique éveillaient des hésitations, des réserves dans l'esprit clair de ce romancier philosophe qui avait découvert une révolution naissante et qui s'attachait surtout à l'idée, qui pénétrait les hommes si facilement, qui aimait la science positive, et qui fut, dès son enfance, rebelle à tout dogme, à toute religion, à tout Dieu, qui resta l'athée le plus tranquille, le plus doux, mais le plus déterminé du monde, tellement indifférent à toute croyance qu'il s'étonnait même qu'on perdit son temps à parler de ces choses.

(*Gil Blas*, 6 septembre 1883.)

LE FANTASTIQUE

Lentement, depuis vingt ans, le surnaturel est sorti de nos âmes. Il s'est évaporé comme s'évapore un parfum quand la bouteille est débouchée. En portant l'orifice aux narines et en aspirant longtemps, longtemps, on retrouve à peine une vague senteur. C'est fini.

Nos petits-enfants s'étonneront des croyances naïves de leurs pères à des choses si ridicules et si invraisemblables. Ils ne sauront jamais ce qu'était autrefois, la nuit, la peur du mystérieux, la peur du surnaturel. C'est à peine si quelques centaines d'hommes s'acharnent encore à croire aux visites des esprits, aux influences de certains êtres ou de certaines choses, au somnambulisme lucide, à tout le charlatanisme des spirites. C'est fini.

Notre pauvre esprit inquiet, impuissant, borné, effaré par tout effet dont il ne saisissait pas la cause, épouvanté par le spectacle incessant et incompréhensible du monde a tremblé pendant des siècles sous des croyances étranges et enfantines qui lui servaient à expliquer l'inconnu. Aujourd'hui, il devine qu'il s'est trompé, et il cherche à comprendre, sans savoir encore. Le premier pas, le grand pas est fait. Nous avons rejeté le mystérieux qui n'est plus pour nous que l'inexploré.

Dans vingt ans, la peur de l'irréel n'existera plus même dans le peuple des champs. Il semble que la Création ait pris un autre aspect, une autre figure, une autre signification qu'autrefois. De là va certainement résulter la fin de la littérature fantastique.

Elle a eu, cette littérature, des périodes et des allures bien diverses, depuis le roman de chevalerie, les *Mille et une Nuits*, les poèmes héroïques, jusqu'aux contes de fées et aux troublantes histoires d'Hoffmann et d'Edgar Poe.

Quand l'homme croyait sans hésitation, les écrivains fantastiques ne prenaient point de précautions pour dérouler leurs surprenantes histoires. Ils entraient, du premier coup, dans l'impossible et y demeuraient, variant à l'infini les combinaisons invraisemblables, les apparitions, toutes les ruses effrayantes pour enfanter l'épouvante.

Mais, quand le doute eut pénétré enfin dans les esprits, l'art est devenu plus subtil. L'écrivain a cherché les nuances, a rôdé autour du surnaturel plutôt que d'y pénétrer. Il a trouvé des effets terribles en demeurant sur la limite du possible, en jetant les âmes dans l'hésitation, dans l'effarement. Le lecteur indécis ne savait plus, perdait pied comme en une eau dont le fond manque à tout instant, se raccrochait brusquement au réel pour s'enfoncer encore tout aussitôt, et se débattre de nouveau dans une confusion pénible et enfiévrante comme un cauchemar.

L'extraordinaire puissance terrifiante d'Hoffmann et d'Edgar Poe vient de cette habileté savante, de cette façon particulière de coudoyer le fantastique et de troubler, avec des faits naturels où reste pourtant quelque chose d'inexpliqué et de presque impossible.

***

Le grand écrivain russe, qui vient de mourir, Ivan Tourgueneff, était à ses heures, un conteur fantastique de premier ordre.

On trouve, de place en place, en ses livres, quelques-uns de ces récits mystérieux et saisissants qui font passer des frissons dans les veines. Dans son œuvre pourtant, le surnaturel demeure toujours si vague, si enveloppé qu'on ose à peine dire qu'il ait voulu l'y mettre. Il

257

raconte plutôt ce qu'il a éprouvé, comme il l'a éprouvé, en laissant deviner le trouble de son âme, son angoisse devant ce qu'elle ne comprenait pas, et cette poignante sensation de la peur inexplicable qui passe, comme un souffle inconnu parti d'un autre monde.

Dans son livre : *Etranges Histoires,* il décrit d'une façon si singulière, sans mots à effet, sans expressions à surprise, une visite faite par lui, dans une petite ville, à une sorte de somnambule idiot, qu'on halète en le lisant.

Il raconte dans la nouvelle intitulée *Toc Toc Toc,* la mort d'un imbécile, orgueilleux et illuminé, avec une si prodigieuse puissance troublante qu'on se sent malade, nerveux et apeuré en tournant les pages.

Dans un de ses chefs-d'œuvre : *Trois Rencontres,* cette subtile et insaisissable émotion de l'inconnu inexpliqué, mais possible, arrive au plus haut point de la beauté et de la grandeur littéraire. Le sujet n'est rien. Un homme trois fois, sous des cieux différents, en des régions éloignées l'une de l'autre, en des circonstances très diverses, a entendu, par hasard, une voix de femme qui chantait. Cette voix l'a envahi comme un ensorcellement. A qui est-elle, il ne le sait pas. Rien de plus. Mais tout le mystérieux adorable du rêve, tout l'au-delà de la vie, tout l'art mystique enchanteur qui emporte l'esprit dans le ciel de la poésie, passent dans ces pages profondes et claires, si simples, si complexes.

Quel que fût cependant son pouvoir d'écrivain, c'est en racontant, de sa voix un peu épaisse et hésitante, qu'il donnait à l'âme la plus forte émotion.

Il était assis, enfoncé dans un fauteuil, la tête pesant sur les épaules, les mains mortes sur les bras du siège, et les genoux pliés à angle droit. Ses cheveux, d'un blanc éclatant, lui tombaient de la tête sur le cou, se mêlant à la barbe blanche qui lui tombait sur la poitrine. Ses énormes sourcils blancs faisaient un bourrelet sur ses yeux naïfs, grands ouverts et charmants. Son nez, très fort, donnait à la figure un caractère un peu gros, que n'atténuait qu'à peine la finesse du sourire et de la bouche. Il vous regardait fixement et parlait avec lenteur, en cherchant un peu le mot; mais il le trouvait toujours juste, ou plutôt, unique. Tout ce qu'il disait faisait image d'une façon saisissante, prenait l'esprit comme un oiseau de proie prend avec ses serres. Et il mettait dans ses récits un grand horizon, ce que les peintres appellent « de l'air », une largeur de pensée infinie en même temps qu'une précision minutieuse.

Un jour, chez Gustave Flaubert, à la nuit tombante, il nous raconta ainsi l'histoire d'un garçon qui ne connaissait pas son père, et qui le rencontra, et qui le perdit et le retrouva sans être sûr que ce fût lui, en des circonstances possibles mais surprenantes, inquiétantes, hallucinantes, et qui le découvrit enfin, noyé sur une grève déserte et sans limite, — avec un tel pouvoir de terreur inexplicable, que chacun de nous rêva ce récit bizarre.

Des faits très simples prenaient parfois, en son esprit et en passant par ses lèvres, un caractère mystérieux. Il nous dit, un soir, après dîner, sa rencontre avec une jeune fille, dans un hôtel, et l'espèce de fascination que cette enfant exerça sur lui dès la première seconde; il tâcha même de nous faire comprendre les causes de cette séduction, et il nous parla de la façon qu'elle avait d'ouvrir les yeux sans les fixer d'abord, et de ramener ensuite d'un mouvement très lent le regard sur les personnes. Il racontait le soulèvement de ses paupières, celui de la prunelle, le pli des sourcils, avec une si étrange netteté de souvenir qu'il nous fascina presque par l'évocation de cet œil inconnu. Et ce simple détail devenait plus inquiétant dans sa bouche que s'il eût dit quelque histoire terrible.

Le charme exquis de sa parole devenait étrangement pénétrant dans les histoires d'amours. Il a écrit, je crois, celle qu'il nous a dite d'une façon si attendrissante.

Il chassait, en Russie, et il reçut l'hospitalité dans un moulin. Comme le pays lui plaisait, il se résolut à y rester quelque temps. Il s'aperçut bientôt que la meunière le regardait, et, après quelques jours d'une galanterie rustique et délicate, il devint son amant. C'était une belle fille blonde, propre, fine, mariée à un rustre. Elle avait dans le cœur cette instinctive distinction des femmes qui comprennent par intuition toutes les choses subtiles du sentiment, sans avoir jamais rien appris.

Il nous conta leurs rendez-vous dans le grenier à paille, que secouait d'un tremblement continu la grosse roue toujours tournant, leurs baisers dans la cuisine pendant que, penchée devant le feu, elle faisait le dîner des hommes, et le premier coup d'œil qu'elle avait pour lui quand il rentrait de la chasse, après un jour de courses dans les hautes herbes.

Mais il dut aller passer une semaine à Moscou, et il demanda à son amie ce qu'il fallait lui rapporter de la ville. Elle ne voulut rien. Il lui offrit une robe, des bijoux, des parures, une fourrure, ce grand luxe des Russes.

Elle refusa.

Il se désolait, ne sachant quoi lui proposer. Il lui fit enfin comprendre qu'elle lui causerait un gros chagrin en refusant. Alors elle dit :

— Eh bien! vous m'apporterez un savon.

— Comment, un savon! Quel savon?

— Un savon fin, un savon aux fleurs, comme ceux des dames de la ville.

Il était fort surpris, ne comprenant guère la raison de ce goût étrange. Il demanda :

— Mais pourquoi veux-tu justement un savon?

— C'est pour me laver les mains et qu'elles sentent bon, et que vous me les baisiez comme vous faites aux dames.

Il disait cela d'une telle façon, ce grand homme tendre et bon, qu'on avait envie de pleurer.

(*Le Gaulois*, 7 octobre 1883.)

LES INCONNUES

Il n'est point d'écrivain qui n'ait ses inconnues. De temps en temps il trouve dans la case qui porte son nom au journal, ou bien il reçoit par l'intermédiaire de son éditeur une petite lettre parfumée, avec un chiffre élégant. Il l'ouvre avec un sourire, mais sans étonnement, et lit : « Monsieur, grande admiratrice de votre talent, j'éprouve le besoin de vous dire tout le plaisir que je ressens à vous lire, etc., etc. »

Puis elle demande pardon de faire perdre un temps si précieux ; mais, vraiment, elle voudrait bien un mot de réponse, rien qu'un mot ; et la lettre se termine par des sous-entendus de toute nature. Ces sous-entendus dépendent de l'âge et de la condition de celle qui écrit ; car il existe beaucoup de catégories d'inconnues.

Parlons d'abord des inconnues étrangères. Ce sont généralement des toquées, des intrigantes ou simplement des collectionneuses d'autographes. Parfois, cependant, on reçoit une photographie de jolie femme, qui fait venir l'eau à la bouche... Il serait peut-être bon que ces photographies fussent datées.

Les inconnues nationales se subdivisent en plusieurs classes.

1° Inconnues de province. — Cette classe se décompose en quatre groupes, savoir : la petite femme rêveuse, intelligente, une sorte d'Emma Bovary, qui, mariée à quelque bourgeois honnête et médiocre, ébauche platoniquement, en attendant mieux, avec un homme qu'elle juge un demi-dieu, le roman secret de sa vie. Elle vide son cœur en ses lettres, s'exalte, s'attendrit, aime de loin ce correspondant illustre qui veut bien répondre à ses appels, à ses élans vers un bonheur idéal.

La femme est pleine d'aspirations poétiques qui la conduisent invariablement à l'adultère. En province, dans la vie calme et morne de la famille, dans la petite maison de la petite ville, soumise aux habitudes odieuses et régulières de chaque jour, aux conversations banales du mari que ses affaires seules préoccupent, elle halète dévorée de désirs, assoiffée d'inconnu. Elle se dit : « Quoi! ce serait toujours ainsi, toujours, jusqu'à la mort? Non, ce n'est pas possible. » Elle lit des vers, des romans! Elle aime, sans les connaître ceux qui lui rendent moins tristes les heures, qui font passer quelques songes dans son existence misérable. Un écrivain surtout la fait palpiter, répond par la nature même de son talent à ses intimes et secrètes convoitises. Elle lui écrit! S'il répondait? Il répond. — La suite au prochain voyage à Paris.

2e groupe. — La châtelaine qui s'ennuie. Les gentils-hommes chasseurs de son entourage l'écœurent, car elle a une âme qu'elle juge distinguée. Il faut quelqu'un de supérieur pour la comprendre. Elle le choisit parmi ceux que la Renommée favorise, et lui écrit. Ses lettres sont spirituelles, sans épanchements; elle veut des détails sur lui, sur sa personne, sur sa vie. (Elle a eu soin de les prendre ailleurs avant d'écrire.) Elle tient surtout aux autographes. Elle veut meubler son existence un peu vide, son salon qui manque de célébrités, et, à l'occasion, son lit. Elle sera une de celles dont on dit : « X... l'aima longtemps », ou bien : « C'était à l'époque de la liaison de X... avec Mme B... » Cela fait date et vous pose une femme. Ne cite-t-on pas à tout moment les maîtresses de Musset, celles de Byron, celles de Mérimée?

•3e groupe. — La demoiselle de compagnie des châteaux qui cherche le placement de ses exaltations vagues, et une conquête, si c'est possible. Elle profitera de sa première sortie, après le retour des châtelains à Paris, pour aller tomber dans les bras du grand homme en lui criant dans le nez : « C'est moi. » Elle relit en attendant ses lettres, le soir, dans son lit, et regarde avec mépris les êtres inférieurs dont elle mange le pain.

4e groupe. — La vieille demoiselle solitaire. Toute sa vie fut triste, et elle rêva toute sa vie. Personne jamais ne l'a comprise, ne l'a connue. Elle a toujours souffert de cet abandon général, de cet isolement absolu. Une seule phrase peut-être, lue un soir à la clarté de la lampe, l'a secouée jusqu'au fond de son pauvre cœur. Elle prend une feuille de papier et elle se met à écrire. Elle verse sur ce papier, d'une façon discrète cependant, toutes les intimes misères de son existence lamentable. Elle se rappelle peu à peu tant de chagrins qu'elle n'a jamais dits, tant de souffrances de l'âme, tant de jours sinistres écoulés les uns derrière les autres ! Elle conte tout cela, dans cette nuit d'épanchement, à cet homme, jeune peut-être, et qu'elle ne connaît point. Son cœur séché sans amour, donne à cet étranger sa dernière sève.

Mais l'écrivain lui répond, d'une façon douce, attendrie, fraternelle. Car il l'a devinée. Et pendant longtemps ils s'écriront ainsi, deviendront chers l'un à l'autre sans s'être vus, s'aimeront de loin jusqu'au jour où il cessera de recevoir les lettres de sa vieille amie. Alors il comprendra qu'elle est morte et il pensera longtemps à elle, tendrement et douloureusement, car il n'a même pas connu son nom.

***

Quant aux inconnues de Paris, elles sont de nature plus simple. Jeunes ou vieilles, elles cherchent des aventures.

EXEMPLE

« Monsieur, aimez-vous les femmes qui ne sont pas les premières venues ? Ne croyez pas que je vous propose une bonne fortune. Nullement. Je suis curieuse, voilà tout.

Est-ce entendu? Pas d'amour, de l'amitié si vous voulez et je vous assure que je suis une bonne amie discrète et fidèle. Je suis libre mardi soir. Venez au Français, telle loge. Je vous tendrai la main comme à un vieil ami, car nous aurons des témoins. Si je ne vous plais point vous ne reviendrez plus. Si je vous plais, tant mieux. Mais n'oubliez pas ceci. Point d'amour. Je ne serai jamais à vous.

« K. R., n° 8, poste restante
Place de la Madeleine. »

Celle-là ne se donne pas le premier soir, à cause des témoins... mais le second?...

AUTRE EXEMPLE

« Monsieur, il n'est rien de plus effronté qu'une femme du monde quand elle s'y met. Il me semble d'ailleurs en écrivant ainsi que je suis masquée, au bal de l'Opéra. Et vous savez qu'à l'Opéra on ose tout. Donc j'ose, sans aller par quatre chemins. Je ne suis pas vieille, je ne suis pas laide; on peut m'aimer. Je m'ennuie. Les hommes qui m'entourent m'assomment. Voulez-vous que je vous enlève vendredi prochain? Nous dînerons au cabaret, et je vous laisserai me baiser les mains. »

L'écrivain se frise les moustaches. C'est crâne, cela. Donc à vendredi.

Il arrive le premier, commande le dîner, et attend. Soudain la porte s'ouvre, une femme entre, voilée. La taille est un peu épaisse, mais la main blanche et fine; car elle se dégante aussitôt. Puis elle pose ses deux bras sur les épaules de l'élu, le regarde au fond des yeux, et dit, d'une voix caressante, un peu voilée, comme timide : « Bonjour, mon ami. »

Il n'a plus qu'une chose à faire. Il prend dans ses bras sa conquête, et ému déjà, vibrant d'ardeur, il baise les voiles avec passion. Elle les relève un peu, jusqu'à la bouche, pas plus haut et rend franchement les baisers. Peu à peu l'étreinte se serre, elle défaille, trébuche, tombe et s'abandonne.

Puis, le tenant encore en ses bras, elle murmure :

264

« Comme c'est gentil, dis, sans m'avoir vue, avec tout le mystère de l'inconnu. » Alors elle arrache sa dentelle.

Horreur! Elle a cinquante-cinq ans!

Et il dîne en face d'elle comme en face d'un remords, avec la crainte grandissante du dessert. Elle lui prend et lui meurtrit le genou, lui écrase le pied.

Et elle lui conte les histoires de tous les hommes qu'elle rend fous d'amour.

Car elle se croit belle, et désirable!

Il n'ose plus parler, ni manger, ni rester, ni fuir. Une migraine affreuse, dit-il, le saisit, et il finit par échapper en jurant... mais un peu tard.

Et on l'y reprend toujours.

Car les écrivains sont fats et faibles comme d'autres. Ils donnent tête baissée, toutes les fois, dans les panneaux des inconnues.

***

Une vieille femme charmante m'a conté un soir l'aventure que voici :

« J'habitais une ville du centre de la France quand un livre de lui (je ne le nommerai pas), me tomba dans les mains. Ce fut comme une réponse à mes pensées intimes, et je lui adressai une longue lettre pleine d'admiration et d'entraînement.

» Il me répondit. J'écrivis de nouveau. Et cette correspondance ne lui déplut point sans doute, car il la continua avec une exactitude scrupuleuse.

» Nous devînmes amis, amis intimes. Je lui faisais toutes mes confidences. Il me racontait les dessous ignorés de sa vie, ses ennuis. Il s'épanchait enfin, se confiait tout entier à cette inconnue lointaine qui avait conquis son estime et son affection.

» Un jour je partis pour Paris, radieuse. J'allais le voir, lui serrer les mains, entendre sa voix, connaître son visage.

» Je lui écrivis de venir me trouver.

» Il refusa.

265

» Je fus atterrée. J'écrivis de nouveau. Il refusa encore. Il fallait, disait-il, garder toutes nos illusions que la réalité détruit toujours. La connaissance de nos êtres diminuerait l'intimité de nos cœurs. Nous nous aimions si bien que nous ne pouvions que troubler ces délicates et tendres relations.

» Enfin, il ne vint pas.

» Je retournai dans ma province, un peu attristée, et je continuai à lui envoyer toutes mes pensées. Quant à lui, il semblait même devenu plus affectueux, plus expansif.

» Je retournai à Paris pour m'y fixer, et, un jour, je reçois une lettre où il me demandait d'une façon détournée quelques détails sur ma personne. Il avait peur que je ne fusse laide.

» J'étais jolie, monsieur. Je puis bien le dire maintenant, très jolie même; et je lui envoyai une description détaillée de moi, jusqu'à la taille... en partant de la tête. C'était déjà beaucoup.

» Le lendemain mon domestique jetait son nom dans mon salon plein de monde.

» Je tressaillis, près de perdre connaissance!

» Dieu, qu'il était laid!

» Tout petit, noir, l'air vieux, la figure grimaçante, il s'avançait intimidé au milieu du cercle d'hommes qui m'entourait.

» J'eus envie de me sauver. Non, ce n'était pas lui, ce singe, lui mon ami, mon cher confident, mon intime, lui! Il me sembla tout à coup que je ne le connaissais plus. Que notre bonne affection était brisée, finie. Que j'avais perdu le doux secret, la consolation mystérieuse de ma vie. Je ne pourrais jamais écrire à ce magot ce que j'écrivais à l'autre. Et quelle tristesse, le soir! J'en pleurai.

» Il n'avait guère parlé. Il n'avait fait que me regarder. Il revint le lendemain. Je n'étais pas seule. Il partit presque aussitôt, et il m'écrivit qu'il désirait me voir seule, longtemps.

» Oh! mais non... Pour rien au monde je n'aurais

voulu maintenant me trouver seule avec lui! Il était trop laid, vraiment trop laid! Il y a des limites à tout.

» Lui, sans doute, ne me trouvait point si mal qu'il avait craint, car chaque jour il sonnait à ma porte. Je ne le recevais jamais, à moins que je ne fusse entourée d'amis. E je le voyais s'exaspérer et m'aimer chaque jour davantage, car il m'aimait éperdument.

» J'essayai par mes lettres d'apaiser cette passion inutile. Non je ne pouvais pas y répondre. C'était impossible, impossible.

» Lui, me suppliait de lui accorder un rendez-vous. Enfin je cédai et je lui fixai une heure où nous pourrions... nous expliquer.

» Il entra, nerveux, irrité : « Madame, dit-il, il faut choisir. Vous vous jouez de moi, vous me martyrisez, vous me désespérez. Il faut choisir entre le monde et moi. »

» Je le regardai longuement. — Non, je ne pouvais pas. — Alors, lui prenant la main : « Mon pauvre ami, lui dis-je, eh bien... je choisis le monde. »

» Il demeura d'abord debout, immobile, atterré. Puis il s'enfuit comme un fou.

» Il avait raison d'abord, monsieur, il ne fallait pas nous voir et troubler ainsi notre charmante intimité. »

(*Gil Blas*, 16 octobre 1883.)

BATAILLE DE LIVRES

On a fait grand bruit, au printemps, d'un livre de Mme Juliette Lamber, *Païenne*. On vient de faire encore du bruit autour du livre d'un jeune homme, M. Francis Poictevin ; et Mme Juliette Lamber se trouve, comme directrice de la *Nouvelle Revue,* un peu compromise littérairement en cette entreprise.

Bien que les querelles entre écoles soient choses inutiles en général, il est peut-être bon, de temps en temps, d'en parler, non pour convaincre les partis, mais pour tâcher simplement d'éclairer la question.

Païenne, de Mme Adam (Juliette Lambert), a été, en général, maltraitée par la presse. *Païenne* aurait paru voici trente ans, ou mieux, voici soixante, on l'aurait louée avec extase. Tout change, surtout la mode littéraire. Les œuvres de talent sont exposées, comme les autres, à subir les modifications du goût général. Seuls, les vrais chefs-d'œuvre n'ont rien à redouter du temps.

Je voudrais, sans blesser en rien Mme Adam, qui est une femme de haute valeur, dire, en toute franchise, en toute liberté, ce que je pense de son tempérament littéraire. Par cela même qu'on a été vif à son égard, je prends le droit d'exprimer hardiment mon opinion.

Avant tout intelligente ; fort habile à manier les gens, à les séduire et à les conquérir ; fine d'une finesse un peu brutale ; également aimable envers tous ceux qui en valent la peine, avec de légères préférences venues peut-être d'une sympathie ou peut-être d'une bonne politique; travaillée par des préoccupations trop diverses pour avoir une véritable puissance; puissante cependant à force de bonne grâce, Mme Adam semble être une force de la nature, une semi-paysanne simple et douée de mille flairs campagnards aiguisés par la grande habitude du monde, par le frottement continu de la société civilisée.

De cette nature féminine tout d'une pièce est résulté un singulier tempérament littéraire. Aimant les choses grandes et simples, Mme Adam s'est trouvée naturellement portée vers l'art grec, qui est purement plastique; d'où il résulte qu'elle déteste notre art moderne, subtil, raffiné, tout de nuances. Son esprit sain et droit n'admet pas la complexe habileté des écrivains contemporains qui vont aux fonds mystérieux de l'âme pour y éveiller des sensations légères comme ces parfums rapides qui passent dans l'air, un soir d'été, qui vous effleurent une seconde et qu'on ne retrouve plus. Or, il est peu naturel de vouloir rester grec à notre époque faisandée. Et voilà pourquoi *Païenne,* qui est, à mon humble avis, la meilleure œuvre de Mme Juliette Lamber, n'a pas été comprise par tout le monde.

C'est un poème d'amour exalté et mystique, plein d'élans largement poétiques, plein d'ardeur, plein de remarquables qualités de style, mais où l'on rencontre aussi parfois une manière de dire les choses qui rappelle un peu les périphrases de l'abbé Delille.

Est-ce grec? Le souffle sensuel et vraiment puissant qui passe dans ces pages est-il bien le même qui animait les grands maîtres sincères de l'Antiquité? J'en doute un peu. Nous avons eu Florian depuis. L'inspiration grecque de Mme Adam est pleine de craintes modernes, d'hésitations devant la vérité impudique et toute nue. C'est un peu trop l'art grec comme l'aurait compris Mme de Staël, comme le comprenaient les élégants écrivains du siècle dernier.

Une des qualités de ce livre lui a nui. Ayant à exprimer des choses difficiles à dire, surtout pour une femme, l'auteur s'est efforcé d'être chaste dans son verbe. Il lui a donc fallu avoir recours à des tournures auxquelles nous ne sommes plus accoutumés. Elle appartient du reste à l'école littéraire qui nous vient de l'emphatique Jean-Jacques Rousseau, d'où sortit le pompeux et magnifique Chateaubriand, et qui semble finie à peu près depuis la mort de George Sand. Elle soigne son style. Soigner son style ne veut pas dire travailler son style. La nuance est délicate à saisir. On soigne son style quand on a un certain idéal de phrase élégante, sonore, mais monotone et un peu cérémonieuse. On travaille son style quand on pioche sa phrase sincèrement, sans parti pris de lui donner une certaine forme convenue dont on désire ne pas sortir.

Le style constamment soigné de *Païenne* a étonné bien des lecteurs habitués aux brusqueries et même aux brutalités de la phrase moderne. J'ai dit que *Païenne* était un poème, et un poème remarquable. Il est écrit en une sorte de prose poétique souvent heureuse, souvent charmante, souvent aussi maniérée, dans sa préciosité chantante.

**

Or, Mme Juliette Lamber reçut, vers le printemps dernier, un manuscrit d'un jeune homme, M. Francis Poictevin. Ce manuscrit portait le titre de *Ludine*. Après l'avoir lu, elle répondit la lettre suivante :

« Ni la forme, ni le fond, ni le genre de votre étude féminine de *Ludine* ne peuvent convenir à la *Nouvelle Revue*. Cette prostituée inconsciente, idiote, autour de laquelle s'agitent tous les vices et toutes les bêtises sans qu'aucuns aient le relief satanique qui donne des allures dantesques au mal; votre style cherché, tourmenté, souvent incompréhensible pour une femme passionnée de clarté, de belle langue française, me font vous dire : Il n'y aura jamais rien de commun entre votre talent et ce que je goûte. »

Ce qui veut dire, en dix lignes, mais clairement : « Votre livre est détestable. »

Une lettre aussi catégorique a lieu de surprendre quand on a lu ce roman de *Ludine* qui est, à beaucoup de points de vue, particulièrement intéressant. Intéressant par ses défauts même, autant que par ses qualités.

M. Francis Poictevin est atteint d'un mal étrange et presque inguérissable : la maladie du mot. Doué d'une observation infiniment délicate qui note surtout les presque insaisissables impressions, les fuyantes sensations, les malaises de l'âme, les troubles douloureux de l'être, qui s'attache à l'existence ordinaire, à l'incompréhensible, et monotone, et plate existence, qui pénètre dans les habitudes quotidiennes, et s'acharne aux détails presque insignifiants qui forment comme la pâte commune de notre vie, il s'imagine que, pour exprimer ces choses presque imperceptibles, pour nous les faire comprendre dans leur pauvre et si passagère réalité, il faut un vocabulaire spécial et des formes de phrase inusitées. Alors il invente des mots, il invente des verbes, des adverbes et des participes, il déforme les autres, combine des sens et des sons, et crée une langue curieuse, confuse, difficile, dont il faudrait presque la clef.

C'est une étude de le lire, mais une étude instructive et salutaire.

Il existe parmi les écrivains deux tendances : l'une qui pousse à simplifier ce qui est compliqué, l'autre qui pousse à compliquer ce qui est simple. M. Poictevin aime à compliquer, non seulement la pensée, mais aussi l'expression. Et, vraiment, je me demande s'il n'est pas possible de dire les choses les plus délicates, de saisir les impressions les plus fuyantes et de les fixer clairement avec les mots que nous employons ordinairement. Tout dépend de la manière de s'en servir. Tous ces engrenages de phrases, ces incidents interminables, ces contorsions, ces inversions, ces cabrioles et surtout ces déformations ne servent, le plus souvent, me semble-t-il, qu'à donner de la peine au lecteur.

Mais, une fois cette critique faite, je m'étonne que Mme Adam n'ait pas compris et savouré ce qu'il y a de remarquable dans *Ludine,* cette observation si profonde, si aiguë, si personnelle, si artistique de l'âme souffrante. Ce livre est curieux surtout parce qu'il est le type nouveau de cette littérature maladive, mais singulièrement pénétrante, subtile, chercheuse qui nous vient de ces deux maîtres modernes, Edmond et Jules de Goncourt. Le disciple n'a pas la sûreté du patron, sa dextérité à jouer avec la langue, à la disloquer à sa guise, à lui faire dire ce qu'il veut. Il est souvent confus, il peine, il s'efforce, il souffre, mais il nous rappelle en certaines pages ces chefs-d'œuvre, *Manette Salomon* et *Germinie Lacerteux.*

Jamais M. Francis Poictevin n'ira à ce qu'on appelle le grand public. Il peut en faire son deuil dès aujourd'hui. Mais il donnera aux artistes difficiles, aux artistes délicats, de très intéressantes et très nouvelles études. Ceux-là le liront, ils en seront peut-être un peu courbaturés le lendemain, mais ils en seront aussi souvent ravis. Sa manière est pénible, mais curieuse, et, parmi les livres parus depuis peu, *Ludine* me semble un des plus remarquables, sans oublier toutefois les petits contes, clairs ceux-là, et charmants, et si vrais, de M. Francis Enne, un autre jeune écrivain dont la renommée se fait vite.

(*Le Gaulois,* 28 octobre 1883.)

A PROPOS DU PEUPLE

Un écrivain de grand talent, M. Jules Vallès, me prenait à partie l'autre jour, et, me faisant l'honneur de me nommer au milieu d'illustres romanciers, il nous reprochait de ne pas écrire pour le peuple, de ne pas nous occuper de ses besoins, de mépriser la politique, etc. En un mot, nous ne nous inquiétons nullement de la question du pain; et c'est là un crime qui suffirait à nous désigner, comme otages, à la prochaine révolution.

Au fond, M. Vallès, qui a pour les barricades un amour immodéré, n'admet point qu'on aime autre chose. Il s'étonne qu'on puisse loger ailleurs que sur des pavés entassés, qu'on puisse rêver d'autres plaisirs, s'intéresser à d'autres besognes. Je respecte cet idéal littéraire, tout en réclamant le droit de conserver le mien, qui est différent. Certes la barricade a du bon, comme sujet à écrire. M. Vallès l'a souvent prouvé; mais je ne crois pas qu'elle soit plus utile à la question des boulangeries populaires que les amours de Paul et de Virginie.

Théophile Gautier, qui avait l'horreur du pain, prétendait que cette colle fade et insipide était une invention occidentale bête et dangereuse, imaginée par les bourgeois avares et qui leur avait valu des révolutions.

Je n'userai point de cet argument, bien qu'il me paraisse avoir tout juste autant de rapport avec la question, que la littérature en a avec la misère publique.

Certes, nous ne nourrissons point le peuple. Mais les

sculpteurs non plus, non plus les violonistes, non plus les aquarellistes, non plus les graveurs de camées, et en général tous ceux qui se livrent à des professions artistiques.

Nous n'écrivons pas pour le peuple; nous nous soucions peu de ce qui l'intéresse en général; c'est vrai, nous ne sommes pas du peuple. L'Art, quel qu'il soit, ne s'adresse qu'à l'aristocratie intellectuelle d'un pays. Je m'étonne qu'on puisse confondre.

Si une nation ne se composait que du peuple, je comprendrais le reproche que nous adresse M. Vallès. Il n'en est point ainsi, heureusement!

Une nation se compose de couches très diverses (pour me servir d'une expression célèbre), allant des plus basses aux plus hautes, des plus ignorantes aux plus éclairées.

Le peuple, la foule, peine, s'agite, souffre, il est vrai, de mille privations, justement parce qu'il est le peuple, c'est-à-dire la masse à peine civilisée, illettrée, brutale. Mais une sélection se fait peu à peu dans cette foule. Des hommes plus intelligents s'en détachent, forment une autre classe intermédiaire, plus cultivée, supérieure. Cette classe a déjà des goûts, des besoins, des aspirations, un idéal enfin tout différents de ceux de la couche au-dessous.

Et toujours le même travail se produit dans la foule. Toujours les êtres d'élite s'élèvent, se séparent de la populace originelle, forment des classes d'individus de plus en plus cultivés, de plus en plus supérieurs.

La transformation complète, achevée, constitue l'aristocratie. Par aristocratie, je ne veux pas parler de la noblesse, mais, de toute la *partie vraiment intelligente d'une nation. Car le même phénomène social* se reproduit en sens inverse, et les races qui furent supérieures retournent souvent au peuple par suite de l'affaiblissement cérébral des générations.

Eh bien, mon cher confrère, c'est à cette élite, rien qu'à cette élite, que nous nous adressons; nous ne nous occupons que d'elle, nous n'écrivons que pour elle; et plus notre art est délicat, raffiné, plus est restreint notre public.

Cette aristocratie nous prouve, en achetant nos livres, que nous lui plaisons, que nous répondons à un besoin de son esprit. Nous fournissons à son intelligence un aliment qui n'est pas le pain du peuple.

Reprochez-vous à M. Binder de ne point fabriquer d'omnibus? Est-il coupable parce qu'il ne confectionne que des voitures de luxe pour les gens riches?

Et encore, cette comparaison n'est pas juste, car le romancier pourrait être utile au peuple si le peuple savait le comprendre et l'interpréter.

On ne peut nous demander qu'une chose : le talent. Si nous n'en avons pas, nous sommes tout juste bons à fusiller; si nous en avons, il est de notre devoir de l'employer uniquement pour les gens les plus cultivés, qui sont seuls juges de nos mérites, et non pour les plus grossiers, à qui notre art est inconnu.

Mais, si le peuple était capable de lire les romanciers, les vrais romanciers, il y pourrait trouver le plus utile des enseignements, la science de la vie. Tout l'effort littéraire aujourd'hui tend à pénétrer la nature humaine et à l'exprimer telle qu'elle est, à l'expliquer dans les limites de la stricte vérité.

Quel service plus grand peut-on rendre à un pays que de lui apprendre ce que sont les hommes, à quelque classe qu'ils appartiennent, de lui apprendre à se connaître lui-même?

C'est là, j'en conviens, le moindre souci des romanciers. Ils s'adressent à la tête seule de la nation; que les politiciens s'occupent du bas.

Et soyez certain, mon cher confrère, que, malgré tout votre talent, le peuple se moque passablement de vos livres, qu'il ne les a pas lus, et que vos vrais appréciateurs sont ceux-là même qui méprisent le plus la politique.

**

Le peuple! Certes, il mérite l'intérêt, la pitié, les

efforts; mais le vouloir tout puissant, le vouloir dirigeant équivaut à réaliser le vieux dicton populaire : mettre la charrue avant les bœufs.

Il est malheureux en raison même de sa grossièreté. A mesure qu'il s'affine, il cesse de souffrir.

A l'automne, je voulus aller voir ces misérables qui travaillent dans les mines, ces forçats condamnés à la nuit éternelle, à la nuit humide des puits profonds.

Je sortais du Creusot cet admirable enfer. Là, les hommes, l'élite des ouvriers, vivent paisibles dans cette fournaise allumée jour et nuit, qui brûle leur chair, leurs yeux, leur vie. Demeurer huit jours auprès de ces brasiers effroyables semblerait à l'habitant des villes un supplice au-dessus des forces humaines. Eux, ces jeunes gens, passent leur existence dans ce feu, et ils ne se plaignent point, uniquement parce qu'ils travaillent, qu'ils sont intelligents, instruits, qu'ils s'efforcent, par le labeur, d'améliorer le sort que leur a fait l'inconsciente nature.

A Montceau, c'est autre chose. La masse des ouvriers appartient à la dernière classe du peuple. Ils ne sont capables, ces hommes, que de traîner la brouette et de creuser les noires galeries de houille. Ceux-là ne peuvent accomplir aucune besogne qui demande un travail d'esprit. Aussi essayent-ils de tuer leurs chefs, les ingénieurs. Leur sort pourtant n'est point si misérable qu'on le croit ; mais leur salaire est minime. A qui la faute ?

C'est un étrange pays que ce pays du charbon. A droite, à gauche, une plaine s'étend sur laquelle plane un nuage de fumée. De place en place, dans cette campagne nue, on aperçoit de singulières constructions que surmonte une haute cheminée. Ce sont les puits.

La ville est sombre comme frottée de charbon. Une poussière noire flotte partout, et, quand un rayon la traverse elle brille soudain ainsi qu'une cendre de diamants.

La boue des rues est une pâte de charbon. On sent

craquer sous les dents de petits grains qui s'écrasent et qu'on aspire avec l'air.

A droite, d'immenses bâtiments tout noirs crachent une vapeur suffocante. C'est là qu'on prépare les agglomérés.

La poussière des mines, délayée dans l'eau, tombe en des moules et ressort sous la forme de briquettes au moyen de toute une série d'opérations ingénieuses qu'accomplissent des machines mues par la vapeur.

Voici un vrai troupeau de femmes occupées à trier le charbon. Elles ont l'air de négresses dont la peau, par place, serait marbrée de taches pâles ; et elles regardent avec des yeux luisants, effrontés. Quelques-unes, dit-on, sont jolies. Comment le deviner sous ce masque noir.

En sortant de cette usine sombre, on aperçoit une mine à ciel ouvert. La veine de houille à fleur de terre descend peu à peu, s'enfonce obliquement. Pour la rejoindre, bientôt il faudra creuser à quatre cents mètres.

Puis on traverse la plaine pour joindre une de ces constructions à haute cheminée qui indiquent l'ouverture des puits. A tout instant il faut enjamber les lignes de fer ; à tout instant, un train de houille arrive allant des mines aux usines, des usines aux mines. Toute la campagne est sillonnée de locomotives qui fument, de wagons descendant seuls les pentes. C'est un incroyable emmêlement de rails déroulés comme des fils noirs sur le sol gris où pousse une herbe malade.

Nous atteignons le puits Sainte-Marie.

A fleur de terre sous une couche de sable, on aperçoit un grand carré de petits chapeaux de fonte que surmontent des soupapes. Et de toutes ces cloches sortent de minces jets de vapeur. Une chaleur terrible s'en dégage. C'est là le dessus des chaudières.

La machine, à côté, installée dans une belle bâtisse, marche lentement, faisant tourner un lourd volant d'une façon calme et régulière.

Deux roues colossales déroulent le câble en fils

d'aloès qui tient, descend et remonte la boîte de fer qui sert à descendre aux entrailles de la terre.

On nous prête des caoutchoucs; on nous donne à chacun une petite lampe entourée d'une toile métallique. Nous nous serrons dans la grande chambre mobile qui va s'enfoncer dans le puits noir. L'ingénieur crie : « En route! » Une sonnerie indique que nous allons à quatre cents mètres. La machine remue. Nous descendons.

C'est la nuit, la nuit froide, humide. Une pluie abondante tombe des parois du puits sur notre étrange véhicule, tombe sur nos têtes, coule sur nos épaules. Parfois, un courant d'air nous fouette le visage quand nous passons devant une galerie On a peine à se tenir debout, tant on est secoué dans cette machine.

Mais des voix, lointaines comme dans un rêve, sortent du fond de la terre. On parle, en bas, là-bas, sous nous. Nous arrivons. La descente a duré cinq minutes.

Les galeries n'ont que peu d'hommes. Les ouvriers vont au travail à quatre heures du matin et remontent au jour à une heure après midi. J'aimerais mieux cela que les fournaises du Creusot.

On ne voit rien, que des mares d'eau, dans un étroit souterrain. L'eau ruisselle des murs, coule en des ruisseaux rapides, jaillit entre les pierres.

Un autre bruit nous étonne : ce bruit continu et sourd des machines à vapeur. C'est une machine, en effet, qui boit cette eau et la jette au-dehors, à quatre cents mètres au-dessus de nous. Et voici, toujours dans l'ombre, un vaste bassin où puise cette pompe, où s'amassent tous les écoulements de la mine.

Les yeux enfin s'accoutument à l'ombre. Nous marchons, serrés derrière l'ingénieur; car, si on se perdait dans les galeries, comment et quand en pourrait-on sortir?

Nous marchons longtemps. Des moustiques nous bourdonnent aux oreilles, vivant on ne sait comment en ces profondeurs.

Aplatissons-nous contre la muraille. Voici un wagonnet de houille. Il est traîné par un cheval blanc qui va, d'un pas lent et résigné. Il passe. Une chaleur de vie, une odeur de fumier nous frappent : c'est l'écurie. Quinze bêtes sont là, condamnées à ces ténèbres depuis des années, et qui ne reverront plus le jour. Elles vivent dans ce trou, jusqu'à leur mort. Ont-elles, ces bêtes, le souvenir des plaines, du soleil et des brises ? Une image lointaine hante-t-elle leurs obscures intelligences ? Souffrent-elles du vague et constant regret du ciel clair ?

Parfois, quand l'une d'elles tombe malade, on la remonte une nuit, car la lumière du jour la rendrait aveugle. On la remonte et on la laisse libre, sur la terre.

Etonnée, elle lève la tête, aspire l'air frais, frissonne, remue le cou comme pour s'assurer que rien ne la tient plus ; puis elle s'élance éperdue. Elle s'élance, mais une force étrange la retient, car elle se met à tourner ainsi que dans un cirque, à tourner dans un cercle étroit, au grand galop, comme une folle. Il est inutile de l'attacher : elle ne sortira pas de cette piste, jusqu'au moment où elle tombera épuisée, ivre d'air.

Voici enfin les chantiers. Deux murailles noires et luisantes, à droite, à gauche, des trous s'enfoncent dedans. De fortes perches retiennent le charbon sur nos têtes, tout un échafaudage compliqué qu'il faut changer chaque fois qu'on attaque une couche nouvelle.

Le voilà donc ce ténébreux domaine des mineurs. Ténébreux, il est vrai ; mais les hommes, chaque jour, le quittent à une heure. Sont-ils plus à plaindre que les misérables employés qui gagnent quinze cents francs par an et qui sont enfermés du matin au soir en des bureaux si sombres que le gaz reste allumé tout le jour ?

Je n'en crois rien, et, s'il fallait choisir, j'aimerais peut-être encore mieux être mineur.

(Le Gaulois, 19 novembre 1883.)

LES AUDACIEUX

Toute une armée de critiques bardés de morale pousse des cris d'oies chaque fois qu'apparaît un livre audacieux. L'arsenal de leurs arguments n'est pas varié, d'ailleurs. — « Pourquoi nous dire ces choses? — A quoi bon nous montrer ce qui est laid? — Montrez-nous ce qui est bon, réconfortant, honnête. »

Ils parlent aussi de l'art moralisateur; et chaque fois que l'écrivain s'enhardit jusqu'à décrire l'amour producteur (le seul utile à l'humanité), ils le soufflettent avec la litanie des adjectifs insultants.

Or, depuis qu'existe l'humanité, tous les grands écrivains ont protesté, par leurs œuvres, contre ces conseils d'impuissants.

La morale, l'honnêteté, les principes, sont des choses indispensables au maintien de l'ordre social établi. Il n'y a rien de commun entre l'ordre social et les lettres. Les écrivains (en exceptant les poètes) ont pour principal motif d'observation et de description les passions humaines, bonnes ou mauvaises. Ils n'ont pas mission de moraliser ni de flageller, ni d'enseigner. Tout livre à tendances cesse d'être un livre d'artiste.

L'écrivain regarde, tâche de pénétrer les âmes et les cœurs, de comprendre leurs dessous, leurs penchants honteux ou magnanimes, toute la mécanique compliquée des mobiles humains. Il observe ainsi, suivant son tempérament d'homme et sa conscience d'artiste. Il cesse d'être consciencieux et artiste, s'il s'efforce systématiquement de glorifier l'humanité, de la farder, d'atténuer les passions qu'il juge déshonnêtes au profit des passions qu'il juge honnêtes.

En dehors de la vérité observée avec bonne foi et exprimée avec talent, il n'y a rien qu'efforts impuissants de pions. Aristophane n'est pas chaste, Lucrèce non plus, Ovide non plus, Virgile non plus, non plus Rabelais, Shakespeare, etc. Chacun doit écrire suivant les tendances naturelles de son esprit, sans parti pris d'aucune sorte pour ou contre la morale établie.

Si un livre porte un enseignement, ce doit être malgré son auteur, par la force même des faits qu'il raconte.

Il est indiscutable que les rapports sexuels entre hommes et femmes tiennent dans notre vie la plus grande place, qu'ils sont le motif déterminant de la plupart de nos actions.

La société moderne attache une idée de honte au fait brutal de l'accouplement (les anciens l'avaient divinisé de mille façons). La manière de voir a changé. Le fait est resté le même; il a conservé la même importance dans les rapports sociaux. Et voilà que l'hypocrisie mondaine nous veut forcer à l'enguirlander de sentiment pour en parler dans un livre.

La société, qui défend la morale qu'elle s'est mise au dos, sent où le bât la blesse. Voilà tout.

Je tenais à proclamer le principe de la liberté de l'art avant de parler de deux livres nouveaux qui ont effarouché bien des lecteurs pudibonds.

*
* *

Ces deux livres sont d'ailleurs absolument différents. L'un est un roman de longue haleine; l'autre un recueil de nouvelles. Celui-ci provient de l'école des analystes subtils, compliqués; celui-là de l'école des analystes brutaux. L'art du premier ne ressemble en rien à l'art du second. Mais tous deux sont audacieux et sincèrement écrits.

Un des jeunes gens de l'entourage d'Emile Zola, Léon Hennique, vient de donner son second grand roman moderne : *L'Accident de Monsieur Hébert*. Appartenant au groupe de ceux qu'on a baptisés les naturalistes, Léon Hennique semblait avoir cessé de travailler après la publication de *La Dévouée* qui remonte à quelques années.

Son livre est une étude hardie, et férocement vraie, de l'adultère bourgeois, tel qu'il se pratique tous les jours.

M. Hébert, magistrat de Versailles, a une jeune femme jolie, pareille à presque toutes les jeunes femmes, un peu rêveuse, rien qu'un peu, éprise d'un idéal en culotte rouge avec sabre au côté et moustache brune.

Les femmes, dont l'âme s'exalte, gonflée de fausse poésie, ont généralement deux types d'hommes qui servent de thème à leurs rêveries sentimentales — le bel officier — le grand artiste. Le bel officier qu'elles distinguent est généralement un grand fat, bien cambré, montrant sous le drap rouge de son pantalon, collant comme un maillot, des cuisses de danseuse, et dont tout le souci repose sur la forme de sa tunique et la frisure de ses moustaches.

Les officiers de valeur, ceux qui travaillent, étant souvent petits, mal bâtis, affligés de lunettes, maigres comme des cannes, ou ronds comme des citrouilles, faits enfin comme la plupart des hommes, les femmes poétiques ne les remarquent pas.

Le grand artiste qui plaît aux femmes est toujours un chanteur ou un comédien.

Donc, Mme Hébert s'était éprise, un jour de revue, d'un beau capitaine d'état-major, en le voyant dompter un cheval rétif. Elle lui écrit et devient sa maîtresse.

Louis Bouilhet, en deux vers charmants, portraiture cet idéal des jeunes femmes et des jeunes filles :

> *Puis, un beau mousquetaire arrive, un soir d'été,*
> *Hardi, la barbe en croc, et la dague au côté.*

L'adultère de Mme Hébert se déroule suivant les phases ordinaires. Elle aime sans aimer, se donne sans trop savoir pourquoi, et se figure ensuite qu'elle est follement éprise de son amant.

Hennique a analysé avec une singulière pénétration tout ce qui se passe dans le cœur des femmes en cette situation devenue si normale d'un ménage à trois. Il a su pénétrer toutes les délicates et subtiles sensations, les étranges raisonnements et les ruses naïves qu'elles ont.

Le mari et l'amant se sont connus au collège. Ils causent. Je cite : « A ce moment, par hasard, le magistrat et lui jetèrent un coup d'œil sur Mme Hébert. Elle était radieuse, entourant son mari et son amant d'un même nimbe, les couvait presque sous la chaleur de ses pensées... Leur entente la dilatait, l'enlevait de terre, la plongeait en une langueur si étrange et si douce qu'elle en avait mal à l'âme. » Les hommes mariés seront sans doute les seuls à ne pas savourer la profonde justesse de cette observation.

Celle-ci n'est pas moins frappante. Un ami vient de faire une plaisanterie un peu vive. — « Le visage de Mme Hébert devint glacial. Depuis sa faute, elle ne tolérait plus les expressions risquées, haïssait les moindres sous-entendus grivois. Tous échauffaient les relents de sa pudeur, lui semblaient dits pour elle, l'entouraient comme d'un vent de soufflets. »

Mais ce qu'il y a de particulièrement hardi et vrai dans ce livre, ce sont tous les détails intimes, les détails secrets, honteux et grotesques des liaisons tendres. Sans peur des indignations, le romancier a tout osé, tout dit, avec une bonne foi qui semble naïve. Il lave devant nous le linge sale de l'amour.

Le dénouement, d'une simplicité inattendue, sans machinations, sans drame, sans scènes violentes, apparaît comme une révélation.

Je me garderai d'une analyse plus complète de ce remarquable roman. Les livres d'observation ne sont point de ceux qu'on raconte.

***
***

Avec des allures moins vives, des hardiesses moins brutales, mais non moins complètes, le dernier livre de

René Maizeroy : *Celles qui osent,* nous donne une note fort différente.

Aimant les femmes plus que tout au monde, cet écrivain raffiné, subtil et charmant nous offre une série de portraits de *celles qui osent.*

Quelle que soit la séduction des femmes absolument honnêtes, elles ont certes moins d'attrait pour nous que celles dont on peut tout espérer. C'est à *celles qui osent* que nous devons nos meilleures joies et notre plus tendre reconnaissance.

René Maizeroy, dans une suite de nouvelles tantôt délicates, tantôt terribles, esquisse, à traits fins et puissants, de séduisantes figures de femmes.

Son style, plus sobre que dans ses derniers livres, indique plus fermement les lignes.

Ce qui transparaît avant tout dans ce volume, dans chaque conte, dans chaque phrase, c'est l'amour de la femme. La femme est là-dedans tout entière avec tout ce qu'il y a en elle de troublant pour nous; avec sa nature câline, trompeuse, grisante, tendre et passionnée. On y sent la chair fraîche comme dans la demeure de l'ogre.

Il faudrait citer un à un ces courts et énergiques récits, depuis *P.P.C.* jusqu'à *Sœur Jeanne.*

Et je trouve dans *P.P.C.* quelques lignes qui donneront la note précise de ce livre plus qu'une longue explication.

« C'était (le baron Octave de Despeyroux) un passionné qui aimait la femme pour la femme, qu'elle fût rousse, blonde ou brune. Il avait des joies de collégien, des idolâtries de dévot à chaque alcôve qu'il remplissait du bruit de ses baisers. Il les adorait toutes, sans en aimer une seule, et n'avait qu'un but, qu'un rêve, les posséder les unes après les autres, dépenser dans leurs bras ses forces et ses millions, n'exister, ne penser, ne jouir que pour elles et avec elles.

» Et tout ce qui n'était pas l'amour lui semblait inutile et dérisoire. Les blondeurs d'une nuque, les contours d'un corsage, les dentelles d'une jupe bornaient son horizon, lui cachaient des réalités, l'emportaient en des paradis artificiels dont il ne s'échappait pas. Il trouvait les nuits trop brèves et les journées interminables. »

On pourrait écrire ces deux phrases comme épigraphe à *Celles qui osent*. Tant pis pour ceux qui jugeront ce volume un peu... cantharidé.

(Gil Blas, 27 novembre 1883.)

SURSUM CORDA

Notre vieille Académie a des regains tous les ans. Elle fait refriser la petite tour qui lui sert aujourd'hui de perruque, ajuste dessus un bonnet de douairière à rubans, puis descend au coin du quai.

Tout le long des boîtes de livres étalés par les bouquinistes, des jeunes gens aux longs cheveux vont d'un pas lent, feuilletant les ouvrages. Elle leur souffle dans l'oreille : « Jeune homme, jeune homme, écoutez-moi. Si vous voulez monter chez moi, nous nous amuserons beaucoup. C'est tout près, là, dans cette maison, dont le toit a l'air d'un melon. Nous ferons un beau concours en vers français. Hein! c'est amusant, ça? Et je vous donnerai des prix. J'ai de l'argent que m'ont laissé de vieux messieurs. Je vous donnerai des prix de dix mille francs, de cinq mille, de deux mille et quinze cents. Venez! »

Les jeunes gens sont tentés. Ils montent.

*
* *

Donc, notre vieille Académie vient de distribuer ses prix. Elle avait offert comme thème, à l'inspiration payée des poètes, l'éloge de Lamartine. Ils ont rimé là-dessus quelques milliers de vers quelconques. Quelques bonshommes cérémonieux les ont lus et appréciés; puis ils ont désigné un vainqueur, pour des motifs littéraires importants que nous ne pénétrons point; et ils lui ont donné un *satisfecit*. Comme jadis le proviseur, M. Camille Doucet a proclamé :

Premier prix de poésie française ..... M. X...
Deuxième .... M. Y...
Troisième .... M. Z...

Puis on a remis aux trois lauréats une bourse contenant de l'argent.

***

Mais comme il ne faut pas laisser tomber le niveau de l'art, et comme elle croit, la vieille, que c'est avec des écus seulement qu'on entretient chez les jeunes gens l'inspiration indépendante, la hauteur d'âme, la liberté des élans et la grande flamme poétique, elle a choisi avec peine un nouveau sujet pour l'année prochaine.

Or, comme elle est pleine d'idées nobles et généreuses, et comme elle a constaté de sa fenêtre « un certain abaissement des esprits, des âmes, et des caractères », elle a cherché « une formule qui, sans arrière-pensée, embrassât à la fois, dans un idéal poétique, l'art et la morale, la religion et le patriotisme » (on pourrait ajouter la cuisine et la trigonométrie). Alors un cri s'échappa de sa conscience : *Sursum corda!* Son sujet était trouvé.

L'année prochaine elle trouvera de la même façon *Kyrie eleison*, et l'année d'après : « Deux et deux font quatre. »

***

Sursum corda! Si seulement cela voulait dire : « Mes chers enfants, j'ai un petit cadeau à vous faire, et, comme il me faut un prétexte, je désire que vous me composiez une pièce de vers sur un sujet qui ne signifie rien du tout. Donc, allez-y franchement, avec votre nature d'artiste, votre inspiration propre et votre tempé-

287

rament personnel. Que les lyriques fassent du lyrisme, que les familiers fassent de la poésie intime, les élégants de la poésie gracieuse. La seule devise de l'art est : « Liberté. » Si tu disais cela, on te saluerait très bas, vieille !

Mais non, *Sursum corda* signifie : « Vous allez me parler de patrie, de revanche, d'honneur national ! mettre en vers pompeux toutes les rengaines inutiles, faire rimer *France* avec *espérance*, *Allemagne* avec *Que la honte accompagne*. »

Mais, pauvre infirme, tu ferais bien mieux de leur donner un prix de gymnastique, à ces poètes. Cela servirait davantage tes desseins magnanimes.

Sursum corda ! Ils vont pondre dix mille vers que dix personnes liront, et cela pour faire sortir de leur abaissement « les esprits, les âmes et les caractères ! »

Oh ! le bon billet, vraiment ! Y a-t-il rien de plus naïf, de plus niais, de plus enfantin ?

Oh ! les concours académiques !

***

On ne comprendra donc jamais qu'il serait aussi stupide de vouloir imposer un sujet à un vrai poète que de forcer un chapelier à fabriquer des couteaux.

Et puis, morbleu ! pourquoi l'Académie vient-elle se mêler de protéger les jeunes talents, elle qui sert d'Invalides à ceux qui sont fatigués.

Quel est son rôle ? Conserver les traditions de la langue française, ces traditions que les jeunes écrivains ont le devoir de saper sans cesse.

Cette assemblée d'hommes âgés veille autour du style académique, comme les antiques vestales autour du feu sacré. Elle veille à ce qu'il ne s'éteigne point.

Elle est la gardienne respectable des vieilles locutions de jadis. Mais aussi par cela même, elle devient l'ennemie professionnelle des artistes nouveaux, hardis, novateurs, indépendants, indépendants surtout.

Quand le plus grand romancier qui ait jamais vécu,

Balzac, l'immortel Balzac, cet oseur, cet unique génie, désira se coiffer du dôme où sommeillent les Quarante, la vieille se mit à rire comme une petite folle. Balzac, de l'Académie! ah! ah! ah! que c'était drôle, vraiment!

Aucun des grands artistes audacieux ou rénovateurs n'en fut.

Est-ce que Molière en fut? Est-ce que Baudelaire, le plus original de tous nos poètes; est-ce que Th. Gautier et Gustave Flaubert, ces deux stylistes incomparables, en furent? Victor Hugo seul y entra, après avoir longtemps frappé à la porte qui ne s'ouvrait point.

Est-ce que Th. de Banville et Leconte de Lisle, ces deux grands poètes vivants, en font partie?

Elle ne peut élire et couronner que les jeunes vieux, les jeunes sans audace et sans cette sève poétique qui rajeunit le vieil arbre de l'Art. Elle ne peut apprécier que les versificateurs, et non les poètes.

Et qu'on lise la liste interminable de tous ceux qu'elle a couronnés depuis trente ans, on restera stupéfait devant tant de gloires demeurées inconnues.

Car elle se trompe toujours. Elle ne peut que se tromper. Elle apprécie ce qui fut et non ce qui sera.

Son action, qu'elle espère bienfaisante, est fatalement stérilisante, funeste. Elle prête ses béquilles à l'art, sa visière aux yeux hardis. Ses efforts n'amènent que des avortements.

***

Sursum corda! c'est aux poètes qu'il faut crier: *Sursum corda!* A ceux que tente la vaine gloire du concours de la vieille académie qui fait sonner les écus. *Sursum corda!* Les hommes de lettres, seuls parmi les artistes, ont l'appréciable fortune d'être libres. Chez nous, point de pionnerie, point de récompenses, point de distinctions, point de grades. L'art, pour s'épanouir, n'a besoin que de liberté.

Nous vivons vraiment dans la République des lettres, mes frères. Les peintres ont l'inévitable concours du

Salon, auquel ils ne peuvent guère se soustraire. Ils ont des juges, des récompenses, des votes, une hiérarchie, un jury qui les distingue et un ministre qui les décore. Ils demeurent jeunes élèves jusqu'au moment où, bardés de croix, ils pontifient à leur tour.

Ils ont des écoles payées par le gouvernement et des honneurs officiels.

Les musiciens ont aussi des concours, un Conservatoire, des Prix de Rome, des croix attachées sur leur veste après le jugement motivé de quelques vieux métronomes.

Nous autres, nous n'avons rien. Nous nous adressons à l'immense foule de ceux qui lisent; nous nous faisons, dans le public, un public spécial plus ou moins affiné, plus ou moins délicat, plus ou moins artiste, plus ou moins nombreux, selon notre pouvoir et notre talent.

Seuls, nous sommes indépendants. Nous n'avons point de casiers ni de bureaux; pas d'inspecteurs du beau style, pas de recteurs de l'inspiration, pas de directeurs du génie littéraire, pas de juges officiels enfin. On ne nous récompense pas, on ne nous hiérarchise pas, on ne nous décore pas, parce que nous sommes libres, sans attaches avec l'Etat, parce que nous sommes fiers, dédaigneux des honneurs publics, parce que nous sommes forts et révoltés contre toute bêtise, contre toute routine, contre tout ce qui menace notre irritable indépendance.

Comment se fait-il donc que des poètes acceptent ainsi d'être classés, comme des écoliers, et couronnés pour cet ingrat travail, pour cette composition si étrangère à la poésie?

Ils ont du talent pourtant, et s'efforcent d'en mettre en ce concours inutile.

Ont-ils donc besoin de ces palmes ridicules, de cette gloire qui fait sourire les artistes et même les gens du monde? Font-ils cela pour plaire à leur famille, pour étonner leur arrondissement ou pour se rassurer eux-mêmes sur leurs mérites? Font-ils cela pour l'argent?

Un bon élève de concours, qui réussit tous les ans, peut gagner autant qu'un sous-chef de ministère.

Mieux vaudrait alors demander simplement un bureau de tabac. Cela ferait tout juste autant pour l'art littéraire, et éviterait bien des fatigues aux candidats.

Quant à l'Académie, quel service elle rendrait aux pauvres, en distribuant en bonnes œuvres, achats de hardes, de bois et de bœuf, son argent si mal employé !

(*Le Gaulois,* 3 décembre 1883.)

LA GUERRE

Donc on parle de guerre avec la Chine. Pourquoi? on ne sait pas. Les ministres en ce moment hésitent, se demandant s'ils vont faire tuer du monde là-bas. Faire tuer du monde leur est très égal, le prétexte seul les inquiète. La Chine, nation orientale et raisonnable, cherche à éviter ces massacres mathématiques. La France, nation occidentale et barbare, pousse à la guerre, la cherche, la désire.

Quand j'entends prononcer ce mot : la guerre, il me vient un effarement comme si on me parlait de sorcellerie, d'inquisition, d'une chose lointaine, finie, abominable, monstrueuse, contre nature.

Quand on parle d'anthropophages, nous sourions avec orgueil en proclamant notre supériorité sur ces sauvages. Quels sont les sauvages, les vrais sauvages? Ceux qui se battent pour manger les vaincus ou ceux qui se battent pour tuer, rien que pour tuer? Une ville chinoise nous fait envie : nous allons pour la prendre massacrer cinquante mille Chinois et faire égorger dix mille Français. Cette ville ne nous servira à rien. Il n'y a là qu'une question d'honneur national. Donc l'honneur national (singulier honneur!) qui nous pousse à prendre une cité qui ne nous appartient pas, l'honneur national qui se trouve satisfait par le vol, par le vol d'une ville, le sera davantage encore par la mort de cinquante mille Chinois et de dix mille Français.

Et ceux qui vont périr là-bas sont des jeunes hommes

qui pourraient travailler, produire, être utiles. Leurs pères sont vieux et pauvres. Leurs mères, qui pendant vingt ans les ont aimés, adorés comme adorent les mères, apprendront dans six mois que le fils, l'enfant, le grand enfant élevé avec tant de peine, avec tant d'argent, avec tant d'amour, est tombé dans un bois de roseaux, la poitrine crevée par les balles. Pourquoi a-t-on tué son garçon, son beau garçon, son seul espoir, son orgueil, sa vie? Elle ne sait pas. Oui, pourquoi? Parce qu'il existe au fond de l'Asie une ville qui s'appelle Bac-Ninh; et parce qu'un ministre qui ne la connaît pas s'est amusé à la prendre aux Chinois.

La guerre!... se battre!... tuer!... massacrer des hommes!... Et nous avons aujourd'hui, à notre époque, avec notre civilisation, avec l'étendue de science et le degré de philosophie où est parvenu le génie humain, des écoles où l'on apprend à tuer, à tuer de très loin, avec perfection, beaucoup de monde en même temps, à tuer de pauvres diables d'hommes innocents, chargés de famille, et sans casier judiciaire. M. Jules Grévy fait grâce avec obstination aux assassins les plus abominables, aux découpeurs de femmes en morceaux, aux parricides, aux étrangleurs d'enfants. Et voici que M. Jules Ferry, pour un caprice diplomatique dont s'étonne la nation, dont s'étonnent les députés, va condamner à mort, d'un cœur léger, quelques milliers de braves garçons.

Et le plus stupéfiant c'est que le peuple entier ne se lève pas contre les gouvernements. Quelle différence y a-t-il donc entre les monarchies et les républiques? Le plus stupéfiant, c'est que la société tout entière ne se révolte pas à ce seul mot de guerre.

Ah! nous vivrons encore pendant des siècles sous le poids des vieilles et odieuses coutumes, des criminels préjugés, des idées féroces de nos barbares aïeux.

N'aurait-on pas honni tout autre que Victor Hugo qui eût jeté ce grand cri de délivrance et de vérité?

Aujourd'hui, la force s'appelle la violence et commence à être jugée; la guerre est mise en accusation. La civilisation, sur la plainte du genre humain, instruit le procès et dresse le grand dossier criminel des conquérants et des capitaines. Les peuples en viennent à comprendre que l'agrandissement d'un forfait n'en saurait être la diminution ; que si tuer est un crime, tuer beaucoup n'en peut pas être la circonstance atténuante ; que si voler est une honte, envahir ne saurait être une gloire.

Ah ! proclamons ces vérités absolues, déshonorons la guerre !

**

Un artiste habile en cette partie, un massacreur de génie, M. de Moltke, a répondu, voici deux ans, aux délégués de la paix, les étranges paroles que voici : « La guerre est sainte, d'institution divine ; c'est une des lois sacrées du monde ; elle entretient chez les hommes tous les grands, les nobles sentiments, l'honneur, le désintéressement, la vertu, le courage, et les empêche en un mot de tomber dans le plus hideux matérialisme ! ».

Ainsi, se réunir en troupeaux de quatre cent mille hommes, marcher jour et nuit sans repos, ne penser à rien, ne rien étudier, ne rien apprendre, ne rien lire, n'être utile à personne, pourrir de saleté, coucher dans la fange, vivre comme les brutes dans un hébétement continu, piller les villes, brûler les villages, ruiner les peuples, puis rencontrer une autre agglomération de viande humaine, se ruer dessus, faire des lacs de sang, des plaines de chair pilée mêlée à la terre boueuse et rougie, des monceaux de cadavres, avoir les bras ou les jambes emportés, la cervelle écrabouillée sans profit pour personne, et crever au coin d'un champ tandis que vos vieux parents, votre femme et vos enfants meurent de faim ; voilà ce qu'on appelle ne pas tomber dans le plus hideux matérialisme !

Les hommes de guerre sont les fléaux du monde. Nous luttons contre la nature, contre l'ignorance, contre les obstacles de toute sorte, pour rendre moins dure notre misérable vie. Des hommes, des bienfaiteurs, des savants usent leur existence à travailler, à chercher ce qui peut aider, ce qui peut secourir, ce qui peut soulager leurs frères. Ils vont, acharnés à leur besogne utile, entassant les découvertes, agrandissant l'esprit humain, élargissant la science, donnant chaque jour à l'intelligence une somme de savoir nouveau, donnant chaque jour à leur patrie du bien-être, de l'aisance, de la force.

La guerre arrive. En six mois, les généraux ont détruit vingt ans d'efforts, de patience, de travail et de génie.

Voilà ce qu'on appelle ne pas tomber dans le plus hideux matérialisme.

Nous l'avons vue, la guerre. Nous avons vu les hommes redevenus des brutes, affolés, tuer par plaisir, par terreur, par bravade, par ostentation. Alors que le droit n'existe plus, que la loi est morte, que toute notion du juste disparaît, nous avons vu fusiller des innocents trouvés sur une route et devenus suspects parce qu'ils avaient peur. Nous avons vu tuer des chiens enchaînés devant la porte de leurs maîtres pour essayer des revolvers neufs, nous avons vu mitrailler par plaisir des vaches couchées dans un champ, sans aucune raison, pour tirer des coups de fusils, histoire de rire.

Voilà ce qu'on appelle ne pas tomber dans le plus hideux matérialisme.

Entrer dans un pays, égorger l'homme qui défend sa maison parce qu'il est vêtu d'une blouse et n'a pas de képi sur la tête, brûler les habitations de misérables gens qui n'ont plus de pain, casser des meubles, en voler d'autres, boire le vin trouvé dans les caves, violer les femmes trouvées dans les rues, brûler des millions de francs en poudre, et laisser derrière soi la misère et le choléra.

Voilà ce qu'on appelle ne pas tomber dans le plus hideux matérialisme.

Qu'ont-ils donc fait pour prouver même un peu d'intelligence, les hommes de guerre ? Rien. Qu'ont-ils inventé ? Des canons et des fusils. Voilà tout.

L'inventeur de la brouette, Pascal, n'a-t-il pas plus

fait pour l'homme par cette simple et pratique idée d'ajuster une roue à deux bâtons que l'inventeur des fortifications modernes, Vauban?

Que nous reste-t-il de la Grèce? Des livres, des marbres. Est-elle grande parce qu'elle a vaincu ou parce qu'elle a produit?

Est-ce l'invasion des Perses qui l'a empêchée de tomber dans le plus hideux matérialisme.

Sont-ce les invasions des barbares qui ont sauvé Rome et l'ont régénérée?

Est-ce que Napoléon Ier a continué le grand mouvement intellectuel commencé à la fin du dernier siècle par les philosophes révolutionnaires?

**

Eh bien oui, puisque les gouvernements prennent ainsi le droit de mort sur les peuples, il n'y a rien d'étonnant à ce que les peuples prennent parfois le droit de mort sur les gouvernements.

Ils se défendent. Ils ont raison. Personne n'a le droit absolu de gouverner les autres. On ne le peut faire que pour le bien de ceux qu'on dirige. Quiconque gouverne a autant le devoir d'éviter la guerre qu'un capitaine de navire a celui d'éviter le naufrage.

Quand un capitaine a perdu son bâtiment, on le juge et on le condamne, s'il est reconnu coupable de négligence ou même d'incapacité.

Pourquoi ne jugerait-on pas les gouvernants après chaque guerre déclarée? Pourquoi ne les condamnerait-on pas s'ils étaient convaincus de fautes ou d'insuffisance.

Du jour où les peuples comprendront cela, du jour où ils feront justice eux-mêmes des gouvernements meurtriers, du jour où ils refuseront de se laisser tuer sans raison, du jour où ils se serviront, s'il le faut, de leurs armes contre ceux qui les leur ont données pour massacrer, la guerre sera morte. Et ce jour viendra.

J'ai lu un livre superbe et terrible de l'écrivain belge Camille Lemonnier, et intitulé *Les Charniers*. Le lendemain de Sedan, ce romancier partit avec un ami et visita à pied cette patrie de la tuerie, la région des derniers champs de bataille. Il marcha dans les fanges humaines, glissa sur les cervelles répandues, vagabonda dans les pourritures et les infections pendant des jours entiers et des lieues entières. Il ramassa dans la boue et le sang « ces petits carrés de papier chiffonnés et salis, lettres d'amis, lettres de mères, lettres de fiancées, lettres de grands-parents ».

Voici, entre mille, une des choses qu'il vit. Je ne peux citer que par courts fragments ce morceau que je voudrais donner en entier :

« L'église de Givonne était pleine de blessés. Sur le seuil, mêlée à la boue, de la paille piétinée faisait un amas qui fermentait.

« Au moment où nous allions entrer, des infirmiers, le tablier gris, maculé de placards rouges, balayaient par la porte d'entrée une sorte de mare fétide comme celle où clapote le sabot des bouchers dans les abattoirs.

« ... L'hôpital râlait... Des blessés étaient attachés à leur grabat par des cordes. S'ils bougeaient, des hommes les tenaient aux épaules pour les empêcher de se mouvoir. Et quelquefois une tête blême se dressait à demi au-dessus de la paille et regardait avec des yeux de supplicié l'opération du voisin.

« On entendait des malheureux crier en se tordant, quand le chirurgien approchait, et ils cherchaient à se mettre debout pour se sauver.

« Sous la scie, ils criaient encore, d'une voix sans nom, creuse et rauque, comme des écorchés : « Non, je ne veux pas, non laissez-moi... ». Ce fut le tour d'un zouave qui avait les deux jambes emportées.

— Faites excuse, la compagnie, dit-il, on m'a ôté les culottes.

« Il avait gardé sa veste, et ses jambes étaient

emmaillotées, vers le bas, dans des lambeaux où suintait le sang.

« Le médecin se mit à enlever ces lambeaux, mais ils collaient l'un à l'autre, et le dernier adhérait à la chair vive. On versa de l'eau chaude sur le grossier bandage, et, à mesure qu'on versait l'eau, le chirurgien détachait les loques.

— Qui t'a amidonné comme ça, mon vieux? demanda le chirurgien.

— C'est le camarade Fifolet, major.

— Ouf, ça me tire jusque dans les cheveux. — Il avait eu le... emporté et moi les jambes. Et je lui dis :

. . . .

« La scie, étroite et longue, laissait des gouttelettes, à chacune de ses dents.

« Il y eut un mouvement dans le groupe. On déposait à terre un tronçon.

— Encore une seconde, mon brave, dit le chirurgien.

« Je passais ma tête dans le créneau des épaules et je regardai le zouave.

— Allez vite, major, disait-il; je sens que je vais battre la breloque.

« Il mordait sa moustache, blanc comme un mort et les yeux hors la tête. Il tenait lui-même à deux mains sa jambe et hurlait par moment d'une voix grelottante un « hou! » qui vous faisait sentir la scie dans votre propre dos.

— C'est fini, mon vieux loup! dit le chirurgien en abattant le second moignon.

— Bonsoir! dit le zouave.

« Et il s'évanouit ».

**

Et je me rappelle, moi, le récit de la dernière campagne de Chine, fait par un brave matelot qui en riait encore de plaisir.

Il me raconta les prisonniers empalés le long des routes pour amuser le soldat; les grimaces si drôles des suppliciés; les massacres commandés par des officiers supérieurs, pour terroriser la contrée, les viols dans ces demeures d'Orient, devant les enfants éperdus, et les vols à pleines mains, les pantalons noués aux chevilles pour emporter les objets, le pillage régulier, fonctionnant comme un service public, dévastant depuis les petites cases du tout petit bourgeois jusqu'au somptueux palais d'été.

Si nous avons la guerre avec l'empire du Milieu, le prix des vieux meubles de laque et des riches porcelaines chinoises va baisser beaucoup, messieurs les amateurs.

(*Gil Blas*, 11 décembre 1883.)

LA FINESSE

Vraiment, l'esprit français semble malade. On l'a souvent comparé à la mousse de vin de Champagne. Or, tout vin longtemps débouché s'évapore, il en est de même de l'esprit, sans doute.

Nous avons gardé, il est vrai, quelque chose qui nous tient lieu d'esprit : la blague... Mais nous avons perdu la qualité première qui constituait la marque française : la Finesse.

Aujourd'hui, nous remplaçons cette antique qualité nationale par quelque chose de brutal, de grossier, de lourd. Nous rions sottement.

L'esprit, en France, avait plusieurs sortes de manifestations. On pouvait le classer par genres :

L'esprit des rues ;

L'esprit des salons ;

L'esprit des livres.

**

Qu'est-ce que l'esprit ? Le dictionnaire n'en donne point de définition. C'est un certain tour de pensée tantôt joyeux, tantôt comique, tantôt piquant, qui produit dans l'intelligence une sorte de chatouillement agréable et provoque le rire.

On appelle rire une gaieté particulière de l'âme qui se manifeste par des grimaces, des plis nerveux autour de la bouche, et des petits cris saccadés qui semblent sortir du nez.

Or, à Paris, le rapprochement imprévu, bizarre, de deux termes, de deux idées ou même de deux sons, une calembredaine quelconque, une acrobatie de langage fait passer à travers la ville un souffle de contentement.

Pourquoi tous les Français rient-ils, alors que tous les Anglais et tous les Allemands trouveront incompréhensible notre amusement? Pourquoi? Mais parce que nous sommes Français, que nous avons l'intelligence française et que nous possédons cette charmante et alerte faculté du rire.

Mais nous rions, aujourd'hui, pour des sottises tellement lourdes qu'on en demeure confondu.

Sous la Fronde, sous la Régence, sous la Restauration, sous Louis XVIII les mots qui couraient la ville avaient une verve agile, une pointe effilée, parfois même empoisonnée, et toujours une portée secrète. Derrière la drôlerie ou la perfidie du trait se cachait une pensée subtile. Cela sonnait clair comme de la bonne monnaie d'argent. Aujourd'hui l'esprit sonne faux comme du plomb.

Est-il possible vraiment que depuis quatre ou cinq ans tout l'effort de l'intelligence alerte de la France aboutisse à travers les mots *v'lan* et *pschutt! V'lan! Pschutt!* Pourquoi V'lan? pourquoi Pschutt? Qu'y a-t-il de drôle dans ces deux syllabes? Quel flot de stupidité a donc noyé notre esprit?

***

« En France, l'esprit court les rues », dit-on. On l'y rencontre cependant de moins en moins. Mais où apparaît le plus cette décadence, c'est assurément dans les salons.

La conversation y est généralement banale, courante, oiseuse, toute faite, monotone, à la portée de chaque imbécile. Cela coule, coule des lèvres, des petites lèvres des femmes qu'un pli gracieux retrousse, des lèvres barbues des hommes qu'un bout de ruban rouge à la boutonn`re semble indiquer intelligents. Cela coule sans fin, écœurant, bête à faire pleurer, sans une variante, sans un éclat, sans une saillie, sans une fusée d'esprit.

On parle musique, art, haute poésie. Or il serait cent millions de fois plus intéressant d'entendre un charcutier parler saucisse avec compétence que d'écouter les messieurs corrects et les femmes du monde *en visite* ouvrir leur robinet à banalités sur les seules choses grandes et belles qui soient.

Croyez-vous qu'ils pensent à ce qu'ils disent, ces gens ? qu'ils fassent l'effort de comprendre ce dont ils s'entretiennent, d'en pénétrer le sens mystérieux ? Non.

Ils répètent tout ce qu'il est d'usage de répéter sur ce sujet. Voilà tout. Aussi je déclare qu'il faut un courage surhumain, une dose de patience à toute épreuve, et une bien sereine indifférence en tout pour aller aujourd'hui dans ce qu'on appelle le monde et subir avec un visage souriant les bavardages ineptes qu'on entend à tout propos.

Quelques salons font exception. Ils sont rares.

Je ne prétends point qu'on doive dégager dans une causerie de dix minutes le sens philosophique du moindre événement, cet « au-delà » de chaque fait raconté, qui élargit jusqu'à l'infini tout sujet qu'on aborde.

Non certes. Mais il faudrait au moins savoir causer avec un peu d'esprit.

Causer avec esprit ? Qu'est-ce que cela ? Causer c'était jadis l'art d'être homme ou femme du monde, l'art de ne paraître jamais ennuyeux, de savoir tout dire avec intérêt, de plaire avec n'importe quoi, de séduire avec rien du tout.

Aujourd'hui on parle, on raconte, on bavarde, on potine, on cancane ; on ne cause plus, on ne cause jamais.

Berlioz a écrit dans une de ses lettres :

« Je vis, depuis mon retour d'Italie, au milieu du monde le plus prosaïque, le plus desséchant. Malgré mes supplications de n'en rien faire, on se plaît, on s'obstine à me parler sans cesse musique, art, haute poésie ; ces gens-là emploient ces termes avec le plus grand sang-froid : on dirait qu'ils parlent vin, femmes, émeutes ou autres cochonneries. Mon beau-frère surtout, qui est d'une loquacité effrayante, me tue. Je sens que je suis isolé de tout ce monde par mes pensées, par mes passions, par mes amours, par mes haines, par mes mépris, par ma tête, par mon cœur, par tout. »

Eh bien! savoir causer, c'est savoir parler vin, femmes, émeutes... et autres balivernes, sans que ce soit jamais... ce que dit Berlioz.

Comment définir ce vif effleurement des choses par les mots, ce jeu de raquettes avec des paroles souples, cette espèce de sourire léger des idées que doit être la causerie spirituelle?

On s'embourbe aujourd'hui dans le racontage. Chacun raconte à son tour des choses personnelles, ennuyeuses et longues qui n'intéressent aucun voisin.

Et puis toujours la conversation se traîne sur les faits politiques du jour ou de la veille. Jamais plus elle ne s'envole d'un coup d'aile pour aller d'idée en idée, comme jadis.

***

Mais ce n'est point seulement de la conversation qu'a disparu la charmante finesse française. La société actuelle, composée presque exclusivement de parvenus récents, a perdu un sens délicat, une sorte de flair subtil, insaisissable, inexprimable, qui appartient presque exclusivement aux aristocraties lettrées et qu'on peut appeler : le sens artiste.

Un artiste! Le public d'aujourd'hui qui lit avidement des pamphlets ineptes en les déclarant spirituels uniquement parce qu'ils lèvent les masques, ne comprend nullement ce que signifie ce mot « artiste » appliqué à un homme de lettres. Au siècle dernier, au contraire, le public, juge difficile et raffiné, poussait à l'extrême ce sens artiste qui disparaît, Il se passionnait pour une phrase, pour un vers, pour une épithète ingénieuse ou hardie. Vingt lignes, une page, un portrait, un épisode lui suffisaient pour juger et classer un écrivain. Il cherchait les dessous, les dedans des mots, pénétrait les raisons secrètes de l'auteur, lisait lentement, sans rien passer, cherchant, après avoir compris la phrase, s'il ne restait plus rien à pénétrer. Car les esprits, lentement préparés aux sensations littéraires, subissaient l'influence secrète de cette puissance mystérieuse qui met une âme dans les œuvres.

Quand un homme, quelque doué qu'il soit, ne se préoccupe que de la chose racontée, quand il ne se rend pas compte que le véritable pouvoir littéraire n'est pas dans le fait, mais bien dans la manière de le préparer, de le présenter et de l'exprimer, il n'a pas le sens de l'art.

La profonde et délicieuse jouissance qui vous monte au cœur devant certaines pages. devant certaines phrases, ne vient pas seulement de ce qu'elles disent ; elle vient d'une accordance absolue de l'expression avec l'idée, d'une sensation d'harmonie, de beauté secrète échappant la plupart du temps au jugement des foules.

Musset, ce grand poète, n'était pas un artiste. Les choses charmantes qu'il dit en une langue facile et séduisante, laissent presque indifférents ceux que préoccupent la poursuite, la recherche, l'émotion d'une beauté plus haute, plus insaisissable, plus intellectuelle.

La foule, au contraire, trouve en Musset la satisfaction de tous ses appétits poétiques, un peu grossiers, sans comprendre même le frémissement, presque l'extase que nous peuvent donner certaines pièces de Baudelaire, de Victor Hugo, de Leconte de Lisle.

Les mots ont une âme. La plupart des lecteurs ne leur demandent qu'un sens. Il faut trouver cette âme qui apparaît au contact d'autres mots, qui éclate et éclaire certains livres d'une lumière inconnue, bien difficile à faire jaillir.

Il y a dans les rapprochements et les combinaisons de la langue écrite par certains hommes toute l'évocation d'un monde poétique, que le peuple des mondains ne sait plus apercevoir ni deviner. Quand on lui parle de cela il se fâche, raisonne, argumente, nie, crie et veut qu'on lui montre. Il serait inutile d'essayer. Ne sentant pas, il ne comprendra jamais.

Des hommes instruits, intelligents, des écrivains même, s'étonnent aussi quand on leur parle de ce *mystère* qu'ils ignorent; et ils sourient en haussant les épaules. Qu'importe. Ils ne savent pas. Autant parler musique à des gens qui n'ont point d'oreille.

Dix paroles échangées suffisent à deux esprits doués de ce sens mystérieux de l'art, pour se comprendre comme s'ils se servaient d'un langage ignoré des autres.

***

D'où vient donc cette lourdeur de nos esprits? Des mœurs nouvelles? ou des hommes nouveaux? Des deux, peut-être. Sans doute aussi du gouvernement! Mais je ne voudrais pas accuser le gouvernement d'avoir produit le phylloxéra ou la maladie des pommes de terre. Ces sortes d'accusations, fréquentes d'ailleurs, ne sont pas assez justifiées. Mais on peut, sans crainte de se tromper, l'accuser de nous rendre épais comme des Allemands.

Tel maître, tel valet, dit un proverbe. Tel roi, tel peuple. Si le prince est spirituel, artiste et lettré, le peuple aussitôt devient artiste, lettré et spirituel. Quand le prince est lourdaud, le peuple entier devient stupide. Or, nos princes, on peut l'avouer, ne sont ni artistes, ni lettrés, ni fins, ni élégants, ni délicats. Par « nos princes » j'entends nos députés. Quelques-uns font exception; mais ils ne comptent pas, noyés dans la masse des représentants crottés du suffrage universel.

Et le chef de l'Etat, fort honnête homme, ne cherche pas à faire de l'Elysée un *temple de l'Esprit et des Arts,* comme on aurait dit au siècle dernier.

(*Gil Blas,* 25 décembre 1883.)

ÉMILE ZOLA

I

Il est des noms qui semblent destinés à la célébrité, qui sonnent et qui restent dans les mémoires. Peut-on oublier Balzac, Musset, Hugo, quand une fois on a entendu retentir ces mots courts et chantants? Mais, de tous les noms littéraires, il n'en est point peut-être qui saute plus brusquement aux yeux et s'attache plus fortement au souvenir que celui de Zola. Il éclate comme deux notes de clairon, violent, tapageur, entre dans l'oreille, l'emplit de sa brusque et sonore gaieté. Zola! quel appel au public! quel cri d'éveil! et quelle fortune pour un écrivain de talent de naître ainsi doté par l'état civil.

Et jamais nom est-il mieux tombé sur un homme? Il semble un défi de combat, une menace d'attaque, un chant de victoire. Or, qui donc, parmi les écrivains d'aujourd'hui, a combattu plus furieusement pour ses idées? qui donc a attaqué plus brutalement ce qu'il croyait injuste et faux? qui donc a triomphé plus bruyamment de l'indifférence d'abord, puis de la résistance hésitante du grand public?

La lutte fut longue pourtant, avant d'arriver à la renommée; et, comme beaucoup de ses aînés, le jeune écrivain eut de bien durs moments.

Né à Paris, le 2 avril 1840, Emile Zola passa à Aix son enfance et ne revint à Paris qu'en février 1858. Il y termina ses études, échoua au baccalauréat, et commença alors la terrible lutte avec la vie. Elle fut acharnée cette lutte; et pendant deux ans le futur auteur des *Rougon-Macquart* vécut au jour le jour, mangeant à l'occasion, errant à la recherche de la fuyante pièce de cent sous, fréquentant plus souvent le mont-de-piété que les restaurants, et, malgré tout, faisant des vers, des vers incolores, d'ailleurs, sans curiosité de forme ou d'inspiration, dont un certain nombre viennent d'être publiés par les soins de son ami Paul Alexis.

Il raconte lui-même qu'un hiver il vécut quelque temps avec du pain trempé dans l'huile, de l'huile d'Aix que des parents lui avaient envoyée; et il déclarait philosophiquement alors :

« Tant qu'on a de l'huile on ne meurt pas de faim. »

D'autres fois, il prenait sur les toits des moineaux avec des pièges et les faisait rôtir en les embrochant avec une baguette de rideau. D'autres fois, ayant mis au clou ses derniers vêtements, il demeurait une semaine entière en son logis, enveloppé dans sa couverture de lit, ce qu'il appelait stoïquement « faire l'Arabe ».

On trouve dans un de ses premiers livres, *La Confession de Claude,* beaucoup de détails qui paraissent bien personnels et qui peuvent donner une idée exacte de ce que fut sa vie en ces moments.

Enfin il entra comme employé dans la maison Hachette. A partir de ce jour son existence fut assurée, et il cessa de faire des vers pour s'adonner à la prose.

Cette poésie abondante, facile, trop facile, comme je l'ai dit, visait plus la science que l'amour ou que l'art. C'étaient, en général, de vastes conceptions philosophiques, de ces choses grandioses qu'on met en vers parce qu'elles ne sont point assez claires pour être exprimées en prose. On ne trouve jamais, dans ces essais, ces idées larges, un peu abstraites, flottantes aussi, mais saisissantes par une sensation de vérité entrevue, de profondeur un instant découverte, de vision sur l'infini intraduisible, qu'affectionne M. Sully-Prudhomme, le véritable poète philosophe, ni ces si ténus, si menus, si fins, si délicieux et si ouvragés marivaudages d'amour où excellait Théophile Gautier. C'est de la poésie sans caractère déterminé, et sur laquelle M. Zola ne se fait du reste aucune illusion. Il avoue même avec franchise qu'au temps de ses grands élans lyriques en alexandrins, alors qu'il *faisait l'Arabe* en ce belvédère d'où son œil découvrait Paris entier, des doutes parfois le traversaient sur la valeur de ses chants. Mais jamais il n'alla jusqu'au désespoir; et, en ses plus grandes hésitations, il se consolait par cette pensée ingénument audacieuse : « Ma foi tant pis ! si je ne suis pas un grand poète je serai au moins un grand prosateur. » C'est qu'il avait une foi robuste, venue de la conscience intime d'un robuste talent, encore endormi, encore confus, mais dont il sentait l'effort pour naître, comme une femme sent remuer l'enfant qu'elle porte en elle.

Enfin il publia un volume de nouvelles : *Les Contes à Ninon,* d'un style travaillé, d'une bonne allure littéraire, d'un charme réel, mais où n'apparaissent que vaguement les qualités futures, et surtout l'extrême puissance qu'il devait déployer dans sa série des *Rougon-Macquart.*

Un an plus tard, il donnait *La Confession de Claude,* qui semble une sorte d'autobiographie, œuvre peu digérée, sans envergure et sans grand intérêt; puis *Thérèse Raquin,* un beau livre d'où sortit un beau drame; puis *Madeleine Férat,* roman de second ordre où se rencontrent pourtant de vives qualités d'observation.

Cependant Emile Zola avait quitté depuis quelque temps déjà la maison Hachette et passé par *le Figaro.* Ses articles avaient fait du bruit, son *Salon* avait révolutionné la république des peintres, et il collaborait à plusieurs journaux où son nom se faisait connaître du public.

Enfin il entreprit l'œuvre qui devait soulever tant de bruit : *Les Rougon-Macquart,* qui ont pour sous-titre : *Histoire naturelle et sociale d'une famille sous le second Empire.*

L'espèce d'avertissement suivant, imprimé sur la

couverture des premiers volumes de cette série, indique clairement quelle était la pensée de l'auteur.

« Physiologiquement, les *Rougon-Macquart* sont la lente succession des accidents nerveux qui se déclarent dans une race à la suite d'une première lésion organique, et qui déterminent, selon les milieux, chez chacun des individus de cette race, les sentiments, les désirs, les passions, toutes les manifestations humaines, naturelles et instinctives, dont les produits prennent les noms convenus de vertus et de vices. Historiquement, ils partent du peuple; ils s'irradient dans toute la société contemporaine; ils montent à toutes ces situations, par cette impulsion essentiellement moderne que reçoivent les basses classes en marche à travers le corps social; et ils racontent ainsi le second Empire à l'aide de leurs drames individuels, du guet-apens du coup d'Etat à la trahison de Sedan. »

Voici dans quel ordre virent le jour les divers romans, parus jusqu'ici de cette série :

La Fortune des Rougon, œuvre large qui contient le germe de tous les autres livres.

La Curée, premier coup de canon tiré par Zola, et auquel devait répondre plus tard la formidable explosion de *L'Assommoir. La Curée* est un des plus remarquables romans du maître naturaliste, éclatant et fouillé, empoignant et vrai, écrit avec emportement, dans une langue colorée et forte, un peu surchargée d'images répétées, mais d'une incontestable énergie et d'une indiscutable beauté. C'est un vigoureux tableau des mœurs et des vices de l'Empire depuis le bas jusqu'au haut de ce que l'on appelle l'échelle sociale, depuis les valets jusqu'aux grandes dames.

Vient ensuite *Le Ventre de Paris,* prodigieuse nature morte où l'on trouve la célèbre *Symphonie des Fromages,* pour employer l'expression adoptée. *Le Ventre de Paris,* c'est l'apothéose des halles, des légumes, des poissons, des viandes. Ce livre sent la marée comme les bateaux pêcheurs qui rentrent au port, et les plantes potagères avec leur saveur de terre, leurs parfums fades et champêtres. Et des caves profondes du vaste entrepôt des nourritures, montent entre les pages du volume les écœurantes senteurs des chairs avancées, les abominables fumets des volailles accumulées, les puanteurs de la fromagerie; et toutes ces exhalaisons se mêlent comme dans la réalité, et on retrouve, en lisant, la sensation qu'ils vous ont donnée quand on a passé devant cet immense bâtiment aux mangeailles : *le vrai Ventre de Paris.*

Voici ensuite *La Conquête de Plassans,* roman plus sobre, étude sévère, vraie et parfaite d'une petite ville de province, dont un prêtre ambitieux devient peu à peu le maître.

Puis parut *La Faute de l'Abbé Mouret,* une sorte de poème en trois parties, dont la première et la troisième sont, de l'avis de beaucoup de gens, les plus excellents morceaux que le romancier ait jamais écrits.

Ce fut alors le tour de *Son Excellence Eugène Rougon,* où l'on trouve une superbe description du baptême du prince impérial.

Jusque-là, le succès était lent à venir. On connaissait le nom de Zola; les lettrés prédisaient son éclatant avenir, mais les gens du monde, quand on le nommait devant eux, répétaient : « Ah oui! *La Curée* », plutôt pour avoir entendu parler de ce livre que pour l'avoir lu du reste. Chose singulière : sa notoriété était plus étendue à l'étranger qu'en France; en Russie surtout, on le lisait et on le discutait passionnément; pour les Russes il était déjà et il est resté LE ROMANCIER français. On comprend d'ailleurs la sympathie qui a pu s'établir entre cet écrivain brutal, audacieux et démolisseur et ce peuple nihiliste au fond du cœur, ce peuple chez qui l'ardent besoin de la destruction devient une maladie, une maladie fatale, il est vrai, étant donné le peu de liberté dont il jouit comparativement aux nations voisines.

Mais voici que le *Bien public* publie un nouveau roman d'Emile Zola, *L'Assommoir.* Un vrai scandale se produit. Songez donc, l'auteur emploie couramment les mots les plus crus de la langue, ne recule devant aucune audace, et ses personnages étant du peuple, il écrit lui-même dans la langue populaire, l'argot.

Tout de suite des protestations, des désabonnements arrivent; le directeur du journal s'inquiète, le feuilleton est interrompu, puis repris par une petite revue hebdomadaire, *La République des Lettres,* que dirigeait alors le charmant poète Catulle Mendès.

Dès l'apparition en volume du roman, une immense curiosité se produit, les éditions disparaissent, et M. Wolff dont l'influence est considérable sur les lecteurs du *Figaro,* part bravement en guerre pour l'écrivain et son œuvre.

Ce fut immédiatement un succès énorme et retentissant. *L'Assommoir* atteignit en fort peu de temps le plus haut chiffre de vente auquel soit jamais parvenu un volume pendant la même période.

Après ce livre à grand éclat, il donna une œuvre adoucie, *Une Page d'Amour,* histoire d'une passion dans la bourgeoisie. Puis parut *Nana,* autre livre à tapage dont la vente dépassa même celle de *L'Assommoir.*

Enfin la dernière œuvre de l'écrivain, *Pot-Bouille,* vient de voir le jour.

II

Zola est, en littérature, un révolutionnaire, c'est-à-dire un ennemi féroce de ce qui vient d'exister.

Quiconque a l'intelligence vive, un ardent désir de nouveau, quiconque possède enfin les qualités actives de l'esprit est forcément un révolutionnaire, par lassitude de choses qu'il connaît trop.

Elevés dans le romantisme, imprégnés des chefs-d'œuvre de cette école, tout secoués d'élans lyriques, nous traversons d'abord la période d'enthousiasme qui est la période d'initiation. Mais quelque belle qu'elle soit, une forme devient fatalement monotone, surtout pour les gens qui ne s'occupent que de littérature, qui en font du matin au soir, qui en vivent. Alors un étrange besoin de changement naît en nous; les plus grandes merveilles même, que nous admirions passionnément, nous écœurent parce que nous connaissons trop les procédés de production, parce que nous sommes du bâtiment, comme on dit. Enfin nous cherchons autre chose, ou plutôt nous revenons à autre chose; mais cet « autre chose » nous le prenons, nous le remanions, nous le complétons, nous le faisons nôtre; et nous nous imaginons, de bonne foi parfois, l'avoir inventé.

C'est ainsi que les lettres vont de révolution en révolution, d'étape en étape, de réminiscence en réminiscence; car rien maintenant ne peut être neuf. MM. Victor Hugo et Emile Zola n'ont rien découvert.

Ces révolutions littéraires ne se font pas toutefois sans grand bruit, car le public, accoutumé à ce qui existe, ne s'occupant de lettres que par passe-temps, peu initié aux secrets d'alcôve de l'art, indolent pour ce qui ne touche point ses intérêts immédiats, n'aime pas à être dérangé dans ses admirations établies, et redoute tout ce qui le force à un travail d'esprit autre que celui de ses affaires.

Il est d'ailleurs soutenu dans sa résistance par tout un parti de littérateurs sédentaires, l'armée de ceux qui suivent par instinct les sillons tracés, dont le talent manque d'initiative. Ceux-là ne peuvent jamais rien imaginer au-delà de ce qui existe, et quand on leur parle des tentatives nouvelles, ils répondent doctoralement : « On ne fera pas mieux que ce qui est. » Cette réponse est juste; mais tout en admettant qu'on ne fera pas mieux, on peut bien convenir qu'on fera autrement. La source est la même, soit; mais on changera le cours, et les circuits de l'art seront différents, ses accidents autrement variés.

Donc Zola est un révolutionnaire. Mais un révolutionnaire élevé dans l'admiration de ce qu'il veut démolir, comme un prêtre qui quitte l'autel, comme M. Renan soutenant en somme la Religion, dont bien des gens l'ont cru l'ennemi irréconciliable.

Ainsi, tout en attaquant violemment les romantiques, le romancier qui s'est baptisé naturaliste emploie les mêmes procédés de grossissement, mais appliqués d'une manière différente.

Sa théorie est celle-ci : Nous n'avons pas d'autre modèle que la vie puisque nous ne concevons rien au-delà de nos sens; par conséquent, déformer la vie est produire une œuvre mauvaise, puisque c'est produire une œuvre d'erreur. L'imagination a été ainsi définie par Horace :

> *Humano capiti cervicem pictor equinam*
> *Jungere si velit, et varias inducere plumas*
> *Undique collatis membris, ut turpiter atrum*
> *Desinit in piscem mulier formosa superne...*

C'est-à-dire que tout l'effort de notre imagination ne peut parvenir qu'à mettre une tête de belle femme sur un corps de cheval, à couvrir cet animal de plumes et à le terminer en hideux poisson; soit à produire un monstre.

Conclusion : Tout ce qui n'est pas exactement vrai est déformé, c'est-à-dire devient un monstre. De là à affirmer que la littérature d'imagination ne produit que des monstres, il n'y a pas loin.

Il est vrai que l'œil et l'esprit des hommes s'accoutument aux monstres, qui, dès lors, cessent d'en être, puisqu'ils ne sont monstres que par l'étonnement qu'ils excitent en nous.

Donc, pour Zola, la vérité seule peut produire des œuvres d'art. Il ne faut donc pas imaginer; il faut observer et décrire scrupuleusement ce qu'on a vu.

Ajoutons que le tempérament particulier de l'écrivain donnera aux choses qu'il décrira une couleur spéciale, une allure propre, selon la nature de son esprit. Il a défini ainsi son naturalisme : « La nature vue à travers un tempérament »; et cette définition est la plus claire, la plus parfaite qu'on puisse donner de la littérature en général. Ce TEMPÉRAMENT est la marque de fabrique; et le plus ou moins de talent de l'artiste imprimera une plus ou moins grande originalité aux visions qu'il nous traduira.

Car la vérité absolue, la *vérité sèche,* n'existe pas, personne ne pouvant avoir la prétention d'être un miroir parfait. Nous possédons tous une tendance d'esprit qui nous porte à voir, tantôt d'une façon, tantôt d'une autre; et ce qui semble vérité à celui-ci semblera erreur à celui-là. Prétendre faire vrai, absolument vrai, n'est qu'une prétention irréalisable, et l'on peut tout au plus s'engager à reproduire exactement ce qu'on a vu, tel qu'on l'a vu, à donner les impressions telles qu'on les a senties, selon les facultés de voir et de sentir, selon l'impressionnabilité propre que la nature a mise en nous. Toutes ces querelles littéraires sont donc surtout des querelles de tempérament; et on érige le plus souvent en questions d'école, en questions de doctrine, les tendances diverses des esprits.

Ainsi Zola, qui bataille avec acharnement en faveur de la vérité observée, vit très retiré, ne sort jamais, ignore le monde. Alors que fait-il? avec deux ou trois notes, quelques renseignements venus de côtés et d'autres, il reconstitue des personnages, des caractères, il bâtit ses romans. Il imagine enfin, en suivant le plus près possible la ligne qui lui paraît être celle de la logique, en côtoyant la vérité autant qu'il le peut.

Mais fils des romantiques, romantique lui-même dans tous ses procédés, il porte en lui une tendance au poème, un besoin de grandir, de grossir, de faire des symboles avec les êtres et les choses. Il sent fort bien d'ailleurs cette pente de son esprit; il la combat sans cesse pour y céder toujours. Ses enseignements et ses œuvres sont éternellement en désaccord.

Qu'importent, du reste, les doctrines, puisque seules les œuvres restent; et ce romancier a produit d'admirables livres qui gardent quand même, malgré sa volonté, des allures de chants épiques. Ce sont des poèmes sans poésies voulues, sans les conventions adoptées par ses précédesseurs, sans aucune des rengaines poétiques, sans parti pris, des poèmes où les choses, quelles qu'elles soient, surgissent égales dans leur réalité, et se reflètent élargies, jamais déformées,

314

répugnantes ou séduisantes, laides ou belles indifféremment, dans ce miroir grossissant mais toujours fidèle et probe que l'écrivain porte en lui.

Le Ventre de Paris n'est-il pas le poème des nourritures?

L'Assommoir le poème du vin, de l'alcool et des soûleries?

Nana n'est-il pas le poème du vice?

Qu'est donc ceci, sinon de la haute poésie, sinon l'agrandissement magnifique de la gueuse?

« Elle demeurait debout au milieu des richesses entassées de son hôtel, avec un peuple d'hommes abattus à ses pieds. Comme ces monstres antiques dont le domaine redouté était couvert d'ossements, elle posait ses pieds sur des crânes; et des catastrophes l'entouraient : la flambée furieuse de Vandeuvres, la mélancolie de Fourcamont perdu dans les mers de Chine, le désastre de Steiner réduit à vivre en honnête homme, l'imbécillité satisfaite de La Faloise, et le tragique effondrement des Muffat, et le blanc cadavre de Georges veillé par Philippe, sorti la veille de prison. Son œuvre de ruine et de mort était faite; la mouche envolée de l'ordure des faubourgs, apportant le ferment des pourritures sociales, avait empoisonné ces hommes, rien qu'à se poser sur eux. C'était bien, c'était juste; elle avait vengé son monde, les gueux et les abandonnés. Et, tandis que dans une gloire, son sexe montait et rayonnait sur ces victimes étendues, pareil à un soleil levant qui éclaire un champ de carnage, elle gardait son inconscience de bête superbe, ignorante de sa besogne, bonne fille toujours. »

Ce qui a déchaîné, par exemple, contre Emile Zola les ennemis de tous les novateurs, c'est la hardiesse brutale de son style. Il a déchiré, crevé les conventions du « comme-il-faut » littéraire, passant au travers, ainsi qu'un clown musculeux dans un cerceau de papier. Il a eu l'audace du mot propre, du mot cru, revenant en cela aux traditions de la vigoureuse littérature du XVIᵉ siècle;

et, plein d'un mépris hautain pour les périphrases polies, il semble s'être approprié le célèbre vers de Boileau :

J'appelle un chat un chat, etc.

Il semble même pousser jusqu'au défi cet amour de la vérité nue, se complaire dans les descriptions qu'il sait devoir indigner le lecteur, et le gorger de mots grossiers pour lui apprendre à les digérer, à ne plus faire le dégoûté.

Son style large, plein d'images, n'est pas sobre et précis comme celui de Flaubert, ni ciselé et raffiné comme celui de Théophile Gautier, ni subtilement brisé, trouveur, compliqué, délicatement séduisant comme celui de Goncourt; il est surabondant et impétueux comme un fleuve débordé qui roule de tout.

Né écrivain, doué merveilleusement par la nature, il n'a point travaillé comme d'autres à perfectionner jusqu'à l'excès son instrument. Il s'en sert en dominateur, le conduit et le règle à sa guise, mais il n'en a jamais tiré ces merveilleuses phrases qu'on trouve en certains maîtres. Il n'est point un virtuose de la langue, et il semble même parfois ignorer quelles vibrations prolongées, quelles sensations presque imperceptibles et exquises, quels spasmes d'art certaines combinaisons de mots, certaines harmonies de construction, certains incompréhensibles accords de syllabes produisent au fond des âmes des raffinés fanatiques, de ceux qui vivent pour le Verbe et ne comprennent rien en dehors de lui.

Ceux-là sont rares, du reste, très rares, et incompris de tous quand ils parlent de leurs tendresses pour la phrase. On les traite de fous, on sourit, on hausse les épaules, on proclame : « La langue doit être claire et simple, rien de plus. »

Il serait inutile de parler musique aux gens qui n'ont point d'oreille.

Emile Zola s'adresse au public, au grand public, à tout le public, et non pas aux seuls raffinés. Il n'a point besoin de toutes ces subtilités; il écrit clairement, d'un beau style sonore. Cela suffit.

Que de plaisanteries n'a-t-on point jetées à cet homme, de plaisanteries grossières et peu variées. Vraiment, il est facile de faire de la critique littéraire en comparant éternellement un écrivain à un vidangeur en fonctions, ses amis à des aides, et ses livres à des dépotoirs. Ce genre de gaieté d'ailleurs n'émeut guère un convaincu qui sent sa force.

D'où vient cette haine? Elle a bien des causes. D'abord la colère des gens troublés dans la tranquillité de leurs admirations, puis la jalousie de certains confrères, et l'animosité de certains autres qu'il avait blessés dans ses polémiques, puis enfin l'exaspération de l'hypocrisie démasquée.

Car il a dit crûment ce qu'il pensait des hommes, de leurs grimaces et de leurs vices cachés derrière des apparences de vertus; mais la théorie de l'hypocrisie est tellement enracinée chez nous, qu'on permet tout excepté cela. Soyez tout ce que vous voudrez, faites tout ce qu'il vous plaira, mais arrangez-vous de façon que nous puissions vous prendre pour un honnête homme. Au fond, nous vous connaissons bien, mais il nous suffit que vous fassiez semblant d'être ce que vous n'êtes pas; et nous vous saluerons, et nous vous tendrons la main.

Or Emile Zola a réclamé énergiquement et a pris sans hésiter la liberté de tout dire, la liberté de raconter ce que chacun fait. Il n'a point été dupe de la comédie universelle, et ne s'y est pas mêlé. Il s'est écrié : « Pourquoi mentir ainsi? Vous ne trompez personne. Sous tous ces masques rencontrés tous les visages sont connus. Vous vous faites, en vous croisant, de fins sourires qui veulent dire : « Je sais tout »; vous vous chuchotez à l'oreille les scandales, les histoires corsées, les dessous sincères de la vie; mais si quelque audacieux se met à parler fort, à raconter tranquillement d'une voix haute et indifférente, tous ces secrets de Polichinelle des mondains, une clameur s'élève, et des indignations feintes, et des pudeurs de Messaline, et des susceptibilités de Robert Macaire. — Eh bien, moi, je vous brave, je serai cet audacieux. » Et il l'a été.

Personne peut-être, dans les lettres, n'a excité plus de haines qu'Emile Zola. Il a cette gloire de plus de posséder des ennemis féroces, irréconciliables, qui, à toute occasion, tombent sur lui comme des forcenés, emploient toutes les armes, tandis que lui les reçoit avec des délicatesses de sanglier. Ses coups de boutoir sont légendaires.

Or, si quelquefois les horions qu'il a reçus l'ont un peu meurtri, que n'a-t-il pas pour se consoler? Aucun écrivain n'est plus connu, plus répandu aux quatre coins du monde. Dans les plus petites villes étrangères on trouve ses livres chez tous les libraires, en tous les cabinets de lecture. Ses adversaires les plus enragés ne contestent plus son talent; et l'argent dont il a tant manqué entre maintenant à flots chez lui.

Emile Zola a donc la rare fortune de posséder de son vivant ce que bien peu arrivent à conquérir : la célébrité et la richesse. On pourrait compter les artistes sur qui ce bonheur est tombé, tandis que ceux devenus illustres après leur mort, et dont les œuvres n'ont été payées à prix d'or qu'à leurs arrière-héritiers, sont innombrables.

III

Zola a aujourd'hui quarante et un ans. Sa personne répond à son talent. Il est de taille moyenne, un peu gros, d'aspect bonhomme mais obstiné. Sa tête, très semblable à celle qu'on retrouve dans beaucoup de vieux tableaux italiens, sans être belle, présente un grand caractère de puissance et d'intelligence. Les cheveux courts se redressent sur un front très développé, et le nez droit s'arrête, coupé net comme par un coup de ciseau trop brusque au-dessus de la lèvre supérieure ombragée d'une moustache noire assez épaisse. Tout le bas de cette figure grasse, mais énergique, est couvert de barbe taillée près de la peau. Le regard noir, myope, pénétrant, fouille, sourit, souvent méchant, souvent ironique, tandis qu'un pli très particulier retrousse la lèvre supérieure d'une façon drôle et moqueuse.

Toute sa personne ronde et forte donne l'idée d'un boulet de canon ; elle porte crânement son nom brutal, aux deux syllabes bondissantes dans le retentissement des deux voyelles.

Sa vie est simple, toute simple. Ennemi du monde, du bruit, de l'agitation parisienne, il a vécu d'abord très retiré en des appartements situés loin des quartiers agités. Il s'est maintenant réfugié en sa campagne de Médan qu'il ne quitte plus guère.

Il a cependant un logis à Paris où il passe environ deux mois par an. Mais il paraît s'y ennuyer et se désole d'avance quand il va lui falloir quitter les champs.

A Paris, comme à Médan, ses habitudes sont les mêmes, et sa puissance de travail semble extraordinaire. Levé tôt, il n'interrompt sa besogne que vers une heure et demie de l'après-midi, pour déjeuner. Il se rassied à table vers trois heures jusqu'à huit, et souvent même il se remet à l'œuvre dans la soirée. De cette façon, pendant des années il a pu, tout en produisant près de deux romans par an, fournir un article quotidien au *Sémaphore de Marseille,* une chronique hebdomadaire à un grand journal parisien et une longue étude mensuelle à une importante revue russe.

Sa maison ne s'ouvre que pour des amis intimes et reste impitoyablement fermée aux indifférents. Pendant ses séjours à Paris, il reçoit généralement le jeudi soir. On rencontre chez lui son rival et ami Alphonse Daudet, Tourgueneff, Montrosier, les peintres Guillemet, Manet, Coste, les jeunes écrivains dont on fait ses disciples, Huysmans, Hennique, Céard, Rod et Paul Alexis, souvent l'éditeur Charpentier. Duranty était un habitué de la maison. Parfois apparaît Edmond de Goncourt, qui sort peu le soir, habitant très loin. Pour les gens qui cherchent dans la vie des hommes et dans les objets dont ils s'entourent les explications des mystères de leur esprit, Zola peut être un CAS intéressant. Ce fougueux ennemi des romantiques s'est créé, à la campagne comme à Paris, des intérieurs tout romantiques.

A Paris, sa chambre est tendue de tapisseries anciennes ; un lit Henri II s'avance au milieu de la vaste pièce éclairée par d'anciens vitraux d'église qui jettent leur lumière bariolée sur mille bibelots fantaisistes, inattendus en cet antre de l'intransigeance littéraire. Partout des étoffes antiques, des broderies de soie vieillies, de séculaires ornements d'autel.

A Médan, la décoration est la même. L'habitation, une tour carrée au pied de laquelle se blottit une microscopique maisonnette, comme un nain qui voyagerait à côté d'un géant, est située le long de la ligne de l'Ouest ; et d'instant en instant les trains qui vont et qui viennent semblent traverser le jardin.

Zola travaille au milieu d'une pièce démesurément grande et haute, qu'un vitrage donnant sur la plaine éclaire dans toute sa largeur. Et cet immense cabinet est aussi tendu d'immenses tapisseries, encombré de meubles de tous les temps et de tous les pays. Des armures du moyen âge, authentiques ou non, voisinent avec d'étonnants meubles japonais et de gracieux objets du XVIIIe siècle. La cheminée monumentale, flanquée de deux bonshommes de pierre, pourrait brûler un chêne en un jour ; et la corniche est dorée à plein or, et chaque meuble est surchargé de bibelots.

Et pourtant Zola n'est point collectionneur. Il semble acheter pour acheter, un peu pêle-mêle, au hasard de sa fantaisie excitée, suivant les caprices de son œil, la séduction des formes et de la couleur, sans s'inquiéter comme Goncourt des origines authentiques et de la valeur incontestable.

Gustave Flaubert, au contraire, avait la haine du bibelot, jugeant cette manie niaise et puérile. Chez lui, on ne rencontrait aucun de ces objets qu'on nomme « curiosités », « antiquités » ou « objets d'art ». A Paris, son cabinet, tendu de perse, manquait de ce charme enveloppant qu'ont les lieux habités avec amour et ornés avec passion. Dans sa campagne de Croisset, la vaste pièce où peinait cet acharné travailleur n'était tapissée que de livres. Puis, de place en place, quelques souvenirs de voyage ou d'amitié, rien de plus.

Les abstracteurs de quintessence psychologique n'auraient-ils pas là un curieux sujet d'observation ?

En face de sa maison, derrière la prairie séparée du jardin par le chemin de fer, Zola voit, de ses fenêtres, le grand ruban de la Seine coulant vers Triel, puis une plaine immense et des villages blancs sur le flanc de coteaux lointains, et, au-dessus, des bois couronnant les hauteurs. Parfois, après son déjeuner, il descend une charmante allée qui conduit à la rivière, traverse le premier bras d'eau dans sa barque « Nana » et aborde dans la grande île, dont il vient d'acheter une partie. Il a fait bâtir là un élégant pavillon, où il compte, l'été, recevoir ses amis.

Aujourd'hui, il semble presque avoir abandonné le journalisme, mais ses adieux à la bataille quotidienne ne sont point définitifs, et nous le reverrons, au premier jour, reprendre dans la presse la lutte pour ses idées ; car il est lutteur par instinct, et pendant des années il a combattu sans relâche et sans la plus petite défaillance. Il a réuni, du reste, en volumes, tous ses articles de principes, et ils forment son *Œuvre critique.*

Ses idées très nettes sont exposées avec une rare vigueur.

Ses *Documents littéraires,* ses *Romanciers naturalistes, Nos Auteurs dramatiques* peuvent être classés parmi les documents de critique les plus intéressants et les plus originaux qui soient. Sont-ils indiscutablement concluants ? A cela on pourrait répondre : « Quelque chose est-elle indiscutablement concluante ? » Est-il une seule indiscutable vérité ?

Pour compléter l'énumération de ses livres de discussion, citons *Mes Haines, Le Roman expérimental, Le Naturalisme au Théâtre,* et enfin, *Une Campagne* qui vient de paraître.

Le théâtre est une de ses préoccupations. Il sent, comme tout le monde, que c'en est fait des anciennes ficelles, des anciens drames, de tout l'ancien jeu. Mais il ne semble pas avoir encore dégagé la formule nouvelle, pour employer son expression favorite, et ses essais jusqu'à ce jour n'ont pas été victorieux, malgré le mouvement qui s'est fait autour de son drame *Thérèse Raquin.*

Ce drame terrible a produit, dans le début, un effet de saisissement profond. Peut-être l'excès même de l'émotion a-t-il nui au succès définitif. On a essayé plusieurs fois de le reprendre sans parvenir à une complète réussite.

La seconde pièce de Zola, *Les Héritiers Rabourdin,* a été jouée au théâtre Cluny, sous la direction d'un des hommes les plus audacieux et les plus intelligents qu'on ait vus de longtemps conduire une scène parisienne, M. Camille Weinschenk. La pièce, applaudie mais insuffisamment interprétée, ne resta guère sur l'affiche.

Enfin *Le Bouton de Rose* au Palais-Royal fut une vraie chute, sans espoir de retour.

Zola vient, en outre, de terminer un grand drame tiré de *La Curée,* plus, dit-on, une autre pièce encore. Il se pourrait que le rôle principal de la première de ces œuvres fût destiné à Mlle Sarah Bernhardt.

Quel que soit le succès futur de ces essais dramatiques, il semble prouvé, dès à présent, que ce remarquable écrivain est doué surtout pour le roman, et que cette forme seule se prête en tout au développement complet de son vigoureux talent.

(*Emile Zola,* Collection
« Célébrités contemporaines »,
A. Quantin, 1883.)
Parut le 10 mars 1883
dans *la Revue politique et littéraire.*

LE PISTOLET

Etant donné que l'égoïsme est l'origine de toute passion et de tout plaisir, il n'existe point de plus vive satisfaction pour un homme que de prouver sa supériorité sur les autres. Mais il est à remarquer qu'on est, en général, infiniment plus fier des supériorités physiques que des supériorités morales.

Il existe dans Paris une armée d'artistes de grande valeur, à qui leur art semble presque indifférent, qui n'en parlent guère et semblent le considérer comme une simple profession; tandis qu'on ne peut causer dix minutes avec eux sans qu'ils célèbrent leur force et leur adresse. Les uns lèvent des poids d'athlètes; les autres excellent à l'escrime; ceux-ci boxent ou pirouettent sur des trapèzes à la façon des gymnasiarques; ceux-là, dès que vous leur avez été présenté, vous font tâter obstinément leurs biceps, ou se promènent sur les mains autour de vous, rendant ainsi difficile toute conversation suivie.

On pourrait même établir une sorte de classification suivant les métiers. Les peintres, en général, aiment l'épée et la pratiquent avec succès, à l'imitation sans doute de M. Carolus Duran; les sculpteurs sont des gens de force, qui préfèrent les pesants haltères, les barres parallèles et les trapèzes.

Sitôt que dans la rue une voiture chargée de pierres ou un omnibus couvert de monde demeurent immobiles à quelque montée trop rude, malgré l'effort des chevaux épuisés, on voit soudain sortir de la foule quelque monsieur fort élégant qui s'approche d'un air tranquille et saisit la roue avec grâce : et la voiture immédiatement se remet en marche, tandis que le sauveur se perd au milieu des spectateurs stupéfaits. Cet homme, ce chevalier errant des charrettes embourbées, est presque toujours un sculpteur; et il a plus d'orgueil au cœur, plus de joie intime et profonde, plus de vaniteuse satisfaction dans l'âme pour les omnibus qu'il a remis en marche que pour tous les légitimes succès gagnés à coups d'ébauchoir et de talent.

Aussi prenons garde quand le hasard nous met en rapport avec quelque artiste dont les mœurs nous sont inconnues. Soyons prudents et circonspects; ne parlons jamais de boxe si nous ne voulons point recevoir dans le nez quelque horion formidable qui nous démontre un coup imparable en même temps que la puissance musculaire de notre nouvelle connaissance.

Ne prononçons jamais le mot « bâton », si nous ne voulons point voir notre compagnon s'emparer aussitôt de notre canne et nous expliquer des attaques savantes qui jettent au ruisseau notre chapeau défoncé et nous font pleuvoir sur le crâne, malgré nos bras étendus, une grêle de coups douloureux.

Or, de tous les exercices d'adresse, il n'en est qu'un seul innocent, privé de tous ces désagréments, un seul qu'on ne peut exercer contre le spectateur inoffensif : c'est le pistolet. Et voilà pourquoi il doit être mis indubitablement au premier rang.

Mais il a encore d'autres avantages. Comme l'escrime, il exige une étude patiente, une rare habileté; il donne, plus que tout autre, la joie de la difficulté vaincue, la sensation de l'adresse triomphante; il n'exige ni partenaire, ni professeur, ni changement de costume, ni mouvements désordonnés; enfin, comme il n'est point classé parmi les exercices hygiéniques, il n'est point pratiqué par le premier venu.

Tout le monde aujourd'hui se désarticule le poignet à travailler ses contres de quarte; tout le monde se fend, sue et boutonne des plastrons de prévôts, depuis le gendre de M. Grévy jusqu'au fils du *chand* de vin du coin. L'escrime est tombée dans le commun. L'art de piquer un bras est pratiqué par tous. Les uns n'y voient qu'un procédé pour fondre leur graisse ; les autres se préparent une réputation de courage à bon marché. Je ne parle pas des vrais amateurs, qui aiment l'épée pour l'épée, l'art pour l'art, comme fait l'auteur de ce livre.

Mais le pistolet reste et restera un *sport* d'élite, aimé seulement de quelques-uns. Il ne fait pas maigrir, il ne fait pas digérer, il ne fait pas applaudir ceux qui le pratiquent, comme sont acclamés les tireurs de fleuret en des salles pleines d'amateurs ; et il présente, en cas de duel, des dangers qui font souvent reculer des hommes d'une bravoure incontestée, prêts à se battre à l'épée pour un oui ou pour un non.

Et puisqu'on ne parle aujourd'hui que de duel, comme aux meilleurs temps de la Chevalerie, aux temps où les nobles seigneurs ne savaient pas signer leur nom ; puisque le duel est une nécessité stupide imposée par la bêtise humaine, proclamons qu'à notre époque, un seul genre de duel est logique, le duel au pistolet.

Il semblerait qu'aujourd'hui le duel ne dût exister qu'à l'état de souvenir, comme les droits féodaux et les coutumes brutales de nos ancêtres. Seul, de tous les vieux usages déraisonnables, il a persisté jusqu'à nous.

Se battre avec un homme parce qu'on n'est point de son avis, parce qu'on s'est jeté des paroles vives, est déjà un acte pas mal bête.

Mais aller *sur le pré,* comme on dit, sans colère et sans désir de vengeance, uniquement pour satisfaire un antique préjugé, avec la seule envie de faire un petit trou dans la peau de l'adversaire et une vraie crainte de le tuer, avec l'intention formelle, partagée par les témoins, que le combat sera bénin, inoffensif, *correct,* cela passe les limites de la niaiserie autorisée. Quand un homme vous a violemment insulté, a outragé ceux que vous aimez, ou simplement quand une haine profonde, invincible, existe entre vous et lui ; quand vos deux existences se heurtent à tout moment, se gênent et se rencontrent sans cesse; quand la loi est impuissante, la justice désarmée, le *Droit* inapplicable, alors le duel devient au moins compréhensible.

Mais comme il est, en tout cas, un croc-en-jambe à la justice et à la logique, et un appel au sort aveugle, il devrait garder avant tout, semble-t-il, son caractère de jugement de Dieu, c'est-à-dire de jugement du seul hasard que nous avons la liberté de supposer providentiel.

La moindre inégalité de chances fait donc de cette justice d'aventure la plus monstrueuse des injustices, et seule l'impossibilité de prévoir le vainqueur rend acceptable cet acte de barbarie.

Jadis, quand chacun pratiquait l'épée et la portait au côté, comme on porte aujourd'hui une canne à la main, l'habitude quotidienne des armes faisait à peu près égaux, devant le duel, tous les hommes en situation de se battre, tous les hommes du monde, tous ceux qui relèvent de ce préjugé. Aujourd'hui les hommes dits de sport sont à peu près les seuls à fréquenter les salles d'armes. Les hommes de labeur n'ont guère le temps ni le désir de se déranger chaque matin de leur table de travail, ou de leur bureau, ou de leur laboratoire pour aller mouiller des chemises de flanelle. Il existe donc une inégalité indiscutable entre les uns et les autres et une infériorité absolue de celui qui, né pauvre ou hanté toute sa vie par une unique préoccupation de travail, de science ou d'art, se trouve insulté par un jeune homme riche que ses loisirs constants ont rendu fort à l'escrime.

Cette inégalité ne peut être en partie supprimée que par une arme n'exigeant pas de longues et patientes études, une arme facile à toutes les mains.

Le pistolet remplit à peu près ces conditions. Avec lui, d'abord, disparaît le désavantage de la vieillesse, de l'obésité, de la gaucherie, des infirmités physiques.

On objectera qu'un bon tireur tuera son adversaire du premier coup. Non pas, car ils sont rares, très rares, ceux qui affrontent sans un battement de cœur le trou noir d'où va sortir une balle, et un simple battement de cœur suffit à faire dévier d'un millimètre le bout du canon, et un millimètre, au bout du canon, donne un écart d'un mètre à une courte distance. J'en parle en ignorant d'ailleurs, n'ayant tiré que pour mon plaisir; mais je ne pense pas être contredit par l'auteur même de ce livre qui, trois fois déjà, s'est trouvé en face du pistolet d'un adversaire.

Il suffit, de lire les procès-verbaux de rencontres sans résultat entre tireurs experts pour se convaincre que le hasard est le vrai juge des duels au pistolet.

A un tout autre point de vue, c'est une arme charmante à manier et extrêmement difficile à pratiquer en perfection. Elle donne plus que tout exercice la conscience de l'adresse, la satisfaction du tour de force accompli.

Et que de tireurs merveilleux dans les tirs publics deviennent médiocres en plein air! Celui qui casse à tous coups un tuyau de pipe ne tuera point un oiseau sur une branche, parce qu'il faut tirer en l'air. Celui qui coupe un fil blanc, à dix mètres, avec un simple Flobert, ne coupera pas un fil oblique, à moins de s'exercer à nouveau, et longtemps, et patiemment. Et n'a-t-on pas, quand on arrive à tirer vraiment avec adresse, une singulière sensation de l'esprit et une sorte de joie de la main, une sensation de triomphe intime, cette sensation et cette joie nerveuses, fines et délicieuses que doivent éprouver les jongleurs.

(Baron de Vaux, *Les Tireurs au Pistolet,*
préface de Guy de Maupassant. Paris,
C. Marpon et E. Flammarion, 1883.)

FILLE DE FILLE

Mon cher ami, tu me demandes la chose la plus difficile qui soit : une préface.

Tu as eu beaucoup de succès avec ton premier roman : *La Fange,* donc tu n'as pas besoin d'être recommandé aux lecteurs; et puis je ne possède ni les qualités ni l'autorité qu'il faut pour patronner qui que ce soit. Alors pourquoi une préface? Généralement les gens qui écrivent ces sortes d'*avertissements* sont des messieurs convaincus éprouvant le besoin de dire au public qu'il n'entend rien aux lettres, et qu'eux seuls ont le secret. On déclare avec violence que tel genre d'écrits, que telle école, que telle manière de voir sont méprisables, infâmes et imbéciles. Une préface en ce cas est une espèce de sermon en faveur d'une religion littéraire. Nous n'avons, ni l'un ni l'autre, aucune religion d'aucune sorte, n'est-ce pas?

J'ai eu quelques croyances, ou, plutôt, quelques préférences : je n'en ai plus; elles se sont envolées peu à peu. On a ou on n'a pas de talent. Voilà tout. Le talent seul existe. Quant au genre de talent, qu'importe. J'arrive à ne plus comprendre la classification qu'on établit entre les Réalistes, les Idéalistes, les Romantiques, les Matérialistes ou les Naturalistes. Ces discussions oiseuses sont la consolation des Pions.

Quand passe un Romantique qui s'appelle Victor Hugo, il faut saluer jusqu'à l'agenouillement. Quand il se nomme Eugène Manuel on peut rester couvert, par protestation. Car il ne doit point exister de questions d'école, mais une seule question de talent.

Paul et Virginie est un chef-d'œuvre. Et les romans à la pommade des soi-disant idéalistes qui font se pâmer les bourgeois sont des hontes pour une littérature.

Mais depuis quelques années les gens soi-disant honnêtes s'en prennent surtout à la littérature appelée pornographique. Nous n'avons plus le droit de parler franchement de l'accouplement des êtres, acte aussi utile à la race et aussi innocent en soi que celui de la nutrition, nous n'avons plus le droit de parler de la procréation, de l'enfantement, de toutes les fonctions dites génitales qui sont pourtant plus naturelles et plus simples que les fonctions dites cérébrales, sans exciter dans le public pudibond mais débauché un ouragan d'indignation.

Ce n'est pas d'aujourd'hui que sévit dans les lettres cette pudeur d'autruches.

Voici quelques ans déjà qu'un magistrat mal nommé, M. Pinard, se fit l'avocat de la Morale menacée par un chef-d'œuvre.

Le dit M. Pinard (qui aurait pu, avant de plaider cette cause, demander au Conseil d'Etat l'autorisation de changer de nom comme le fit, dit-on, une famille de Bonnechose) attaqua et stigmatisa *Madame Bovary* qui le lui a, d'ailleurs, bien rendu!

La Morale littéraire! Qu'est-ce que cela? Je la cherche dans les Grands, dans nos Maîtres. Je n'en trouve point d'exemples dans Aristophane, dans Térence, dans Plaute, dans Apulée, dans Ovide, Virgile, Shakespeare, Rabelais, Boccace, La Fontaine, Saint-Amant, Voltaire, J.-J. Rousseau, Diderot, Mirabeau, Gautier, Musset. etc., etc.

Laissons les écrivains concevoir et exécuter suivant leurs tendances et leurs tempéraments, chastes ou sensuels, poétiques ou impurs, sans nous inquiéter des mœurs qui n'ont rien de commun avec les lettres.

Il se trouvera, je le sais, des malfaiteurs pour écrire,

sans talent, des livres immondes. Mais le parti pris de saleté est-il plus haïssable que le parti pris de vertu stupide? Ces écrits seront dangereux, dit-on? Le sont-ils plus que le récit sentimental dévoré par la fillette exaltée, le soir, dans son lit, dans son lit qu'elle ouvrira le lendemain au commis d'en face idéalisé par son rêve, devenu un héros, un personnage de roman digne de l'Amour magnifique des livres honnêtes. Sois persuadé, mon cher Guérin, qu'on va classer *Fille de Fille* parmi les œuvres pornographiques. J'aime ce livre parce qu'il est vrai, et sans tendances. Tu racontes le vice, mais tu ne demandes pas le prix que feu Montyon, ce niais, a institué pompeusement pour récompenser des hypocrites jugés par des cafards.

Tu n'idéalises pas. Tu dis les choses telles qu'elles sont. J'en prends un exemple qui m'a ravi et par sa forme très littéraire et par la justesse surprenante de l'image. Parlant de la poitrine d'une fille flétrie, tu dis que son corset la contenait comme une carafe contient de l'eau. Voilà quelque chose de vu, de juste, de parfait! Tu m'as donné dans les mains la sensation singulière de cette chair liquide et coulante. J'en sais qui auraient parlé du marbre, j'en sais d'autres qui auraient parlé des roses, d'autres encore qui, forçant l'image horrible, auraient parlé de vessies vidées. Ceux-ci comme ceux-là nous auraient trompés, comme on trompe en littérature. Mais quoi de plus drôle et de plus vrai que cette comparaison d'une carafe et d'un corset donnant à ce qu'ils enferment la forme immobile qu'ils ont.

Plus que les grands effets, j'aime ces petits détails précis révélant l'observateur, l'homme qui a vécu et retenu.

Je ne veux point faire ici l'analyse de ton livre, pas plus que je ne veux écrire une préface. Tu as désiré me donner un témoignage d'amitié vive en me demandant quelques lignes en tête de ton roman. Je t'en remercie de tout mon cœur. Cette lettre est bien peu de choses, et bien courte pour être imprimée. Fais-en ce que tu voudras.

Je te serre cordialement les mains.

(Jules Guérin, *Fille de Fille*, roman parisien, préface de Guy de Maupassant. Bruxelles, Henry Kistemaeckers, 1883.)

CELLES QUI OSENT!

Celles qui osent! Le titre et le volume ont de l'audace, mon cher ami. Je t'ai lu, avant tout le monde, avec ce plaisir que j'ai toujours à te lire. J'aime ton art subtil, coloré, odorant, complexe, qui multiplie les sensations et fait vibrer dans les profondeurs intimes de la pensée un tas de petites cordes dont on ignorait presque l'existence en soi. De tous tes volumes, celui-là est peut-être celui où l'on trouve, où l'on savoure le plus complètement tes rares et délicates qualités d'écrivain. Les choses que tu dis là-dedans m'ont fait faire des séries de réflexions et je veux, à propos de rien, comme à propos du livre entier, causer d'amour avec toi, puisqu'il s'agit d'amour et d'amour hardi dans *Celles qui osent*.

Tu as développé souvent, au sujet de l'amour sentimental, qui n'est, en réalité, que l'hypocrisie de l'accouplement, des théories qui me choquent par leur raffinement même. Je trouve dans ton dernier volume beaucoup de choses qui me plaisent par leur sincérité. Ce qui n'empêche que jamais nous ne nous entendrons sur l'amour.

Que cette occupation agréable tienne une grande place dans la vie des femmes, je le comprends, elles n'ont rien à faire. Je m'étonne que, dans la vie d'un homme, elle puisse être autre chose qu'un passe-temps facile à varier, comme une bonne table ou ce qu'on appelle les sports. Quant à la fidélité, à la constance, quelle folie! Jamais on ne me fera comprendre que deux femmes ne valent pas mieux qu'une, trois mieux que deux, et dix mieux que trois. Qu'on revienne à l'une plus souvent qu'aux autres, c'est naturel, comme il est naturel de manger souvent un plat qu'on aime. Mais n'en garder qu'une, toujours, me semblerait aussi surprenant et illogique que si un amateur d'huîtres ne mangeait plus que des huîtres, à tous les repas, toute l'année.

La fidélité et la constance me paraissent enlever à l'amour un charme qui est dans la fantaisie et l'imprévu.

Le cœur féminin, par exemple, diffère beaucoup du nôtre, et je comprends les raisons qu'ont les femmes d'être plus persévérantes que nous dans leurs tendresses.

Nous autres, nous adorons *la femme,* et quand nous en choisissons une passagèrement, c'est un hommage rendu à leur race entière. On peut idolâtrer les brunes parce qu'elles sont brunes, et aussi les blondes parce qu'elles sont blondes, l'une pour ses yeux aigus qui vont au cœur, l'autre pour sa voix qui fait vibrer nos nerfs; celle-ci pour sa lèvre rouge, celle-là pour la cambrure de sa taille; mais comme nous ne pouvons cueillir, hélas, toutes ces fleurs en même temps, la nature a mis en nous l'amour, *la toquade, le caprice fou,* qui nous les fait désirer à tour de rôle, augmentant ainsi la valeur de chacune à l'heure de l'affolement.

Or, l'affolement, chez nous, devrait, me semble-t-il, être limité à la période d'attente. Le désir satisfait, ayant supprimé l'inconnu, enlève à l'amour sa plus grande valeur.

Chaque femme conquise nous prouve, une fois de plus, que toutes sont à peu près pareilles entre nos bras. Les idéalistes surtout, qui courent sans cesse après l'illusion rêvée, ne devraient-ils pas être atterrés au lendemain de chaque possession? Nous autres qui demandons moins à l'amour, nous aurions le droit de lui être plus reconnaissants du peu qu'il donne aux hommes intelligents et difficiles.

La constance conduit au mariage ou à la chaîne. Rien

dans la vie ne semble plus attristant et plus pénible que ces liaisons de longue durée.

Le mariage supprime d'un coup, quand on le prend sérieusement, la possibilité des désirs nouveaux, toutes les tendresses à venir, la fantaisie du lendemain et tout le charme des rencontres. Il a, en outre, l'inconvénient odieux de condamner les époux à un déplorable ordinaire. Car quel est le mari qui oserait prendre avec sa femme les libertés délicieuses que pratiquent, aussitôt, les amants.

Et c'est là, conviens-en, le plus grand prix de l'amour, l'audace des baisers. En amour, il faut oser, oser sans cesse. Nous aurions bien peu de maîtresses agréables si nous n'étions pas plus audacieux que les maris, dans nos caresses, si nous nous contentions de la plate, monotone et vulgaire habitude des nuits conjugales.

La femme rêve toujours, elle rêve de ce qu'elle ignore, de ce qu'elle soupçonne, de ce qu'elle devine. Après le premier étonnement de la première étreinte, elle se reprend à rêver. Elle a lu, elle lit. A tout instant des phrases au sens obscur, des plaisanteries chuchotées, des mots inconnus entendus par hasard lui révèlent l'existence de choses qu'elle ne connaît point. Si d'aventure, elle pose en tremblant une question à son mari, il prend aussitôt un air sévère et répond : « Ces choses-là ne te regardent pas. » Or elle trouve que ces choses la regardent tout autant que les autres femmes. Quelles choses d'ailleurs? Il en existe donc? Des choses mystérieuses, honteuses, et bonnes, sans doute, puisqu'on en parle tout bas avec un air excité. Les filles, paraît-il, tiennent leurs amants au moyen de pratiques obscènes et puissantes.

Quant au mari, qui les connaît bien, ces choses, il n'ose pas les révéler à sa femme dans le mystère du tête-à-tête nocturne, parce qu'une femme épousée c'est différent d'une maîtresse, sacrebleu! et parce qu'un homme doit respecter sa femme qui est ou qui sera la mère de ses enfants. Alors comme il ne veut pas renoncer aux choses qu'il n'ose point faire légitimement, il va chez quelque impure et s'en donne.

Mais la femme commence à se tenir des raisonnements d'un bon sens simple et net. — On ne vit pas deux fois. — La vie est courte. — Une femme, mariée à vingt ans, est mûre à trente et avancée à quarante. — Or si on ne fait rien, si on ne connaît rien, si on ne jouit de rien avant cette limite, ce sera fini pour toujours. Les joies conjugales sont épuisées. Elle en est lasse, écœurée. — Alors — alors — un amant?... Pourquoi pas? — Ces choses, *celles qu'on ose* dans l'adultère ont peut-être un charme si grand!

Une fois la pensée, le désir entrés en sa tête, la chute est proche, très proche.

Elle ose enfin, mais doucement, peu à peu. Elle a des réserves, des limites. Ceci, oui; cela, non. Ces distinctions, une fois le premier pas franchi, sont surprenantes et grotesques, mais générales. Il semblerait qu'à partir du moment où une femme s'est décidée à expérimenter l'amour, l'amour défendu, raffiné, inventif, elle devrait toujours demander davantage, toujours vouloir du nouveau, toujours chercher, toujours attendre des baisers différents, plus aigus. Eh bien, non. La morale, morale étrange et mal placée, reprend ses droits. Te figures-tu un assassin qui jugerait plus coupable de tuer un homme avec un couteau qu'avec un pistolet? Elles ne les osent pas toutes, les choses charmantes qui rendent la vie moins morne.

Moi je voudrais, et ce serait de la bonne pornographie, je voudrais qu'un poète, un vrai poète les chantât audacieusement, un jour, en des vers hardis et passionnés, ces choses honteuses qui font rougir les imbéciles. Il ne faudrait là ni gros mots, ni polissonneries, ni sous-entendus; mais une suite de petits poèmes simples et francs, bien sincères.

Te rappelles-tu certains vers, que nous savourions parfois des vers réputés abominables mais qui sont doux comme des caresses?

Tu viens de faire en prose quelque chose dans ce genre.

Laisse crier les sots, et continue.

Je te serre cordialement les mains.

(René Maizeroy, *Celles qui osent!*
préface de Guy de Maupassant. Paris,
C. Marpon et E. Flammarion, 1883.)

LES TROIS CAS

On a beaucoup discuté depuis quelque temps sur le quatrième acte de *Pot-Bouille*. Cette manière simple et bourgeoise de considérer l'adultère a choqué force gens du monde qui le pratiquent pourtant plus simplement encore.

On a trouvé peu noble qu'un mari, surprenant sa femme en flagrant délit, se contente de dire à l'amant : « Moi, me battre avec vous? Jamais de la vie. Ma femme est votre maîtresse, gardez-la! »

Comment se comportent pourtant, en pareil cas, la plupart des maris que nous voyons tous les jours? D'abord les maris d'aujourd'hui ne constatent plus. Je parle de ceux du monde. Ils acceptent, ou ils ignorent. Seuls les petits bourgeois et les gens du peuple usent du vieux moyen de la surprise qui entraîne inévitablement à une détermination énergique et toujours regrettée.

L'adultère, tant que le mariage existera sans le divorce, car le divorce deviendra la sécurité des maris et la désolation des amants, l'adultère donc restera pour les spectateurs un éternel sujet de discussion, de surprise et d'erreur.

Dès qu'un homme est marié, il se change en sphinx, en énigme, en mystère. Une transformation étrange se produit dans son esprit. Il devient le gardien d'un bien mystérieux, du jardin conjugal dont chaque ami tâche de cueillir les fruits.

Cinq fois sur dix il est cocu. Il s'en aperçoit une fois sur cent, ou du moins il manifeste qu'il s'en est aperçu.

L'infidélité dans le mariage est naturelle, normale. La fidélité absolue de l'un ou de l'autre contractant ne peut provenir que d'une nature endormie, sans sensations, sans imaginations, sans rêves.

L'homme, le mâle (en est-il plus d'un sur mille qui reste fidèle) obéit à son instinct de polygame, et reprend au bout de quelques mois ses habitudes de jeunesse. Il est fatigué de sa femme car il est dans la nature d'arriver à la satiété par la possession répétée; il découvre chez les autres une quantité de séductions nouvelles. Il se dit avec raison que le mariage pris sérieusement supprimerait tout le charme de la vie, l'attente exquise de l'inconnu, le frémissement délicieux du désir qui s'éveille, l'imprévu des aventures, la fantaisie des attractions, et cette si douce émotion des premières rencontres, si elles ne devaient pas avoir de lendemain.

Pourquoi se gênerait-il d'ailleurs?

Mais ce qu'il y a d'étrange dans son cas, c'est qu'il prétend souvent exiger de sa compagne cette plate et monotone fidélité qu'il ne songe nullement à observer lui-même.

Quant à la femme, elle demeure d'abord simplement et dignement fidèle. Mais après l'attendrissement des premiers temps et l'étonnement des premières étreintes elle se reprend à rêver, car dans son âme, jusqu'à sa mort, flottera le rêve indécis du bonheur irréalisé. Puis elle sera assaillie par les tristesses de l'existence, par les doutes, par les inquiétudes, les froids soupçons de la réalité qu'elle ne fera d'ailleurs qu'entrevoir, tant demeure opaque le voile d'illusions dont est enveloppé son cœur.

Une lassitude l'énerve, l'attente, l'éternelle attente de l'amour renaît en elle. Elle espère encore! Quoi? Elle a été élevée pour plaire, pour séduire. Elle a été instruite dans cette pensée que l'amour est son domaine, sa faculté la seule joie au monde. La nature l'a faite jolie, entraînable, changeante, pleine de désirs mobiles, de contradictions, d'irrésolutions. La nature et la société l'ont faite coquette, séduisante et fine.

Elle commence pourtant à se tenir des raisonnements d'un bon sens simple et net. — On ne vit pas deux fois. — La vie est courte. — Une femme, mariée à vingt ans, est mûre à trente et avancée à quarante? — Or, si on ne fait rien, si on ne connaît rien, si on ne jouit de rien avant cette limite, ce sera fini pour toujours. Les joies conjugales sont épuisées. Elle en est fatiguée! Alors, alors — un amant?... Pourquoi pas?

Elle cède enfin à l'invincible sollicitation de l'espérance d'amour. Elle aime ou croit aimer.

**

Que fait le mari?

Trois cas se présentent.

Dans le premier, il ignore tout. Il ignore absolument malgré l'évidence. Tout le monde sait la chose, excepté lui. Et il rit sans cesse des maris trompés, il en plaisante avec grâce. Quoi qu'il arrive il ne saura jamais rien. C'est là un inconcevable mystère, un de ces secrets insondables où s'émousse toute pénétration. On pourrait appeler cet aveuglement heureux, inexplicable et constant, le *bandeau des cocus;* et il y aurait là matière à une très intéressante étude psychologique et sociale que couronnerait un jour ou l'autre la benoîte Académie.

Rien de plus surprenant que cette tranquille ignorance du mari. On se dit à toute heure : « Mais il est impossible qu'il ne devine pas, qu'il ne voie pas, qu'il ne comprenne pas. » La femme fait à son amant des scènes de jalousie devant lui, donne ses rendez-vous, se risque à ces témérités qui ont un charme excitant pour elle. Elle lui met sous les yeux et sous le nez son... malheur, vingt fois par jour. Il ne voit rien; il ne comprend rien.

D'où vient cela? Sans doute d'une vanité naïve et colossale. Chacun ayant une tendance à se croire un être d'exception, il ne suppose pas qu'une chose pareille puisse lui arriver, à lui!

Et il devient admirablement ridicule, non par le fait lui-même, par sa situation de cocu, mais par son ignorance confiante et souriante, par son attitude satisfaite.

Dans le second cas, le mari feint de ne rien voir.

Il connaît la vie, celui-là, et veut rester tranquille. Son seul soin est d'empêcher les imprudences compromettantes de sa femme. Sait-il au juste qu'il est trompé? Peut-être non? Il veut ignorer. Il a des maîtresses; il ne désire plus les plaisirs conjugaux qu'il a pratiqués exclusivement pendant quatre ou cinq ans; il ne veut pas non plus être ridicule, et il veille... aux apparences. Tant qu'elle n'aura pas le mauvais goût de se compromettre, il ne saura rien, car il ne s'avoue pas à lui-même qu'il sait; il préfère ignorer toujours, n'ayant que faire d'une certitude qui ne servirait qu'à troubler son existence.

C'est un sage. Le monde est pétri d'indulgence pour les liaisons nouées avec réserve et savoir-vivre. Il les accepte, les favorise, les consacre. Et on ne rit jamais de ce mari-là, qui a pour amis, l'un après l'autre, ceux de sa femme et qui vit avec eux dans une intimité cordiale et armée.

Dans le troisième cas, le mari casse les vitres. Celui-là n'est qu'un sot, à moins que des circonstances impérieuses ne l'aient forcé à un scandale.

*
* *

Le mari qui brise les vitres n'est qu'un sot. Et pour beaucoup de raisons.

D'abord, quand on ne veut pas être cocu, il faut éviter les chances premières et rester garçon. Si je monte en ballon, je risque assurément mes membres, et j'aurais tort de m'indigner ensuite si je me suis cassé bras ou jambe à la descente. L'homme s'imagine que l'acte de mariage lui donne sur la femme qu'il épouse des droits absolus, sans limites et sans réserves.

Certes, le mariage lui confère le droit d'exercer contre

sa compagne ses privilèges organiques de mâle. Mais vraiment est-il sensé, est-il humain, est-il logique qu'une pauvre fille ignorante de tout, ignorante des sentiments et des actes de l'amour, ignorante de la vie et des événements, soit liée, corps et âme, jusqu'à sa mort, au particulier qui a conclu avec les parents la transaction commerciale qu'on appelle un mariage?

Cette enfant peut être enchaînée à quinze ans par un traité dont elle ne devra plus s'affranchir tandis qu'il lui faudra attendre qu'elle ait les vingt-cinq ans exigés pour exister légalement et jouir des droits que confère la majorité. Jusque-là, elle ne peut s'engager à rien, elle ne peut ni jouir de sa fortune, ni emprunter de l'argent, ni vendre son bien, mais elle peut se vendre elle-même, vendre toute sa part de bonheur, d'espoirs, de plaisirs, de rêves, sans même savoir à qui, ni pourquoi, ni ce qu'on fera d'elle, ni à quoi elle s'engage, ni à quoi elle renonce.

Et la loi, la loi stupide qui permet et ordonne cela, qui sanctionne et noue ce lien révoltant, ne reconnaît pas les vœux éternels des religieux, n'admet pas qu'un homme libre, majeur, ayant vécu, sacrifie d'une façon définitive sa vie au service d'une idée qu'il croit sacrée.

L'usage, plus doux, reconnaît cette injustice, et il admet, sans le proclamer toutefois, que la femme peut se donner à un autre que l'époux.

Mais si l'époux est d'une nature brutale et jalouse, il va veiller, rôder, prêt à tuer la femme et l'amant.

Qu'y gagnera-t-il? Du ridicule!

Si la femme ne songe point à le tromper, il lui donnera ce désir. Si elle y songe, il n'empêchera rien.

Quels que soient ses précautions, ses ruses, ses méfiances, ses artifices, il ne fera qu'exaspérer l'audace et l'astuce féminines.

J'admets qu'il réussisse à empêcher pendant long-temps le fait brutal de la possession physique. Qu'importe! si sa femme appartient en pensée à un autre.

Il est le gardien violent de la chasteté du corps. Mais

peut-il être celui de la chasteté de l'âme! Garde-chiourme de la fidélité, il veille, harcelé par la peur du baiser donné derrière son dos. Qu'est le baiser d'une minute auprès de l'abandon du cœur, auprès du désir sans fin, auprès de la caresse des yeux, auprès de tous les riens invisibles par lesquels une femme se livre tout entière à celui qu'elle a choisi! Il la suit, grotesque et sournois, sans comprendre qu'elle n'est plus à lui, que chacun de ses soupçons éveille chez elle un désir nouveau, que chacune de ses obsessions fait naître en elle un élan d'amour vers celui qu'elle veut.

Il semble dire : « Ma femme est à moi. Vous ne l'aurez pas! »

— Est-elle à lui vraiment si elle ne lui appartient qu'avec dégoût dans une étreinte qui révolte son cœur? Est-elle à lui si elle a envie de s'enfuir quand il approche, de le souffleter quand il l'embrasse? Est-elle à lui si elle le hait, si elle subit sa caresse comme elle boirait, par force, un répugnant breuvage?

Elles sont nombreuses celles que violente ainsi un époux détesté! Que ne le trompent-elles avec lui-même?

Car rien n'est vrai que l'illusion et que le rêve! Quand il ouvre, le soir, la porte conjugale, l'homme qui a le droit d'entrer, qu'elles ferment les yeux et qu'elles songent à l'autre! Quand il approche, qu'elles se disent : « C'est lui! c'est lui! » Et qu'elles le voient, l'autre, avec ses traits, son regard, sa bouche qu'elles désirent, et ses mains caressantes. Qu'elles ouvrent les bras pour lui seul; qu'elles reçoivent ses baisers des lèvres de leur mari! sauront-elles en réalité lequel des deux les possède si elles aiment assez celui qu'elles appellent pour se croire à lui dans cette hallucination d'amour?

Qu'elles trompent l'époux à l'heure même où il les tient embrassées! N'est-ce point là un plaisir délicieux, une vengeance perverse et terrible? Que chaque baiser qu'elles subissent soit une infidélité, que chaque étreinte devienne un adultère!

Et quand il sera parti, tranquille et satisfait, l'époux,

qu'elles s'endorment en songeant à l'autre! Et dans leur rêve, il reviendra, l'autre; et bien qu'elles soient seules en leur couche, elles se donneront encore à lui de tout leur cœur et de toute leur chair.

(*Gil Blas*, 15 janvier 1884.)

NOTES D'UN VOYAGEUR

Sept heures. Un coup de sifflet; nous partons. Le train passe sur les plaques tournantes, avec le bruit que font les orages au théâtre; puis il s'enfonce dans la nuit, haletant, soufflant sa vapeur, éclairant de reflets rouges des murs, des haies, des bois, des champs.

Nous sommes six, trois sur chaque banquette, sous la lumière du quinquet. En face de moi, une grosse dame avec un gros monsieur, un vieux ménage. Un bossu tient le coin de gauche. A mes côtés, un jeune ménage, ou du moins un jeune couple. Sont-ils mariés? La jeune femme est jolie, semble modeste, mais elle est trop parfumée. Quel est ce parfum-là? je le connais sans le déterminer. Ah! j'y suis. Peau d'Espagne. Cela ne dit rien. Attendons.

La grosse dame dévisage la jeune avec un air d'hostilité qui me donne à penser. Le gros monsieur ferme les yeux. Déjà! Le bossu s'est roulé en boule. Je ne vois plus où sont ses jambes. On n'aperçoit que son regard brillant sous une calotte grecque à gland rouge. Puis il plonge dans sa couverture de voyage. On dirait un petit paquet jeté sur la banquette.

Seule la vieille dame reste en éveil, soupçonneuse, inquiète, comme un gardien chargé de veiller sur l'ordre et sur la moralité du wagon.

Les jeunes gens demeurent immobiles, les genoux enveloppés du même châle, les yeux ouverts, sans parler; sont-ils mariés?

Je fais à mon tour semblant de dormir et je guette.

Neuf heures. La grosse dame va succomber, elle ferme les yeux coup sur coup, penche la tête vers sa poitrine et la relève par saccades. C'est fait. Elle dort.

O sommeil, mystère ridicule qui donne au visage les aspects les plus grotesques, tu es la révélation de la laideur humaine. Tu fais apparaître tous les défauts, les difformités et les tares! Tu fais que chaque figure touchée par toi devient aussitôt une caricature.

Je me lève et j'étends le léger voile bleu sur le quinquet. Puis je m'assoupis à mon tour.

De temps en temps, l'arrêt du train me réveille. Un employé crie le nom d'une ville, puis nous repartons.

Voici l'aurore. Nous suivons le Rhône, qui descend vers la Méditerranée. Tout le monde dort. Les jeunes gens sont enlacés. Un pied de la jeune femme est sorti du châle. Elle a des bas blancs! C'est commun : ils sont mariés. On ne sent pas bon dans le compartiment. J'ouvre une fenêtre pour changer l'air. Le froid réveille tout le monde, à l'exception du bossu qui ronfle comme une toupie sous sa couverture. La laideur des faces s'accentue encore sous la lumière du jour nouveau.

La grosse dame, rouge, dépeignée, affreuse, jette un regard circulaire et méchant à ses voisins. La jeune femme regarde en souriant son compagnon. Si elle n'était point mariée elle aurait d'abord contemplé son miroir!

Voici Marseille. Vingt minutes d'arrêt. Je déjeune. Nous repartons. Nous avons le bossu en moins et deux vieux messieurs en plus.

Alors les deux ménages, l'ancien et le nouveau, déballent des provisions. Poulet par-ci, veau froid par-là, sel et poivre dans du papier, cornichons dans un mouchoir, tout ce qui peut vous dégoûter des nourritures pendant l'éternité! Je ne sais rien de plus commun, de plus grossier, de plus inconvenant, de plus mal appris que de manger dans un wagon où se trouvent d'autres voyageurs.

S'il gèle, ouvrez les portières! S'il fait chaud, fermezles et fumez la pipe, eussiez-vous horreur du tabac ; mettez-vous à chanter, aboyez, livrez-vous aux excentricités les plus gênantes, retirez vos bottines et vos chaussettes et coupez les ongles de vos pieds ; tâchez de rendre enfin à ces voisins mal élevés la monnaie de leur savoir-vivre.

L'homme prévoyant emporte une fiole de benzine ou de pétrole pour la répandre sur les coussins dès qu'on se met à dîner près de lui. Tout est permis, tout est trop doux pour les rustres qui vous empoisonnent par l'odeur de leurs mangeailles.

Nous suivons la mer bleue. Le soleil tombe en pluie sur la côte peuplée de villes charmantes.

Voici Saint-Raphaël. Là-bas est Saint-Tropez, petite capitale de ce pays désert inconnu et ravissant qu'on nomme les Montagnes des Maures. Un grand fleuve sur lequel aucun pont n'est jeté, l'Argens, sépare du continent cette presqu'île sauvage, où l'on peut marcher un jour entier sans rencontrer un être, où les villages, perchés sur les monts, sont demeurés tels que jadis, avec leurs maisons orientales, leurs arcades, leurs portes cintrées, sculptées et basses.

Aucun chemin de fer, aucune voiture publique ne pénètre dans ces vallons superbes et boisés. Seule, une antique patache porte les lettres de Hyères et de Saint-Tropez.

Nous filons. Voici Cannes, si jolie au bord de ses deux golfes, en face des îles de Lérins qui seraient, si on les pouvait joindre à la terre, deux paradis pour les malades.

Voici le golfe de Juan ; l'escadre cuirassée semble endormie sur l'eau.

Voici Nice. On a fait, paraît-il, une exposition dans cette ville. Allons la voir.

On suit un boulevard qui a l'air d'un marais et on parvient, sur une hauteur, à un bâtiment d'un goût douteux et qui ressemble, en tout petit, au grand palais du Trocadéro. Là-dedans, quelques promeneurs au milieu d'un chaos de caisses.

L'exposition, ouverte depuis longtemps déjà, sera prête sans doute pour l'année prochaine.

L'intérieur serait joli s'il était terminé. Mais... il en est loin. Deux sections m'attirent surtout : « les comestibles et les beaux-arts ». Hélas! voici bien des fruits confits de Grasse, des dragées, mille choses exquises à manger... Mais... il est interdit d'en vendre... On ne peut que les regarder... Et cela pour ne point nuire au commerce de la ville! Exposer des sucreries pour la seule joie du regard et avec défense d'y goûter me paraît certes une des plus belles inventions de l'esprit humain.

Les beaux-arts sont... en préparation. On a ouvert cependant quelques salles où l'on voit de fort beaux paysages de Harpignies, de Guillemet, de Le Poittevin, un superbe portrait de Mlle Alice Regnault par Courtois, un délicieux Béraud, etc. Le reste... après déballage.

Comme il faut, quand on visite, visiter tout, je veux m'offrir une ascension libre et je me dirige vers le ballon de M. Godard et Cie.

Le mistral souffle. L'aérostat se balance d'une manière inquiétante. Puis une détonation se produit. Ce sont les cordes du filet qui se rompent. On interdit au public l'entrée de l'enceinte. On me met également à la porte.

Je grimpe sur ma voiture et je regarde.

De seconde en seconde, quelques nouvelles attaches claquent avec un bruit singulier, et la peau brune du ballon s'efforce de sortir des mailles qui la retiennent. Puis soudain, sous une rafale plus violente, une déchirure immense ouvre de bas en haut la grosse boule volante, qui s'abat comme une toile flasque, crevée et morte.

A mon réveil, le lendemain, je me fais apporter les journaux de la ville et je lis avec stupeur : « La tempête qui règne actuellement sur notre littoral a obligé l'administration des ballons captifs et libres de Nice, pour éviter un accident, de dégonfler son grand aérostat.

347

» Le système de dégonflement qu'a employé M. Godard est une de ses inventions qui lui font le plus grand honneur. »

Oh! Oh! Oh! Oh!
O brave public!

Toute la côte de la Méditerranée est la Californie des pharmaciens. Il faut être dix fois millionnaire pour oser acheter une simple boîte de pâte pectorale chez ces commerçants superbes qui vendent le jujube au prix des diamants.

On peut aller de Nice à Monaco par la Corniche, en suivant la mer. Rien de plus joli que cette route taillée dans le roc, qui contourne des golfes, passe sous des voûtes, court et circule dans le flanc de la montagne au milieu d'un paysage admirable.

Voici Monaco sur son rocher, et, derrière, Monte-Carlo... Chut!... Quand on aime le jeu, je comprends qu'on adore cette jolie petite ville. Mais comme elle est morne et triste pour ceux qui ne jouent point! On n'y trouve aucun autre plaisir, aucune autre distraction.

Plus loin, c'est Menton, le point le plus chaud de la côte et le plus fréquenté par les malades. Là, les oranges mûrissent et les poitrinaires guérissent.

Je prends le train de nuit pour retourner à Cannes. Dans mon wagon, deux dames et un Marseillais qui raconte obstinément des drames de chemin de fer, des assassinats et des vols.

« ... J'ai connu un Corse, Madame, qui s'en venait à Paris avec son fils. Je parle de loin, c'était dans les premiers temps de la ligne P.-L.-M. Je monte avec eux, puisque nous étions amis, et nous voici partis.

» Le fils, qui avait vingt ans, n'en revenait pas de voir courir le convoi, et il restait tout le temps penché à la portière pour regarder. Son père lui disait sans cesse : « Hé! prends garde, Mathéo, de te pencher trop, que tu pourrais te faire mal. » Mais le garçon ne répondait seulement point.

» Moi je disais au père :

« Té, laisse-le donc, si ça l'amuse. »

» Mais le père reprenait :

« Allons, Mathéo, ne te penche pas comme ça. »

» Alors, comme le fils n'entendait point, il le prit par son vêtement pour le faire rentrer dans le wagon, et il tira.

» Mais voilà que le corps nous tomba sur les genoux. Il n'avait plus de tête, Madame... elle avait été coupée par un tunnel. Et le cou ne saignait seulement plus ; tout avait coulé le long de la route... »

Une des dames poussa un soupir, ferma les yeux, et s'abattit vers sa voisine. Elle avait perdu connaissance...

(*Le Gaulois,* 4 février 1884.)

CAUSERIE TRISTE

Voici venus les jours du carnaval, les jours où le bétail humain s'amuse par masses, par troupeaux, montrant bien sa bestiale sottise.

Paris ne connaît point de carnaval. Quelques masques passent, rapides, honteux et méprisés dans la foule, lente et pesante, sortie parce qu'elle a congé.

C'est à Nice qu'il faut voir cette fête de la brute civilisée! Hommes et femmes, du peuple et du monde mêlés, la tête couverte d'un masque en fil de fer, trouvent un plaisir délirant à se jeter du plâtre dans les yeux. Une folie furieuse agite ces êtres qui gesticulent, crient, se heurtent et se lancent au visage des poignées de confetti, de poussière et de cailloux. Une bête semble déchaînée dans chacun de ces hommes, la bête, cette hideuse bête humaine qui apparaît, hurle, s'enivre, se bat, frappe, ravage, ou tue sitôt qu'on la lâche et qu'on la démusèle, la bête horrible qui incendie, pille et massacre aux jours de guerre, qui guillotine aux jours de révolution, et saute, en sueur, aux jours de gaieté publique, affreuse dans sa joie comme dans sa férocité.

Quel bonheur stupide peuvent trouver ces gens à aveugler les passants avec du plâtre? Quelle joie à heurter des coudes, à bousculer ses voisins, à s'agiter, à courir, à crier ainsi sans aucun résultat pour ces fatigues, sans aucune récompense après ces mouvements inutiles et violents?

Quel plaisir éprouve-t-on à se réunir si c'est uniquement pour se jeter des saletés à la face? Pourquoi cette foule est-elle délirante de joie, alors qu'aucune jouissance ne l'attend?

Pourquoi parle-t-on longtemps d'avance de ce jour, et le regrette-t-on lorsqu'il est passé? Uniquement parce qu'on déchaîne la bête, ce jour-là! On lui donne liberté comme à un chien que la chaîne des usages, de la politesse, de la civilisation et de la loi tiendrait attaché toute l'année!

La bête humaine est libre! Elle se soulage et s'amuse selon sa nature de brute.

Il ne faut pas en vouloir aux hommes, mais à la race elle-même!

_

Voilà le plaisir, voilà le bonheur pourtant! Ces gens sont heureux pendant quelques jours. Oui, c'est du bonheur, cela! Il n'en faut pas plus à beaucoup.

Cette idée de plaisir et de bonheur est, en nous, tenace, vivace, indéracinable malgré la réalité lamentable.

A vingt ans, on est heureux, parce que la force, l'ardeur du sang, l'espoir indécis d'événements délicieux qui semblent si proches et qu'on n'atteint jamais, suffisent à faire s'épanouir l'âme, toute vibrante de la seule joie de vivre.

Mais plus tard, lorsqu'on voit, lorsqu'on comprend, lorsqu'on sait! Lorsque les cheveux blancs apparaissent et qu'on perd chaque jour, dès la trentaine, un peu de sa vigueur, un peu de sa confiance, un peu de sa santé, comment garder sa foi dans un bonheur possible?

Comme une vieille maison, dont tombent, d'année en année, des tuiles et des pierres, que la lézarde ride au front et que la mousse a depuis longtemps défraîchie, la mort, l'inévitable mort sans cesse nous talonne et nous dégrade. Elle nous prend, de mois en mois, la fraîcheur de la peau qui ne reviendra point, des dents qui ne renaîtront pas, nos cheveux qui ne repousseront plus;

elle nous défigure, fait de nous, en dix ans, un être nouveau, tout différent, qu'on ne peut même pas reconnaître; et plus nous allons, plus elle nous pousse, nous affaiblit, nous travaille et nous ravage.

Elle nous émiette d'instant en instant. A chaque jour, à chaque heure, à chaque minute, dès qu'a commencé cette lente démolition de notre corps, nous mourons un peu. Respirer, dormir, boire et manger, marcher, aller à ses affaires, tout ce que nous faisons, vivre enfin, c'est mourir! Mais nous n'y songeons guère heureusement! Nous espérons toujours un bonheur prochain, et nous dansons au carnaval. Pauvres êtres!

**

Comment le rêvons-nous, ce bonheur, nous autres qui savons rêver? Qu'attendons-nous ainsi sans cesse, autre que cette mort accourant vers nous? Quel songe nous berce ainsi, nous trompe ainsi? Car l'humanité tout entière espère toujours quelque chose de bon et d'indéterminé!

Pour beaucoup, c'est l'amour! Quelques baisers, quelques soirs d'exaltation, de longs regards, puis des pleurs, un dur chagrin, et l'oubli, voilà! Puis la mort.

Pour d'autres, c'est la fortune, le luxe de l'existence, les délicatesses de la vie, les fins repas qui donnent la goutte, les fêtes qui usent l'homme en quelques ans, les richesses de l'ameublement et les respects des serviteurs; c'est courir vers la mort en landau au lieu d'y aller à pied.

Pour d'autres, c'est la puissance, l'orgueil de la domination, le droit de signer des papiers qui changent l'existence des peuples? Qu'y gagne-t-on de personnel? de doux? de bon? Pour d'autres, le bonheur, c'est la vie simple, honnête, droite, sans événements, sans secousses, au milieu des enfants; la vie plate comme une grande route, nue comme la mer, monotone comme le désert. Ne rien attendre, ne rien rêver d'imprévu, ne rien désirer d'extraordinaire, de surprenant, est-ce possible pour quiconque a l'esprit vif et palpitant? La peur de la mort et de l'inconnu qui est derrière jettent les autres dans la pénitence au fond des cloîtres. Ils renoncent à tout, à tout ce que la vie, notre pauvre vie, peut nous donner encore d'agréable, par la crainte d'un châtiment mystérieux et l'espoir d'une récompense éternelle.

Qu'y gagneront-ils, ces craintifs égoïstes?

Quelles que soient nos attentes, elles nous trompent toujours. Seule, la mort est certaine! Je crois à la mort fatale et toute-puissante!

Mais des gens dansent au carnaval et se jettent du plâtre dans les yeux!

***

Puis, quand la Terre sera morte aussi, il ne restera plus rien de nos rêves, de nos espérances, de nos travaux, de nos folies, de nos agitations, de nos efforts! Rien, pas même un souvenir!

Et quelque poète, peut-être, habitant Mars ou Vénus, dira de notre globe détruit ce que M. Edmond Haraucourt dit de la Lune.

Puis ce fut l'âge blond des tiédeurs et des vents
La Lune se peupla de murmures vivants;
Elle eut des mers sans fond et des fleuves sans nombre,
Des troupeaux, des cités, des pleurs, des cris joyeux;
Elle eut l'amour; elle eut ses arts, ses lois, ses Dieux...
Et lentement rentra dans l'ombre.

Depuis, rien ne sent plus son baiser jeune et chaud;
La Terre, qui vieillit, la cherche encor là-haut;
Tout est nu. Mais, le soir, passe son globe éphémère,
Et l'on dirait, à voir sa forme errer sans bruit,
L'âme d'un enfant mort qui reviendrait, la nuit,
Pour regarder dormir sa mère.

Qu'est-ce donc qui soutient l'homme? Qui le fait aimer la vie, rire, s'amuser, être heureux? L'illusion.

353

Elle nous enveloppe et nous berce, nous trompant et nous charmant toujours! Elle nous fait voir bleu, elle nous fait voir rose, elle tombe sur nous avec les rayons du soleil, flotte autour de nous dans la pâle clarté de la lune! Elle coule devant nous avec les fleuves charmants, pousse avec l'herbe, fleurit avec les fleurs, fermente dans le vin, nous grise, nous séduit, nous affole. Elle nous cache l'affreuse et éternelle misère de nous, change les formes, voit le malheur toujours présent et nous montre le bonheur toujours fuyant.

Sans elle que serions-nous? que deviendrions-nous? Elle s'appelle l'espoir éternel, l'éternelle gaieté, l'éternelle attente; elle s'appelle Poésie, elle s'appelle Foi, elle s'appelle Dieu! C'est grâce à elle que les mères se consolent des enfants morts. C'est grâce à elle que les vieillards peuvent rire encore! N'est-il pas étrange qu'on rie avec des cheveux blancs, alors qu'on n'aura plus jamais de cheveux noirs.

Quelques-uns la perdent, cette illusion, la grande menteuse. Et soudain ils voient la vie, la vie vraie, décolorée, déshabillée. Ce sont ceux-là qui se tuent, qui se jettent du haut des ponts dans les rivières, qui boivent le phosphore des allumettes ou la blanche poudre d'arsenic, qui s'enfoncent dans la bouche un canon de revolver.

Il suffit que le voile de la Trompeuse se soit un instant soulevé, il suffit d'un amour déçu, d'un espoir tombé. Ils ont compris : ils aiment mieux en finir tout de suite.

D'autres aussi sentent s'éloigner d'eux cette confiance tranquille dans les lendemains heureux. Mais la mort les épouvantes et le doute les effraie. Ceux-là boivent les troublants liquides et mangent l'opium!

Des hommes et des femmes, par milliers, se piquent le bras chaque jour avec une petite seringue contenant quelques gouttes de morphine, qui les fait rentrer un moment dans cette illusion consolante et se rendormir, pour quelques instants, dans le beau rêve universel dont ils s'étaient réveillés.

Des hommes pourtant l'ont perdue à tout jamais et ne la peuvent plus retrouver. Gustave Flaubert, dans ses lettres, pousse le grand cri continu, le grand cri lamentable de l'illusion détruite.

« Je ne crois pas le *bonheur possible,* mais bien la tranquillité. » Ce n'est encore là qu'une négation. Tournons les pages :

« Dès que je ne tiens plus un livre ou que je ne rêve pas d'en écrire un, il me prend un ennui à crier. La vie enfin ne me semble tolérable que si on l'escamote.

« Je me perds dans mes souvenirs d'enfance, comme un vieillard... Je n'attends plus rien de la vie qu'une suite de feuilles de papier à barbouiller de noir. Il me semble que je traverse une solitude sans fin, pour aller je ne sais où. Et c'est moi qui suis tout à la fois le désert, le voyageur et le chameau. »

Et plus loin : — « Que ne suis-je organisé pour la jouissance comme je le suis pour la douleur ! »

Mais quand ceux-là passent dans le monde, les grands tristes, et jettent aux hommes leur plainte désespérante, les autres, la foule, ceux qui dansent au carnaval et qui aiment à se lancer du plâtre dans la figure, se retournent, surpris, troublés dans leur joie; ils se fâchent, furieux contre le misérable : — « Qu'a-t-il donc, celui-là, à se désoler ainsi ? Va-t-il pas nous laisser tranquilles ? »

Et ils déclarent : « C'est un malade ! »

(*Le Gaulois,* 25 février 1884.)

LES BOULEVARDS

Voici la saison charmante des boulevards! De mars en juin, c'est le seul coin du monde où on se sente vivre largement, d'une vie active et flânante, de la vraie vie de Paris. Un flot d'hommes en chapeaux noirs coule de la Madeleine à la Bastille, et un bruit continu de voix, pareil au bruit d'un fleuve qui roule, monte se perdre dans l'air léger du printemps. Mais ce bruit vague est fait de toutes les pensées, de toutes les idées qui naissent, passent et disparaissent chaque jour dans Paris. Comme des mouches, les nouvelles bourdonnent au-dessus du courant des flâneurs; elles vont, de l'un à l'autre, s'échappent par les rues, volent jusqu'aux bouts lointains de la cité.

Les arbres commencent à s'habiller. On marche, d'un pas lent, sous la brume verte des feuilles naissantes et on retrouve toutes les figures familières, car les boulevardiers se connaissent aussi bien que des bourgeois de petites villes. Tous les jours, aux mêmes endroits, on rencontre les mêmes hommes. Qu'importe leur nom qu'on ne saura jamais! On est certain d'apercevoir celui-ci devant Tortoni, celui-là devant Bignon, cet autre devant l'Américain. On se dit : « Tiens, en voici un qui vieillit rudement depuis quelque temps. » Ou bien : « Tiens, pourquoi ce gros monsieur ne porte-t-il plus sa barbe? »

Avant nous d'autres hommes faisaient cette promenade quotidienne le long de cette grande rue où passe la vie de Paris; et avant eux, d'autres encore. Et dans bien longtemps, sans doute, on se promènera toujours en flânant devant les larges boutiques de la longue avenue.

Ecrire l'histoire du boulevard serait écrire l'histoire de Paris. Chaque maison appelle un souvenir.

Le boulevard est jeune par un bout et vieux par l'autre.

La Madeleine est son enfance et la Bastille sa vieillesse. Louis XV avait posé la première pierre de la Madeleine le 3 avril 1764, et l'église, après avoir été dix fois détruite et recommencée, ne fut terminée que vers 1830.

C'est dans cette maison, à l'angle de la rue Caumartin, que mourut Mirabeau.

**

Mirabeau-Tonneau! Ce gros homme fut le père des politiciens braillards. C'est à lui que commence ce règne des avocats dont nous souffrons toujours. Selon le mot d'un grand écrivain, il entraîna les multitudes, ébranla, puis soutint un trône, dirigea tout l'avenir d'un peuple, gouverna les événements à sa fantaisie et changea la fortune de la France « par la seule vertu d'une gueule retentissante. » Quand sa parole passait sur les assemblées, elle les courbait comme un vent d'orage, et il remportait des victoires en massacrant ses adversaires avec des mots comme on mitraille avec des boulets.

Plus que Démosthène, plus que Cicéron, il fut le *Rhéteur*, l'homme des batailles oratoires, le lutteur aux forts poumons dont la pensée ne semble puissante que criée sur les foules, dont l'esprit n'est dominateur que par la force de l'éloquence. Tout ce que ces tribuns laissent d'écrit après eux semble terne, lent et puéril.

C'est devant ce sonore et violent orateur que s'ouvrirent pour la première fois les portes de Sainte-Geneviève érigée en Panthéon. On l'y coucha à côté de Descartes.

Il était né un peu plus loin, toujours près du même boulevard, rue de la Chaussée-d'Antin.

*
**

Voici la rue de la Paix. Elle fut rêvée par Louis XVI, exécutée par Napoléon.

Un soir, si nous en croyons un chroniqueur du temps, le futur empereur, alors chef de bataillon d'artillerie, avait dîné place Vendôme, chez le général d'Augerville, beau-frère de Berthier, avec plusieurs officiers.

Il proposa, dans la soirée, d'aller à Frascati prendre des glaces. Tout le monde accepta et l'on partit. Napoléon, qui donnait le bras à Mme Tallien, s'arrêta quelques secondes pour considérer la grande place sans monument, et, se tournant vers M. d'Augerville :

« Votre place est nue, mon général ; il y faudrait un centre, une colonne comme celle de Trajan, ou un tombeau qui recevrait les cendres des soldats morts pour la patrie. »

Mme d'Augerville approuva :

« Votre idée est bonne, mon cher commandant. Quant à moi je préférerais la colonne. »

Napoléon se mit à rire.

« Vous l'aurez un jour, madame, quand Berthier et moi serons généraux. »

L'empereur a tenu parole.

*
**

La Chaussée-d'Antin ! Quels souvenirs tendres et charmants ! C'est le coin d'amour, dans Paris. C'est de là que nous viennent toutes les anecdotes de la Régence ; c'est là qu'est née cette fine et divine galanterie, morte, hélas ! avec le siècle poudré, le siècle des mouches, des éventails et des paniers.

En ce temps-là, à la place de la Chaussée-d'Antin d'aujourd'hui, s'étendait un marais, puis, plus loin, le village des Porcherons, puis, plus loin encore, la ferme de la Grange-Batelière.

Un petit sentier ombreux, le chemin de la Grande Pinte, traversait ce lieu, et, parti de la porte Gaillon, aboutissait au hameau de Clichy.

Tout ce quartier n'était qu'une campagne, voici un siècle à peine! Le croirait-on? Mais une campagne pleine de petites maisons silencieuses le jour, et qui, la nuit, s'emplissaient de rires, de baisers, de tumulte, avec des bruits de bouteilles cassées et souvent des cliquetis d'épée.

C'était, pour parler comme en cette époque fleurie, un champ de tendresse où poussaient les baisers. Et les belles dames qui se glissaient, au soir, par les portes entrouvertes, s'appelaient Mme de Cœuvres, la comtesse d'Olonne, la maréchale de la Ferté.

Quand une voiture bleue entrait au galop dans un petit hôtel où tous les auvents étaient clos, c'est que le Régent de France allait souper entre Mme de Tencin et la duchesse de Phalaris, en face du duc de Brissac et du marquis de Cosse. Plus loin, sur le pont d'Arcans, on se battait plus souvent qu'on ne fait au Vésinet maintenant. C'est là que la belle Mme de Lionne et la belle Louison d'Arquin regardaient ferrailler leurs amants, le comte de Fiesque et M. de Tallard, parce que ni l'un ni l'autre n'avait voulu céder le pas.

Oui, c'est bien ici une terre d'amour. Quels noms surgissent? La Guimard, la Duthé, à qui un roi voulut confier l'éducation de son fils, et la Dervieux au cœur si large.

Sous le même toit, l'une après l'autre, dormirent la belle Mme Récamier et la charmante comtesse Lehon. Parmi tant d'autres gloires venues ici, nous trouvons encore Mesmer et Cagliostro.

La Chaussée-d'Antin est demeurée la rue élégante et riche, bâtie sur le sol où s'épanouit cette légère galanterie française, faite d'esprit, de grâce, de tendresse, d'impertinence, d'amour volage et bien né et de baisers vite oubliés.

Mais voici, moins gaie, plus sombre, plus sévère, la rue Laffitte.

Nous entrons dans l'histoire grave.

C'est dans un grand salon austère et riche, le 28 juillet 1830. Des politiciens délibèrent sous la présidence du banquier Laffitte. Le sort de la France est indécis. Aucun ne sait, ne prévoit encore les événements qui vont surgir.

Un homme paraît, venu pour se joindre à eux. Tous se lèvent, comprenant que la cause de la légitimité est perdue sans retour. Car celui-là ne se trompe point, et ses évolutions politiques sont les marques certaines des revirements de la fortune royale.

Il s'appelle M. de Talleyrand.

Bientôt un parlementaire entre à son tour parlant au nom de Charles X. On lui répond qu'il n'est plus temps.

Et le lendemain, dans le même salon, M. Thiers écrivait une proclamation orléaniste.

***

Voici le pavillon de Hanovre. D'où vient ce nom? D'une ironie populaire. Le duc de Richelieu le fit construire avec l'argent des rapines qu'il exerça pendant la guerre de Hanovre, et le peuple cloua ce nom sur la porte du somptueux hôtel.

Voici la maison de Mlle Le Normand.

Au détour de la rue des Tournelles, voici encore la maison de Ninon de Lenclos.

Elles flottent sur l'histoire comme des images charmantes, ces figures de femmes qui conquirent l'humanité par leur grâce et leur beauté. Il semble même que nous ayons pour elles encore un peu d'amour. Qui donc ne lit point avec un certain attendrissement naïf et sincère les noms de Phryné, de Cléopâtre, de Marion, de Ninon. Les poètes les chantent comme des vivantes.

Elles sont des symboles pour notre cœur. Elles sont les Conquérantes, parmi les femmes, les Victorieuses. L'immortelle Ninon n'inspira-t-elle pas à son propre fils une passion horrible dont il mourut!

Elle était, celle-là, de la race des grandes courtisanes de l'Antiquité chez qui allaient causer et penser les artistes. Sa mort révèle son âme.

Cette fille, cette prostituée, devinant le génie d'un jeune homme inconnu, lui laissa sa bibliothèque.

Ce jeune homme s'appelait Arouet de Voltaire.

Qui donc, parmi les honnêtes femmes, a fait quelque chose de semblable?

Rue Saint-Martin! Nous entrons maintenant dans l'histoire héroïque. Ici fut consommée une erreur judiciaire semblable à celles que font chaque jour nos tribunaux!

C'est en 1386. Deux gentilshommes normands, couverts de fer, sont face à face en un champ clos, car pour terminer leur querelle le roi Charles VI a décidé de s'en rapporter au jugement de Dieu.

Jacques Legris est accusé d'avoir pris par violence la femme de Jean de Carouge, et il nie. Ils se battent longtemps, longtemps. Enfin Jacques Legris est vaincu, il nie encore. Son rival le tient sous son genou. Il nie toujours.

Le roi alors le fait pendre. A l'heure de la mort il n'avoue pas.

Et quelques mois plus tard son innocence est reconnue.

Justice de Dieu et justice des hommes se valent donc!

**

Boulevard du Temple, il y avait là une petite maison qui n'existe plus. Elle appartint à l'ouvrier Boule.

Encore une histoire d'amour. Le grand roi, voulant offrir à sa bien-aimée Mlle de Fontange un mobilier vraiment royal, tous les artisans de France furent conviés à un concours dont André Boule sortit vainqueur. La chronique scandaleuse ajoute qu'après avoir meublé l'hôtel de la favorite avec ces merveilleux objets que créa son génie inspiré par son amour, il pendit la crémaillère à la barbe du roi Soleil.

Voici encore la maison de Beaumarchais. Et combien d'autres!

Mais la colonne de Juillet se dresse sur la place de la Bastille. C'est ici qu'est enterrée la vieille France. C'est ici qu'est née la France nouvelle!

(*Gil Blas*, 25 mars 1884.)

CHRONIQUE

Enfin! enfin! saluons la justice de notre pays; elle devient presque étonnante. En quinze jours, elle a rendu deux arrêts surprenants.

Elle a condamné à un an de prison une jeune furie qui avait ravagé avec du vitriol le visage de sa rivale.

Puis, huit jours plus tard, elle a frappé de la même peine un mari, complaisant d'abord, jaloux ensuite, qui avait logé une balle de revolver dans le ventre de son concurrent heureux. Cette nouvelle manière d'apprécier ce genre de délits est assurément préférable à l'ancienne. Elle laisse cependant encore à désirer.

Dans le premier cas, un médecin, passant de la brune à la blonde, est la cause de cette affreuse vengeance, pire que la mort. Une pauvre fille, défigurée, devenue hideuse, portera jusqu'à ses derniers jours les marques horribles de l'infidélité bien excusable d'un homme.

Quel est donc le coupable, s'il y en a un? L'homme assurément!

Il vient, comme témoin, déposer sur les faits.

Or, la seule, là vraie condamnée, la grande punie, c'est l'innocente.

Un an de prison, fort bien. Cela n'est rien. Pour un an de prison, on peut donc enlever le nez et les oreilles et brûler les yeux d'une rivale dont la beauté vous gêne. La seule manière de punir cette confusion dans le choix de la victime et cette erreur sur le coupable ne serait-elle pas de condamner à des réparations pécuniaires, les seules qui touchent profondément l'humanité? Ne devrait-on pas ordonner que, pendant dix ans, vingt ans, jusqu'à la mort puisque les atroces blessures demeureront jusqu'à la décomposition finale, — que, jusqu'à la mort, celle qui a mutilé ainsi sa rivale, au lieu de frapper l'amant, lui paye une pension, lui fasse une rente, lui donne, si elle est ouvrière, la moitié de ce qu'elle gagne et, si elle est riche, une somme considérable.

L'autre pourra offrir cela aux pauvres, si elle veut.

Dans le second cas, le mari, un ouvrier, avait toléré toutes les escapades de sa femme. Il l'a reprise dix fois, dix fois elle est repartie. Il a même poussé la complaisance jusqu'à ouvrir la porte en disant : « Je te donne huit jours, mais pas plus. En huit jours, tu as bien le temps de te passer ton caprice. Puis tu reviendras et tu seras bien sage. »

Elle a répondu : « Oui, mon gros loup. » Elle a fait son petit paquet pour une semaine, puis elle s'est mise en route, le cœur joyeux, sur la foi de la parole jurée.

En entrant chez son ami, elle lui a dit sans doute : « Tu sais, j'ai huit jours. »

Il a dû répondre : « Allons, tant mieux! Ton mari est bien gentil. Je lui offrirai un verre à la prochaine rencontre. »

Lui aussi, il dormait tranquille, cet homme. Or, un matin, il se trouve en face de l'époux. Il va vers lui, la main tendue, pour lui proposer d'entrer chez le mastroquet d'en face. Que pouvait-il craindre? il avait encore trois jours devant lui!

Mais le mari, violant sa parole, violant le traité passé avec sa femme, traître comme un général, qui, pendant l'armistice, pendant que le pavillon blanc flotte sur les murs, ferait feu sur l'ennemi confiant et sans défense, le mari la présenta, la main, armée d'un revolver et tira.

Voyons, est-ce honnête et loyal, cela?

Et la coupable, la seule, la vraie coupable, l'épouse infidèle, rentre tranquillement au domicile conjugal. Elle va avoir, en plus, un an de liberté! MM. les jurés la récompensent, pour finir! Le mari donnait huit jours; eux ils donnent un an! Mais tout est bénéfice à tromper son mari, dans ces conditions-là! Comme j'en connais, des femmes, qui vont réfléchir... et peut-être...

***

Cependant, retenons ceci que, depuis six mois, la morale a changé en France. Les filles qui usent du vitriol et les maris qui usent du pistolet sont exposés maintenant à aller dormir pendant quelque temps sur la paille humide des cachots. Allons, tant mieux!

Qui sait? dans un an, on les condamnera peut-être aux travaux forcés, et, dans cinq ans, M. Grévy n'étant plus là, on les guillotinera.

Donc, ce qui était parfaitement excusable naguère ne l'est plus. Ne tombons jamais sous la main de la justice, mes frères.

Ce qui serait intéressant, par exemple, c'est de savoir quels arrêtés rendraient, devant les mêmes cas et dans les mêmes circonstances, les juges des principaux peuples du monde.

Comment serait traité ce mari à caprices et à surprises par un tribunal anglais, par un tribunal espagnol, par les tribunaux italiens, allemands, russes, musulmans, danois ou scandinaves?

Il y a cent à parier contre un que le même homme, pour ce même crime, serait condamné à mort ici, acquitté là, simplement réprimandé sous telle latitude, et félicité sous telle autre.

L'acte est le même, mais la manière de juger diffère si fort, pour tant de raisons, suivant les terres et les mœurs, que le Juif errant par exemple ne doit jamais savoir s'il a fait quelque chose de bien ou de mal, s'il mérite un encouragement ou un châtiment.

***

Je me rappelle avoir lu un jour le récit d'un crime épouvantable, d'un crime contre nature, commis en

Italie, et cette pensée me vint, en parcourant les affreux détails : ce forfait est bien italien, il est bien le produit que l'hérédité d'une race peut faire naître.

Un criminel anglais, un criminel français, tout aussi féroces, mais différents, celui-ci avec un scepticisme insolent, celui-là avec un cynisme sombre, n'auraient point eu cette sorte de fanatisme superstitieux, cette cruauté convaincue.

J'allais de Gênes à Marseille, seul dans mon wagon. C'était au printemps, il faisait chaud. Les souffles délicieux des orangers, des citronniers et des roses dont toute cette côte est couverte, entraient par les portières baissées, endormeurs et grisants.

Deux dames, descendues à Bordighera, avaient laissé sur la banquette un vieux journal déchiré, un journal italien, daté du mois d'août 1882.

Je le pris, par hasard, et j'y jetai les yeux. Et voici ce que je trouvai au compte rendu des tribunaux :

Aux environs de San Remo vivait une veuve avec son unique enfant. La femme était âgée, pas riche, et aimait son petit comme la seule chose qu'elle eût au monde.

Il tomba malade, d'une maladie inconnue que les médecins ne déterminèrent pas. Il s'affaiblissait, devenait plus pâle de jour en jour, et plus faible. Il se mourait.

Enfin, il fut condamné, jugé perdu sans espoir. La mère, folle de douleur, avait appelé tous les guérisseurs du pays, prié toutes les madones, porté des chapelets à toutes les chapelles.

Enfin, elle alla trouver une sorte de sorcier, un vieil homme redouté qui jetait des sorts, pratiquait la magie et la médecine, rendait aux gens tous les services cachés que poursuit la loi, et qui possédait, dit-on, des secrets merveilleux.

Elle le supplia de venir, lui promettant s'il guérissait son pauvre enfant, de lui donner tout ce qu'il exigerait d'elle, tout, même sa vie, prodiguant les protestations exaltées, si faciles aux heures d'affolement, et naturelles d'ailleurs à l'aimable peuple italien, qui use en toute occasion des adjectifs qualificatifs les plus expressifs.

Le sorcier la suivit. Et, soit qu'il eût été plus clairvoyant que les médecins, soit que le hasard l'eût servi, l'enfant guérit, grâce à ses soins ou, peut-être, malgré ses soins.

Quand elle le vit de nouveau debout, marchant, courant et gai comme autrefois, la mère, délirante de joie, retourna chez le sauveur : « Je viens tenir ma promesse, dit-elle ; qu'est-ce que vous voulez que je vous donne ? »

Il exigea tout ce qu'elle possédait, tout. Champ, jardin, maison, mobilier, argent, tout, sans rien excepter que les hardes que la femme et son petit garçon portaient sur eux. Elle demeura atterrée devant cette prétention imprévue et féroce.

— Mais je ne puis pas vous donner tout ! Je suis vieille, je ne peux pas travailler. Lui, il est trop jeune pour rien faire encore. Alors il nous faudrait mendier ?

Elle le supplia, lui montra que c'était la mort pour eux : pour elle affaiblie, pour l'enfant encore à peine guéri ; qu'elle ne pouvait pas l'emmener comme ça sur les routes, en tendant la main, sans un toit pour la nuit, sans une chaise pour s'asseoir, sans une table pour manger.

Elle offrit la moitié de son bien, les trois quarts, se réservant seulement de quoi vivre pendant quelques ans, jusqu'à ce que le petit fût grand.

L'homme, obstiné, inflexible, refusa et la chassa en la menaçant de sa vengeance prochaine — « qui lui ferait pleurer du sang », disait-il.

Elle rentra chez elle épouvantée.

Quelques jours plus tard, on lui rapporta son enfant agonisant, tordu par d'affreuses douleurs. Il mourut après avoir balbutié que le sorcier, l'ayant rencontré dans la rue, lui avait fait manger des dragées.

L'homme fut arrêté. Il avoua son crime avec assurance, avec orgueil.

— Oui, dit-il, je l'ai empoisonné. Il m'appartenait,

puisque je l'avais sauvé. Que peut-on me reprocher? La mère n'a pas tenu sa promesse : alors j'ai défait ce que j'avais fait, je lui ai repris la vie de son enfant qu'elle me devait. C'était mon droit.

On tenta de lui faire comprendre quelle action horrible, monstrueuse, il avait commise.

Il demeura inébranlable dans son raisonnement.

— L'enfant m'appartenait, puisque je l'avais sauvé.

. . . .

Le tribunal ayant remis à huitaine son arrêt, je n'ai point su le jugement.

Une cause pareille, en France, serait devenue une cause célèbre, comme celle de La Pommerais ou de Mme Lafarge. En Italie, elle est passée inaperçue. Chez nous, cet homme aurait été sans doute condamné à mort. Là-bas, il a peut-être été condamné à un an de prison comme la vitrioleuse ou le mari à détente de ce mois-ci.

(*Le Gaulois,* 14 avril 1884.)

L'ARISTOCRATIE

Donc il va se réaliser, le rêve admirable de Dupont, du Dupont d'Alfred de Musset :

Les riches seront gueux, et les nobles infâmes

Ce ne seront partout que houilles et bitumes,
Trottoirs, masures, champs plantés de bons légumes,
Carottes, fèves, pois. — Et qui veut peut jeûner
Mais nul n'aura, du moins, le droit de bien dîner.

Tous les riches ne sont pas encore gueux, ni tous les nobles infâmes, mais tout du moins seront soldats pendant trois ans, tous sans exception. Bravo! Les Dupont et les Durand qui nous gouvernent ont eu cette idée patriotique et sublime. Un tyran, demeuré célèbre, coupait jadis d'un coup de canne, en se promenant dans ses jardins, tous les pavots dont la tête dépassait celle des autres, et il disait :

— Il en sera de mon peuple comme de ces fleurs : je veux qu'aucun front ne s'élève.

Nos Dupont comprennent et pratiquent l'égalité de la même manière. Le glaive du Romain ou la guillotine de 93 sont des moyens démodés, mais on a trouvé le service obligatoire de trois ans, ce qui n'est pas mal, comme invention, pour niveler les intelligences.

Durand réplique à Dupont :

Pour un esprit mort-né, convaincu d'impuissance,
Qu'il est doux d'être un sot et d'en tirer vengeance.

Nos Durand, indubitablement, sont animés de ce sentiment si humain, si constant, qui fait des hommes médiocres les ennemis irréconciliables des hommes remarquables.

Sans valeur personnelle, sans autorité intellectuelle, sans nom, sans supériorité d'aucune sorte, sans savoir, sans éducation et presque sans instruction, la plupart de nos députés, arrivés au pouvoir par la force de cette machine qu'on appelle le suffrage universel, inventée pour l'exaltation des médiocres, l'élimination des supérieurs et l'abaissement général, poursuivent, avec une haine jalouse, tout ce qui constitue une aristocratie.

Pour eux, c'est là l'ennemi qu'il faut sans cesse attaquer et abattre. Comme Tarquin, ils n'aiment pas ces têtes qui dépassent.

Le pouvoir n'aime pas un autre pouvoir! A plus forte raison le pouvoir, né spontanément de la masse, le pouvoir brutal, issu du peuple illettré, n'aime pas la puissance intelligente, qui se constitue par élimination, par ce lent et mystérieux travail de sélection, d'affinement, d'où sort peu à peu cette classe d'êtres privilégiés qui sont, dans l'histoire, les grands hommes d'un pays.

Un petit avocat de province, fait député par le hasard des votes, par la puissance des petits verres et des promesses trompeuses, étourdi d'abord de devenir quelque chose sans être quelqu'un, jalousera bientôt d'une jalousie inconsciente mais acharnée tous ceux qui, n'étant rien dans l'Etat, comptent beaucoup dans le monde. Et tous ces parvenus du petit verre fredonnent dans leur cœur le vieux « Ça ira! » et n'ont au fond de l'esprit d'autre désir, d'autre but, que de frapper les aristocrates, d'abattre les parvenus de la valeur personnelle, du travail intelligent et d'empêcher surtout qu'une aristocratie nouvelle, une aristocratie du talent s'élève en face d'eux, qui sont les aristocrates du hasard.

Ils ont trouvé le bon moyen en instituant le service

obligatoire de trois ans. C'est la fin de la France artiste, de la France pensante. *Finis Gallæ!*

**

Au nom de l'égalité tous les Français devront trois ans de leur vie à la patrie. C'est peu... et c'est trop.

L'égalité! D'abord quand on aura établi l'égalité des tailles, l'égalité des ventres, l'égalité des nez et l'égalité des esprits, je me soumettrai à l'égalité des situations.

A cela, M. Durand répondra qu'il prétend réparer, par l'égalité civique, les injustices commises par la nature ou par Dieu. Je ne peux que respecter cette tentative. Il me reste à examiner ses résultats.

Donc on va prendre tous les Français, quels qu'ils soient, de vingt à vingt-trois ans et on va les enfermer dans une caserne où des sergents instructeurs leur apprendront à distinguer leur pied droit de leur pied gauche, et à tourner au commandement.

Cherchons si c'est vraiment là une mesure patriotique ou simplement une manière de frapper, dans son germe, toute aristocratie artiste, car le pouvoir brutal, le pouvoir de fait, je l'ai dit, exècre le pouvoir moral, le pouvoir d'intelligence. On va prendre à vingt ans tous ceux qui auraient été des artistes, des savants, et, pendant trois ans, on va s'efforcer de leur faire oublier leur art et leur science, et la pratique si délicate de leur difficile métier.

On va les détourner violemment de leurs préoccupations, de leurs études, on va les fatiguer le plus qu'on pourra, en faire, à force d'exercices, de corvées, de marches, d'abrutissantes besognes, des êtres pouvant passer sous le niveau commun, au nom de l'Egalité, et pour le plus grand bien de la Patrie.

Et quand on les rendra à la vie, ces peintres, ces musiciens, ces écrivains, ces savants, la flamme de l'Art sera éteinte, ils auront désappris leur subtil travail et l'amour sacré des belles choses. On va leur casser l'aile comme on fait aux oiseaux captifs.

Car c'est à vingt ans, justement, que le talent se décide, que l'artiste éclôt, que le tempérament se forme, que l'esprit commence à comprendre, à se posséder, à concevoir, à s'élargir, à porter les fleurs qui seront des fruits. On les prend, ces jeunes hommes, on les jette dans une caserne pendant trois ans, pendant la période où le talent indécis allait se dessiner, s'affirmer; on les prend juste à l'heure de la sève féconde, de la poussée, de l'épanouissement, à l'heure décisive où ils ont le plus besoin de tout leur temps, de toute leur volonté, de toute leur force de travail, de toute leur liberté.

Il n'est pas un tempérament sur cent, capable de résister à cette méthode de stérilisation.

Est-ce là du patriotisme?

Faire de simples soldats avec des hommes supérieurs équivaut à mettre au pot des poulardes du Mans. Ce n'est pas là non plus de l'économie politique bien entendue.

Ne faudrait-il pas au contraire aider chaque citoyen, à concourir à la grandeur de la patrie, par toutes les facultés créatrices que la nature a mises en lui? Ne devrait-on pas protéger, secourir, favoriser tous ceux qui donnent à la France, l'inappréciable espérance d'accroître la somme de gloire artistique qui la place au premier rang des peuples contemporains.

Que reste-t-il de la Grèce? Est-elle grande devant nos yeux par ses luttes militaires ou par ses œuvres immortelles? Pourquoi ce petit coin de terre nous semble-t-il sacré comme un temple, le temple du génie humain?

Pourquoi le seul nom de l'Italie soulève-t-il dans les âmes une sorte d'attendrissement mystérieux?

Pourquoi vient-on de tous les coins du monde sur ce sol peuplé de chefs-d'œuvre? Pourquoi l'éducation intellectuelle d'un homme n'est-elle pas complète tant qu'il n'a pas vu Venise, Florence et Rome? Pourquoi l'Italie est-elle plus qu'une nation? Car elle ne semble pas appartenir seulement aux Italiens, elle appartient à l'Intelligence humaine, elle fait partie, tout entière, de ce grand héritage artistique que les hommes de génie laissent aux descendants de tous les peuples et de tous les temps.

Pourquoi cela, monsieur Durand?

Est-ce parce que Victor-Emmanuel en a fait un peuple fort, ou parce que les Médicis ont fait de leur patrie une terre de gloire?

Soyez certain, monsieur Dupont, que ces Médicis qui ont su rendre leur pays tel qu'aucune catastrophe future ne peut atteindre désormais sa renommée, tel que toutes les nations l'aimeront et l'admireront tant qu'il y aura des hommes sur la terre, les Médicis, monsieur, n'auraient pas confondu Michel-Ange avec le fusilier Pitou, n'auraient pas invité les sieurs Raphaël et Léonard de Vinci, exerçant la profession de peintre, à perdre trois ans de leurs travaux afin d'apprendre à marcher en ligne et à astiquer des boutons de cuivre. Soyez persuadé que la République de Venise n'aurait pas forcé les nommés Jacques Robusti, dit le Tintoret; Paul Caliari, dit Paul Véronèse, et Tiziano Vecelli, dit le Titien, à éplucher des pommes de terre pour le rata, à porter des pains de munition dans des sacs de toile, à balayer et nettoyer la chambrée et autres lieux.

Reste à savoir qui peut avoir raison, au point de vue de la patrie, de la République de Venise ou de la République française?

*_**

L'égalité! Soit. Qu'entendez-vous par là? Est-ce une chose qui ne comporte ni appréciations différentes, ni proportions? Tout le monde sur le même niveau. — Bien — Vous demandez à chacun trois ans, sans distinction. — Je comprends. Mais dites-moi, est-ce que les trois ans de chacun ont exactement la même valeur?

Si vous demandiez à chacun cent francs, au lieu de trois ans. Le sacrifice ne serait-il pas un peu plus grand pour un de ces chiffonniers que vous avez si gaillardement expulsés des trottoirs, que pour M. le baron de Rothschild ou M. le baron de Hirsch?

Or, trois ans de MM. Gounod, Bonnat, Renan, Berthelot, Victor Hugo et autres de la même race, ne valent-ils pas un peu plus que trois ans d'un scieur de long ou trois ans d'un de nos députés, si faciles à remplacer qu'on ne s'aperçoit pas du changement. Mais qu'est-ce qui pourra remplacer, compenser, pour la patrie, pour l'humanité, les œuvres que ces hommes, Gounod, Bonnat, Renan, Berthelot, Victor Hugo, auraient accomplies pendant ces trois années?

Trois de vos années à vous, M. Durand, ne valent pas grand'chose, mais les trois ans de certains hommes ont une valeur telle que leur perte est irréparable.

Tout, dans ce monde, ne l'oubliez pas, subit la loi des proportions, et l'égalité stricte est une stupidité, monsieur.

**

Et puis, ce n'est pas tout. Au-dessus de l'égalité, il y a les lois générales de la vie, que vous ne changerez pas, parce que le suffrage universel ne peut rien sur le législateur qui les a établies. Or il serait bon de les comprendre, ces lois-là, et d'en tenir compte un peu pour préparer vos lois, à vous. Je veux dire qu'un peu d'esprit scientifique n'est pas inutile pour gouverner les hommes.

Eh bien! messieurs, soyez persuadés qu'on ne fait les bonnes armées qu'avec du peuple. Cette misérable chair à canon que la sauvagerie humaine rend nécessaire ne doit pas être de la chair trop raisonnante ni trop intelligente parce qu'elle deviendrait vite de la chair révoltée. Vous ne pouvez empêcher qu'il n'y ait dans le monde des castes privilégiées. Or, si vous les mêlez dans l'armée, ces castes, avec les autres, vous ferez un mélange mauvais et dangereux.

Tout aristocrate, je veux dire tout jeune homme de nature fine, que vous jetterez dans le troupeau des lignards, que vous forcerez, pendant trois ans, à cette existence odieuse de la caserne, aux promiscuités qui répugnent, à toutes les choses qui révolteront son instinct, son éducation, sa délicatesse native, deviendra un ennemi, un ennemi de la République, et surtout un ennemi de l'armée.

Ces jeunes hommes ont l'honneur chatouilleux. Ils sont habitués à des égards. Le sous-officier les maltraitera, les injuriera, leur jettera ces mots qui effleurent à peine un paysan, mais qui traverseront leur épiderme léger et feront bouillonner leur sang plus vif. L'officier lui-même, accoutumé à faire marcher des lourdauds, ne reconnaîtra pas, sous l'uniforme, le fils d'une race plus affinée.

Ils ne diront rien, parce que le Conseil de guerre est terrible. Mais après ? Croyez-vous qu'ils rapporteront dans leurs familles, qu'ils apprendront à leur fils l'amour de la vie militaire ? Ils garderont de ces trois ans le souvenir qu'on aurait de trois ans de bagne, et, poursuivis par ce cauchemar, ils n'auront que la préoccupation d'éviter ce supplice à leurs enfants.

Vous dites : « Tant pis, l'égalité avant tout ». Essayez de fouailler un cheval de sang comme un cheval de fiacre pour voir si vous lui apprendrez l'égalité. Il vous versera dans l'ornière, monsieur Dupont. Prenez garde que le service de trois ans n'en fasse autant pour la France, ce qui serait plus grave.

Du moment que vous ne pouvez pas faire de l'aristocratie du pays l'aristocratie de l'armée, ne faites pas entrer dans les rangs ceux dont la tête est trop haute.

Quoi que vous tentiez, il y aura toujours des aristocrates. Un pays n'est grand que par son aristocratie, par ses hommes supérieurs. Aidez-les à se développer, au lieu d'arrêter leur essor.

Incessamment part du peuple, du peuple misérable, grossier, brut et respectable parce qu'il est le Père, le germe, la source de tout, une classe plus cultivée, qui forme, pour me servir d'une expression célèbre, une couche sociale supérieure, plus intelligente, encore incomplète.

De cette bourgeoisie nouvelle, se détachent encore des individus plus fins, plus lettrés, plus remarquables, qui forment, à leur tour, une autre couche sociale. Car il faut plusieurs générations pour que l'homme arrive à son développement absolu.

La transformation achevée constitue enfin l'aristocratie réelle de la nation. C'est là une couche d'élite, où pousseront, pour continuer cette comparaison, les plus beaux arbres et les plus beaux fruits. C'est la pépinière des hommes supérieurs. Je ne parle pas de noblesse bien entendu, je parle d'une aristocratie démocratique, formée lentement par voie de sélection.

Et le même phénomène social se reproduit en sens inverse ; les races qui furent supérieures retournent au peuple, fatiguées, épuisées, finies. Et cela toujours recommence.

C'est là un travail très long, incessant, fatal. Or si vous voulez en changer l'ordre, mêler ces couches, les confondre, hausser brusquement les basses et abaisser les hautes, vous substituer au Temps, pour faire, avec du peuple une aristocratie spontanée, et rejeter dans le peuple l'aristocratie véritable, vous accomplirez de très mauvaise besogne pour la patrie, monsieur Dupont.

(*Le Figaro,* 21 avril 1884.)

LA JEUNE FILLE

Je cherche, dans l'histoire de la littérature française, un écrivain qui ait daigné écrire l'histoire d'une jeune fille avant les deux maîtres qui viennent de publier ces deux superbes livres : *la Joie de vivre* et *Chérie*.

Comment se fait-il que, presque au même moment, ces deux romanciers : Edmond de Goncourt, l'homme des psychologies difficiles, profondes, subtiles, et Emile Zola, l'homme des tableaux vigoureux, des études hardies et brutales, aient choisi ce même sujet délicat et jusqu'ici méprisé : *la jeune fille?* Depuis qu'on fait vraiment des romans en France, un seul, *Paul et Virginie,* nous montre un cœur de jeune fille. Mais c'est là plutôt un poème qu'une étude d'observation, et Virginie nous apparaît bien plus comme une image que comme un être réel. On voit passer, semble-t-il, une forme gracieuse, souriante, un peu vague ; on la voit s'évanouir dans la profondeur poétique d'un bois à côté de la silhouette, charmante et confuse aussi, d'un jeune homme. Virginie, c'est la jeune fille, et non pas *une* jeune fille.

Pourquoi ce mépris persistant jusqu'ici, dans les lettres françaises, pour l'être secret, encore voilé, mystérieux, qui sera bientôt la femme?

Deux raisons, sans doute, avaient arrêté jusqu'ici les écrivains. Il est fort difficile, presque impossible, de connaître la jeune fille. Les romanciers aujourd'hui, procèdent bien plus par observation que par intuition, et, pour raconter un cœur de jeune fille, il faut au contraire procéder bien plus par intuition, par divination, que par observation. La jeune fille nous demeure inconnue parce qu'elle nous est étrangère. Nous la voyons peu, nous ne lui parlons pas, nous ne pénétrons point ses pensées, ses rêves. Elle vit d'ailleurs loin du monde, loin de nous, cachée, comme fermée jusqu'à l'heure du mariage.

Or, descendre en cette âme est d'autant plus difficile qu'elle s'ignore elle-même, qu'elle n'est point formée, pas encore épanouie, qu'elle ne peut montrer que les germes, que les ombres des sentiments, des instincts, des passions, des vertus ou des vices qui se développeront quand elle sera femme.

M. Octave Feuillet, dans *Julia de Trécœur,* dessine cependant une jeune fille. Mais, le procédé tout poétique de cet éminent romancier ne tenant en rien de l'observation précise, il a pu aborder ce sujet hardi avec une assurance audacieuse.

Il est fort différent, en effet, de créer un type de roman ou d'observer scrupuleusement la vie. Les écrivains de l'école dont M. Feuillet est un modèle conçoivent un personnage qu'ils veulent faire séduisant ou odieux suivant leurs idées arrêtées, leur caprice ou leur désir de plaire. Ils le forment à leur gré au lieu de le subir. Sans souci absolu de la vérité exacte, de la psychologie inflexible, ils lui font parcourir des aventures agréables ou terribles avec la seule préoccupation de séduire le lecteur, de l'attendrir ou de l'égayer. Il leur suffit de rester dans une vraisemblance aimable et relative, qui ne choque et n'irrite personne, et qui entretient l'esprit dans un doux état d'émotion. Certains auteurs, comme M. Feuillet, comme avant lui Jules Sandeau, comme George Sand, montrent un très grand talent dans cet art d'éveiller la curiosité du lecteur, de soutenir son intérêt et de gagner son cœur.

Mais les écrivains de l'autre école, ceux dont Flaubert et les frères de Goncourt furent les maîtres, procèdent autrement. (Je ne parle pas du grand Balzac, dont la manière, toute d'intuition, était encore fort différente.)

Ceux-là regardent, observent, notent, étudient l'être en toutes ses manifestations.

Ils sont les esclaves respectueux de la vérité, des passions et des tempéraments humains. La loi de la vie est leur seule loi. Ils ne cherchent pas à produire un effet qui pourra émouvoir ou attendrir; mais ils cherchent à découvrir le mobile secret et certain des actes, à soulever le voile de la réalité, à prendre sur le fait la mystérieuse nature. Peu leur importe de plaire au lecteur, de conquérir ses sympathies ou d'exciter sa colère par des moyens artificiels, peu leur importe d'indigner, d'irriter, de bouleverser, de dégoûter, d'ennuyer ou de séduire. Ils ne se préoccupent point de celui qui les lira; ils se préoccupent seulement de la sincérité de leur œuvre. Ils ne sont point les serviteurs du succès, mais les serviteurs de leur conscience d'artiste. Si Flaubert avait cherché uniquement la vente et l'applaudissement, il n'aurait jamais écrit ce navrant et magistral roman de *L'Education sentimentale*. S'ils avaient eu l'unique désir d'être lus et acclamés, les frères de Goncourt auraient-ils osé tenter cette sévère et poignante étude de *Germinie Lacerteux?*

Et voilà pourquoi un cœur de jeune fille était un sujet difficile pour des hommes comme Goncourt et Zola.

Comment découvrir les délicates sensations que la jeune fille elle-même méconnaît encore, qu'elle ne peut ni expliquer, ni comprendre, ni analyser, et qu'elle oubliera presque entièrement lorsqu'elle sera devenue femme? Comment deviner ces ombres d'idées, ces commencements de passions, ces germes de sentiments, tout ce confus travail d'un caractère qui se forme?

Comment noter les étapes, les phases subtiles de cette transition? Comment savoir, en voyant la graine, ce que sera la plante?

Car la femme, après l'amour, est aussi différente de la fillette de la veille que la fleur diffère de la feuille dont elle est sortie. C'est encore là ce qui, sans doute, a retenu jusqu'ici les romanciers précis devant cette

379

difficile tentative. Ecrire la vie d'une jeune fille jusqu'au mariage, c'est raconter l'histoire d'un être jusqu'au jour où il existe réellement. C'est vouloir préciser ce qui est indécis, rendre clair ce qui est obscur, entreprendre une œuvre de déblaiement pour l'interrompre quand elle va devenir aisée. Que reste-t-il de la jeune fille dans la femme, cinq ans après? Si peu qu'on ne le reconnaît plus.

L'homme se développe lentement d'année en année. Chez la femme, au contraire, cette transformation que fait le mariage est brusque, complète, surprenante. C'est une révolution dans l'être, une absolue métamorphose; et rien souvent ne peut faire prévoir ce que sera, à trente ans, la petite fille de quinze ans.

Le mariage, cette révélation des secrets de l'existence, cette manière nouvelle de voir, de comprendre toutes les choses de la vie, apporte dans l'âme de la fillette un tel bouleversement qu'elle semble changée en quelques jours. Des germes ignorés d'instincts ou de passions s'éveillent, tout le tempérament apparaît, les pensées se précisent, l'être s'affirme, il sort tout d'un coup de son enveloppe d'ignorance et apparaît comme s'il n'avait pas existé jusque-là.

***

Edmond de Goncourt a suivi jour par jour, heure par heure, le développement secret d'une âme d'enfant. Il note avec une étrange pénétration et une minutie singulière tous les phénomènes inaperçus de ce petit être qui se prépare. Il sait ses goûts indécis, ses inquiétudes, ses aptitudes, ses amusements, ses tristesses, tous les sursauts, toutes les surprises de cet esprit en formation. Il indique le progrès inégal de ses facultés, ses émotions nouvelles de chaque semaine, de chaque mois, de chaque année, toute la mécanique gentille et puérile de cette jeune nature en éveil.

Il a pris justement une petite Parisienne, précoce, maladive, mûre trop tôt, être hâtif, où apparaissent avant l'heure les penchants de la femme, mêlés avec toutes les innocences de l'enfant.

Point d'intrigue. Ce n'est pas un roman, c'est le tableau d'une âme de fillette. On la voit, cette jeune âme, vivre, s'agiter, grandir, s'affirmer dans ce jeune corps dont on suit de même le développement prématuré, où les grâces, les formes précises de la future coquette se montrent déjà dans la gamine.

C'est bien là un livre d'analyse définitif, plus charmant, plus empoignant, que s'il contenait des aventures et des péripéties amoureuses.

Et la langue si subtile, si raffinée, si pénétrante du maître, descend avec des ruses, des souplesses, des gentillesses délicieuses dans tous les secrets de cette mignonne créature, suit tous les détours de cette frêle pensée grandissante. Une joie souriante vous envahit devant le spectacle si clair et si délicat de cette petite fille qui montre à vous, tout nu, son petit cœur.

Tout autre est l'œuvre de Zola. C'est aux champs que le puissant romancier fait grandir sa jeune fille, âme simple et droite, ignorant les détours et les subtilités. Il a pris un être généreux, qui va souffrir de la vie. Celle-là, c'est bien cette fleur naturelle et charmante qui est la jeune fille et qui sera la femme. Née pour les autres, comme il dit, ayant en germe les saintes vertus féminines : le dévouement, la bonté, la compassion ; elle se sacrifie toujours, avec joie, sans regret, avec une confiance naïve, heureuse d'offrir, de donner tout ce qu'elle a, d'accomplir cette mission d'abnégation pour laquelle elle semble créée.

Puis l'écrivain élargit son image, agrandit sa donnée. L'histoire de cette jeune fille devient l'histoire de notre race entière, histoire sinistre, palpitante, humble et magnifique, faite de rêves, de souffrances, d'espoirs et de désespoirs, de honte et de grandeur, d'infamie et de désintéressement, de constante misère et de constante illusion.

Dans l'ironie amère de ce livre *La Joie de vivre*, Emile Zola a fait entrer une prodigieuse somme d'humanité.

Parmi ses plus remarquables romans, il en a peu écrit qui aient autant de grandeur que l'histoire de cette simple famille bourgeoise dont les drames médiocres et terribles ont pour décor superbe la mer, la mer féroce comme la vie, comme elle impitoyable, comme elle infatigable, et qui ronge lentement un pauvre village de pêcheurs bâti dans un repli de falaise.

Et sur le livre entier plane, oiseau noir aux ailes étendues, la mort.

Et *Chérie,* le roman de Goncourt, finit aussi par la mort. Comme si, sous le désenchantement qui grandit, sous la certitude, qui s'affirme chaque jour davantage dans les esprits, de l'éternelle misère de l'être, tous, les romanciers et les poètes, ne regardaient maintenant que le terme fatal et si prompt, en ne considérant plus que comme des accidents accessoires les aventures, amours, chagrins, espérances, songes et bonheurs qui font la vie, et qui nous menaient jusqu'ici, les yeux fermés, à la mort.

(*Le Gaulois,* 27 avril 1884.)

NOTES D'UN MÉCONTENT

Sur le toit, en face de chez moi, l'autre matin, deux gros pigeons étaient posés. Un d'eux regardait l'autre en faisant des grâces, des grâces charmantes, d'ailleurs, saluait, la gorge enflée, les ailes entrouvertes, et roucoulant avec des révérences de tout le corps.

Et je me dis : « Revoilà donc ce maudit printemps qui va nous emplir la ville et la banlieue d'amoureux insupportables. »

Car j'ai horreur de cette maladie qu'on prend au premier soleil comme on attrape un rhume aux premiers froids, de ce besoin bestial d'embrasser qui vous vient aux lèvres à la poussée des feuilles, comme si nous étions nous-mêmes des bêtes!

Je trouve honteux de devenir amoureux à la façon des animaux, au retour des chaleurs. Il ne manquerait plus que de faire une loi pour l'homme comme on en fait pour protéger la reproduction du poisson dans les rivières et du gibier dans la campagne. Ne lirons-nous pas quelque jour, sur les murs, une ordonnance interrompant tout travail, fermant la Bourse et les magasins, interdisant surtout les services nocturnes qui écartent les maris de leur couche et de leurs devoirs, pendant les trois mois du printemps, comme on interdit la chasse et comme on interdit la pêche aux époques de fécondation?

Les amoureux qu'agite le printemps sont pareils aux brutes, pareils aux oiseaux des toits et aux chiens des rues.

Le soir même du jour où j'avais vu mes deux pigeons, j'allai dîner dans un restaurant du boulevard. A la table voisine vint s'asseoir un couple de ces animaux éhontés.

Et je les vis bientôt boire dans le même verre, manger avec la même fourchette, barboter dans la même assiette, tachant la nappe, renversant le vin, faisant un tas de malpropretés ; et ils finirent par s'embrasser avec les lèvres grasses des gens qui dînent ! Oh les monstres !

Le lendemain je voulais aller jusqu'à Saint-Germain pour prendre l'air dans la forêt.

Et voilà que deux amoureux montent dans mon wagon. Ils se blotissent dans un coin, se chatouillent, se bécotent, ne se gênent pas plus que s'ils avaient été dans une chambre d'auberge. Puis ils mangent des gâteaux qu'ils ont apportés dans un papier, s'embrassent encore, et, la main dans la main, un bras autour de la taille, ces bêtes humaines agitées par la sève m'emplirent d'un tel dégoût pour ma race que je me tournai entièrement vers la portière, ne voulant plus les voir.

* * *

Le train filait entre deux lignes de ces affreuses petites maisons blanches, pareilles à des cabanes à lapins en plâtre, qui sont la joie des propriétaires suburbains.

Et je me dis : « Voilà encore ce que nous vaut le maudit printemps qui donne au bourgeois mûr un ridicule besoin de campagne comme il met un besoin de caresses aux veines des deux créatures qui se frottent l'une à l'autre, en face de moi. »

Et je les voyais, les possesseurs de ces bicoques, debout devant leurs portes, regardant passer le train. Ils avaient l'air triomphants. Ils se montraient aux voyageurs, comme pour dire : « Tenez, c'est ma maison, là derrière moi. Regardez. »

L'homme né dans les champs, dans un château, dans une villa ou dans une ferme, élevé sous les arbres d'un parc, d'un jardin ou d'une cour, trouve tout naturel de posséder une demeure à la campagne et de s'y retirer

384

quand approche l'été. Mais le bourgeois citadin qui *se rend acquéreur* d'un bien ne s'accoutume jamais à cette idée qu'il est le maître d'une maison avec de l'herbe autour, et il s'étonne indéfiniment jusqu'à sa mort que sa propriété soit à lui.

Ces deux races, le propriétaire de naissance et le propriétaire parvenu, se reconnaissent, se distinguent à un signe certain, infaillible, invariable. L'un vous reçoit chez lui à la campagne comme dans son appartement de la ville ; vous ne connaissez jamais de sa demeure que le salon et la salle à manger ; mais l'autre fait visiter sa propriété. Il la fait visiter de la cave au grenier, à tout le monde, au boulanger qui apporte le pain, au facteur qui apporte les lettres, aux gens qui passent sur la route et qui s'arrêtent imprudemment devant la grille. Quant aux amis, hélas, à chaque retour ils la visitent, et la revisitent à perpétuité.

Je les regardais, alignées interminablement le long de la voie, ces propriétés, ces hideuses petites baraques en moellon du pays, réchampies en plâtre, minces comme du carton, prétentieuses comme le chapeau de la dame du capitaine, conçues par l'architecte de banlieue, être inconnu, fléau mystérieux du bon goût, qui a fait de toute la campagne qui entoure Paris un musée des horreurs unique au monde.

Dans le jardin, grand et carré comme un mouchoir de poche, deux peupliers rongés par les chenilles ont l'air d'être piqués en terre, tout pareils aux arbres peints des boîtes à jouets de Nuremberg. Au milieu du gazon jaune, qui semble déteint au soleil, une boule de métal poli réfléchit, déformés, plus hideux encore que nature, la maison, les maîtres et les visiteurs. Devant cette boule de la consolation (car elle ne peut servir assurément qu'à consoler les gens de leur laideur en leur montrant qu'ils auraient pu être encore plus affreux) — devant cette boule, dis-je, murmure un jet d'eau en forme de clysopompe.

Il murmure, ce jet d'eau, mais au prix de quels efforts ? — Voyez-vous là-haut, sur le toit de la bicoque, cette chose en zinc qui semble une énorme boîte à sardines? C'est le réservoir. Et chaque matin, avant de partir pour le bureau (car il est employé quelque part), monsieur descend en pantalon et en manches de chemise, et il pompe, il pompe, il pompe à perdre haleine pour alimenter son irrigateur champêtre. Quelquefois sa femme, agacée par le bruit monotone et continu de l'eau qui monte dans le tuyau le long de la maison, derrière le mur si mince où s'appuie son lit, apparaît à la fenêtre en bonnet de nuit et crie : « Tu vas te faire du mal, mon ami ; il est temps de rentrer. » — Mais il refuse de la tête, sans interrompre son mouvement balancé. Il pomperait jusqu'à la fluxion de poitrine plutôt que de renoncer au bonheur de contempler, le soir, après son dîner, l'imperceptible filet d'eau qui s'émiette aussitôt que sorti de l'appareil pointu, et retombe en buée sur les deux poissons rouges et la grenouille apprivoisée, maigrie dans la cuvette en ciment dont elle essaye sans repos de s'échapper.

C'est le dimanche surtout que s'épanouit vraiment la satisfaction du propriétaire suburbain. Il a revêtu un costume en harmonie avec sa position : pantalon de coutil, veston de toile et chapeau panama. Le jet d'eau fonctionne dès le matin ; on attend les invités. Ils apparaissent par trois convois différents ; et, à chaque arrivée, on revisite la maison tout entière.

Puis on déjeune avec des œufs couvis venus de Normandie en passant par Paris. Les légumes ont suivi le même itinéraire ; et on mâche indéfiniment, sans parvenir à la réduire, cette viande invincible de la banlieue, rebut des boucheries parisiennes.

La fenêtre est ouverte toute grande ; la poussière entre à flots, poudre les gens et les plats ; et chaque train qui passe fait lever les convives qui adressent, par facétie, des signes aux voyageurs en agitant leurs serviettes. La fumée charbonneuse des locomotives entre à son tour dans la salle à manger et dépose sur les nez, sur les fronts et la nappe de petites taches noires qui s'agrandissent sous le doigt.

Puis la journée s'écoule lamentablement. Aucune promenade aux environs, aucun bois, aucun arbre. La maison, brûlante comme une chaufferette, est inhabitable. La grenouille et les poissons rouges s'agitent dans l'eau bouillante du bassin. De minute en minute, un train passe.

Mais le propriétaire rayonne; il est chez lui!

***

La laideur continue de ces bicoques, la monotone platitude de la campagne m'écœurèrent bientôt si fort que je me retournai vers le wagon.

Les deux amoureux maintenant étaient penchés à l'autre portière, et ils regardaient au-dehors tout en se tenant par la taille. Des bribes de conversation m'arrivaient.

— « Regarde celle-là, comme elle est jolie? »

— « Tiens, c'est celle-ci qui me plairait. »

Ils admiraient ces boîtes à bourgeois poussées comme des champignons tout le long du chemin de fer.

Ils en aperçurent une, en forme de cage, avec deux tourelles. Et le jeune homme murmura en serrant plus vivement contre lui sa voisine dans un élan de désir : « Tiens, si nous avions celle-là, comme on serait bien! »

(*Gil Blas*, 29 avril 1884.)

LA GALANTERIE

Toute la physionomie d'un peuple consiste surtout dans ses qualités et ses défauts héréditaires. Et ses défauts sont souvent aussi charmants que ses qualités.

En France, quelques-unes de nos grâces originelles ont persisté jusqu'à nous mais aussi quelques-unes ont disparu, des plus typiques et des plus aimables.

Les principaux signes du caractère français sont : l'esprit, la mobilité, l'insouciance ; — une certaine exaltation mêlée de scepticisme, de la générosité atténuée par de l'ironie, la bravoure et la galanterie.

Quoi qu'on dise, on a encore de l'esprit chez nous, de l'esprit alerte, bien né, joyeux, bon enfant. Cette terre du vin sera toujours la terre de l'Esprit.

Il est cependant certain que l'avènement de la Démocratie a modifié notre manière de rire.

La gravité pontifiante des lourdauds qui pérorent au Palais Bourbon a certes une influence néfaste sur la rate du bourgeois français. Pourtant les hommes d'esprit ne manquent point dans le parti républicain. Faut-il citer ces maîtres : Rochefort, Scholl, Chapron, About ? Mais ceux-là n'ont rien de commun avec les pesants doctrinaires de la Chambre et avec les sinistres braillards que Jean Béraud a si véridiquement portraiturés dans son tableau du présent Salon.

De la mobilité, nous en avons toujours. N'en disons point trop de mal. C'est cette qualité qui diversifie si allégrement nos mœurs et nos institutions. Elle fait ressembler notre pays à un surprenant roman d'aventures dont la *suite à demain* est toujours pleine d'imprévu, de drame et de comédie, de choses terribles ou grotesques. Qu'on se fâche et qu'on s'indigne, suivant les opinions qu'on a, il est bien certain que nulle histoire au monde n'est plus amusante et plus mouvementée que la nôtre.

Au point de vue de l'Art pur — et pourquoi n'admettrait-on pas ce point de vue spécial et désintéressé en politique comme en littérature? — elle demeure sans rivale. Quoi de plus curieux et de plus surprenant que les événements accomplis seulement depuis un siècle?

Que verrons-nous demain? Cette attente de l'imprévu n'est-elle pas, au fond, charmante? Tout est possible chez nous, même les plus invraisemblables drôleries et les plus tragiques aventures.

De quoi nous étonnerions-nous? Quand un pays a eu des Jeanne d'Arc et des Napoléon, il peut être considéré comme un sol miraculeux.

Et n'est-ce pas, en effet, un miracle du caractère français de voir le Conseil municipal de Paris devenu tout à coup presque réactionnaire?

Sommes-nous toujours insouciants, exaltés et sceptiques, généreux et ironiques, aventureux et braves? Oui, certes, on le peut affirmer, sans qu'il soit nécessaire de le prouver.

Sont-ce là des qualités ou des défauts? Qu'importe! Ce sont, en tout cas, les signes héréditaires du tempérament français.

**

Mais nous avons perdu la plus charmante de nos qualités : la galanterie.

Nous étions le seul peuple qui aimât vraiment les femmes ou plutôt qui sût les aimer, comme elles doivent être aimées, avec légèreté, avec grâce, avec esprit, avec tendresse, et avec respect. La galanterie était une qualité toute française, uniquement française, nationale.

Regardons autour de nous.

Les Anglais sont passionnés, sensuels et commerçants en amour. A la fin de toute aventure il faut épouser ou payer.

Les Allemands placent la femme dans un nuage, rêvent et soupirent, débitent des choses sentimentales avec une lourde exaltation, mangent du porc, des saucisses et de la choucroute, et boivent des tonneaux de bière en soupirant des fadeurs.

L'Espagnol est ardent, pratique; l'Italien lui ressemble; les peuples du Nord sont poétiques; le Russe est brutal.

Que faut-il entendre par la galanterie?

C'est l'art d'être discrètement amoureux de toutes les femmes, de faire croire à chacune qu'on la préfère aux autres, sans laisser deviner à toutes celle qu'on préfère, en vérité.

C'est la galanterie qui rendait charmants les salons, charmantes les mœurs, et charmants les hommes d'autrefois. Les femmes aujourd'hui sont pour nous des étrangères, des dames, des êtres parés dont nous ne nous soucions guère, à moins d'être amoureux d'une d'elles. Nous ne leur parlons que pour leur raconter les faits du jour ou les scandales de la nuit, nous avons oublié notre métier d'hommes.

Mais celui qui garde au cœur la flamme galante du dernier siècle aime les femmes d'une tendresse profonde, douce, émue, et alerte en même temps. Il aime tout ce qui est d'elles, tout ce qui vient d'elles, tout ce qu'elles sont, et tout ce qu'elles font. Il aime leurs toilettes, leurs bibelots, leurs parures, leurs ruses, leurs naïvetés, leurs perfidies, leurs mensonges et leurs gentillesses. Il les aime toutes, les riches comme les pauvres, les jeunes comme les vieilles, les jolies, les laides, les brunes, les blondes, les grasses, les maigres. Il se sent à son aise près d'elles, au milieu d'elles. Il y demeurerait indéfiniment, sans fatigue, sans ennui, heureux de leur seule présence.

Il sait, dès les premiers mots, par un regard, par un sourire, leur montrer qu'il les aime, éveiller leur attention, aiguillonner leur désir de plaire, leur faire déployer pour lui toutes leurs séductions. Entre elles et lui s'établit aussitôt une sympathie vive, une camaraderie d'instinct, comme une parenté de caractère et de nature.

Il sait leur dire ce qui leur plaît, leur faire comprendre ce qu'il pense, leur montrer sans les choquer jamais, sans jamais froisser leur frêle et mobile pudeur, un désir discret et vif, toujours éveillé dans ses yeux, toujours frémissant sur sa bouche, toujours allumé dans ses veines. Il est leur ami et leur esclave, le serviteur de leurs caprices et l'admirateur de leur personne. Il est prêt à leur appel, à les aider, à les défendre comme des alliés secrets. Il aimerait se dévouer pour elles, pour celles qu'il connaît un peu, pour celles qu'il ne connaît pas, pour celles qu'il n'a jamais vues.

Il ne leur demande rien qu'un peu de gentille affection, un peu de confiance ou un peu d'intérêt, un peu de bonne grâce ou même de perfide malice.

Il aime, dans la rue, la femme qui passe et dont le regard le frôle. Il aime la fillette en cheveux qui va, un nœud bleu sur la tête, une fleur sur le sein, l'œil timide ou hardi, d'un pas lent ou pressé, à travers la foule des trottoirs. Il aime les inconnues coudoyées, la petite marchande qui rêve sur sa porte, la belle nonchalante étendue dans sa voiture découverte.

Dès qu'il se trouve en face d'une femme il a le cœur ému et l'esprit en éveil. Il pense à elle, parle pour elle, tâche de lui plaire et de lui faire comprendre qu'elle lui plaît. Il a des tendresses qui lui viennent aux lèvres, des caresses dans le regard, une envie de lui baiser la main, de toucher l'étoffe de sa robe. Pour lui, les femmes parent le monde et rendent séduisante la vie.

Il aime s'asseoir à leurs pieds pour le seul plaisir d'être là; il aime rencontrer leur œil, rien que pour y chercher leur pensée fuyante et voilée; il aime écouter leur voix uniquement parce que c'est une voix de femme.

*
**

Il n'en est plus guère, aujourd'hui, de ces hommes!

Aussi ne sait-on que faire pour occuper les longues soirées mondaines. On essaye de la comédie, on pose en tableaux vivants, on fait résonner des instruments à cordes et des instruments à vent que personne n'écoute. Quand un homme se trouve, par hasard, à côté d'une femme qui lui est étrangère, il s'ennuie et ne sait que lui dire, et n'essaye point de la séduire ni de l'inciter à lui plaire. Il a l'œil muet comme la bouche, le cœur endormi comme l'esprit; il demeure lourd et las d'une conversation languissante, qui ne se changera point en causerie et ne deviendra pas galante.

Car la galanterie est morte.

Pourquoi? Comment? Qui le sait? Est-elle un privilège des sociétés aristocratiques? Ou a-t-elle disparu parce que le tempérament français a changé? Qui le dira?

Elle est partie avec la politesse, la vieille politesse cérémonieuse et la courtoisie bien née. Aujourd'hui nous saluons à l'anglaise et nous traitons les femmes à l'américaine! C'est tant pis pour nous, et peut-être aussi pour elles.

(*Le Gaulois*, 27 mai 1884.)

LES SUBTILS

Autant d'hommes, autant de manières de comprendre et de regarder la vie.

Les uns ne font que voir, à la façon des animaux. Les faits, les choses, les visages, les événements semblent ne se refléter que dans leurs yeux, sans produire de répercussion dans l'intelligence, sans éveiller cette suite infinie de raisonnements, d'idées enchaînées, de réflexions, de déductions qui se prolonge indéfiniment comme les vibrations d'un son, ou les ondes dans l'eau où vient de tomber une pierre.

Les autres, au contraire, s'acharnent à pénétrer toujours le mystérieux mécanisme des motifs et des déterminations.

Quand une fois l'esprit se met à chercher le secret des causes, il s'enfonce, il s'égare, se perd souvent dans l'obscur et inextricable labyrinthe des phénomènes psychologiques et physiologiques.

Depuis tant de siècles que le monde existe et qu'on l'observe, c'est à peine si les esprits les plus pénétrants ont pu saisir quelques-uns des secrets cachés dans l'homme et autour de l'homme. Ceux qui sont autour de nous, d'ailleurs, nous échapperont toujours en grande partie, car, ainsi que l'a dit Gustave Flaubert dans *Bouvard et Pécuchet* : « La science est faite suivant les données fournies par un coin de l'étendue. Peut-être ne convient-elle pas à tout le reste qu'on ignore, qui est beaucoup plus grand et qu'on ne peut découvrir. »

Mais la recherche des seuls phénomènes psychologiques a préoccupé de tout temps les chercheurs. Jadis les philosophes avaient le monopole de ces études, qu'ils exposaient en des livres graves. Aujourd'hui, ce sont surtout les romanciers observateurs qui s'efforcent de pénétrer et d'expliquer l'obscur travail des volontés, le profond mystère des réflexions inconscientes, les déterminants tantôt plus instinctifs que raisonnés, et tantôt plus raisonnés qu'instinctifs ; d'indiquer la limite insaisissable où le vouloir réfléchi se mêle, pour ainsi dire, à une sorte de vouloir matériel sensuel, à un vouloir animal ; de noter les actions de l'un sur l'autre, etc. Un des hommes dont je vais m'occuper tout à l'heure, M. Paul Bourget, dit à la première page de sa remarquable nouvelle, *L'Irréparable :* « Par-dessous l'existence intellectuelle et sentimentale dont nous avons conscience, et dont nous endossons la responsabilité probablement illusoire, tout un domaine s'étend, obscur et changeant, qui est cependant celui de notre vie inconsciente. »

C'est ce domaine mystérieux qu'explorent aujourd'hui les romanciers, avec des méthodes très différentes.

Les uns, qui sont purement des *objectifs,* au lieu de mettre à jour la psychologie des personnages en des dissertations explicatives, la font simplement apparaître par leurs actes. Les dedans se trouvent ainsi dévoilés par les dehors, sans aucune argumentation psychologique.

Les autres, comme M. Paul Bourget, font pour ainsi dire la géographie morale des gens qu'ils présentent au lecteur et ils entrent jusqu'au profond de leur âme pour dévoiler les mobiles de leurs actions. On pourrait appeler ceux-ci des métaphysiciens, et ceux-là des metteurs en scène.

Mais il faut encore distinguer parmi les romanciers deux grandes tendances générales. L'une qui pousse les analystes à simplifier l'âme humaine observée ; à faire, en quelque sorte, la somme des nuances de même nature pour frapper le lecteur par un trait typique, par une note unique et caractéristique ; l'autre qui les détermine au contraire à saisir et à montrer une à une les plus vagues, les plus fugitives sensations de la pensée, les plus obscures évolutions de la volonté, à ne négliger aucun détail d'aucune nature, aucune nuance d'aucune sorte.

Ces derniers auraient donc, au contraire, une propension à compliquer. On les pourrait appeler les subtils.

Dans les œuvres des premiers la vie apparaît par images comme dans la réalité. Les visions passent devant les yeux du lecteur, éveillant en lui plus ou moins d'attention, plus ou moins de réflexion; il en tire, suivant le degré de son intelligence, des conclusions plus ou moins profondes, et des déductions plus ou moins étendues. Il peut, à son gré, s'il n'est doué d'aucun esprit de pénétration, se contenter de regarder se dérouler l'aventure et agir les personnages comme il regarderait un accident et des passants dans la rue. Les subtils, au contraire, forcent les lecteurs à un travail de pensée délicieux pour les uns et pénible pour les autres. Il faut, pour suivre toutes les finesses de leurs aperçus et les arguties de leurs remarques, demeurer toujours en éveil, toujours au guet; on accomplit à leur suite un voyage d'exploration dans le cerveau humain; il faut un effort constant d'attention et d'intelligence pour marcher derrière eux, dans ce dédale.

Parmi les écrivains classés dès aujourd'hui comme des maîtres (je ne parle que des observateurs artistes), Flaubert représente parfaitement le type du romancier essentiellement objectif, tandis que les frères de Goncourt sont des subtils.

Parmi les écrivains actuellement en plein labeur et en plein talent, deux hommes nous montrent, avec des qualités très différentes, des manières de voir et d'écrire très opposées, et une valeur tout à fait supérieure, deux types très différents de subtils.

Ce sont MM. Catulle Mendès et Paul Bourget.

CATULLE MENDÈS

Chez lui, tout est subtil et tout est séduisant. C'est un poète charmant, un poète même en prose.

Il n'a qu'un souci médiocre de la réalité, et se contente de demeurer dans le possible, par suite, sans doute, de cette certitude que « tout arrive ».

Je veux dire par là qu'au lieu de chercher à frapper l'esprit par la vraisemblance éclatante, indéniable, des caractères et des faits, ce que veulent obtenir les réalistes en négligeant les vérités exceptionnelles pour ne choisir que les vérités constantes, il aime, il préfère les personnages qui ont un grain d'anormal, et les sujets où se mêle un peu d'étrange. Sa fantaisie charmante, imprévue et bizarre se plaît hors la règle commune. Elle évoque des êtres capricieux, délicats, pervers, toujours subtils, toujours compliqués, toujours intéressants par le mystère, souvent criminel, de leur âme.

Il a bien fait ressortir toutes les ressources surprenantes de son exquis talent dans cette série de singuliers portraits qu'il intitula *les Monstres parisiens*.

Il vient de publier deux volumes où il montre sous deux faces nouvelles ses admirables qualités d'observateur indépendant et fantaisiste. L'un de ces deux livres est fortement osé, il s'appelle *Les Boudoirs de Verre*. L'autre, non moins délicat et rusé, mais plus honnête, a pour titre *Les Jeunes Filles*.

Dans l'un et dans l'autre apparaît cette subtilité alerte, pénétrante, si artiste, si personnelle qui est la marque de son talent, qui fait de Catulle Mendès un maître curieux ne ressemblant à personne, ne pouvant être classé dans aucune école, ni comparé à aucun écrivain.

Son style fin, agile, malin, sournois a des hardiesses secrètes, des hardiesses jésuitiques que personne ne tenterait. Sa pensée masquée et merveilleusement servie par l'incomparable artifice de cette langue, ne recule devant rien et si on poursuivait les écrivains, aucun magistrat ne pourrait relever un outrage à la morale dans ces contes d'une corruption sans pareille, mais d'une telle adresse de phrase qu'ils braveraient les plus adroits inquisiteurs.

396

Il vient de publier un très remarquable volume, *L'Irréparable,* qui donne bien la note de ce penseur, de cet observateur profond et mélancolique.

Celui-là est surtout un délicat, un effarouché devant les brutalités de la vie, un vibrant et un spleenétique à la manière anglaise.

Tout préoccupé des phénomènes mystérieux de l'âme, il les suit avec une subtilité sérieuse et les exprime en une langue précise, un peu philosophique, mais qui dévoile merveilleusement toutes les obscures évolutions de la pensée et de la volonté chez l'être humain.

C'est sur les femmes que s'exerce le plus volontiers son analyse pénétrante et bienveillante, car on sent qu'il aime les femmes d'un amour infini et désintéressé. Il les connaît, les raconte, les montre avec une étonnante sûreté de vue, et la délicatesse presque exagérée de sa pensée apparaît à tout instant, soit qu'il parle des hommes qui veulent seulement *avoir* des femmes, verbe brutal qui décèle bien la secrète brutalité de ces sortes de rapports cruels entre les sexes, qu'on appelle pourtant du beau nom « d'amour », soit qu'il analyse un de ses personnages qu'il montre atteint d'une maladie étrange bien moderne, observée et exprimée par lui avec une rare perspicacité : « Il était malade d'un excès de subtilité, toujours à la recherche de la nuance rare, et, quoique supérieurement intelligent, il ne devait jamais atteindre à cette large et franche conception de l'art qui produit les œuvres géniales. »

Il dit ailleurs (c'est une femme qui parle) : « J'étais toute jeune alors, je n'avais pas acquis cette indulgence que donne le sentiment de l'inachevé de la vie... »

Quoi de plus juste, de plus saisissant et de plus aigu que ces observations qui tombent de sa plume, au cours du récit, de page en page? Il semble qu'il porte une lampe, une petite lampe vive et mystérieuse comme celle des mineurs et qu'il éclaire, d'une rapide lumière, par une ligne, par un mot, à mesure qu'il fait agir un personnage, le fond secret de sa pensée. Et il donne en même temps, lui aussi, d'une façon discrète et un peu triste, son avis sur les choses et les hommes. Il laisse apparaître sans cesse ses déductions, ne laissant pas au lecteur le choix et la liberté, soit de conclure dans un sens ou dans l'autre, soit de ne point conclure du tout.

Paul Bourget qui avait pris, comme poète et comme critique, une place éminente parmi les écrivains de ce temps, vient de se placer aussi au premier rang des romanciers observateurs, psychologues et artistes.

(Gil Blas, 3 juin 1884.)

PAR-DELÀ

Heureux ceux que satisfait la vie, ceux qui s'amusent, ceux qui sont contents.

Il est des gens qui aiment tout, que tout enchante. Ils aiment le soleil et la pluie, la neige et le brouillard, les fêtes et le calme de leur logis, tout ce qu'ils voient, tout ce qu'ils font, tout ce qu'ils disent, tout ce qu'ils entendent.

Ceux-ci mènent une existence douce, tranquille et satisfaite au milieu des enfants. Ceux-là ont une existence agitée de plaisirs et de distractions.

Ils ne s'ennuient ni les uns ni les autres.

La vie, pour eux, est une sorte de spectacle amusant dont ils sont eux-mêmes acteurs, une chose bonne et changeante qui, sans trop les étonner, les ravit.

Mais d'autres hommes, parcourant d'un éclair de pensée le cercle étroit des satisfactions possibles, demeurent atterrés devant le néant du bonheur, la monotonie et la pauvreté des joies terrestres.

Dès qu'ils touchent à trente ans, tout est fini pour eux. Qu'attendraient-ils ? Rien ne les distrait plus ; ils ont fait le tour de nos maigres plaisirs.

Heureux ceux qui ne connaissent pas l'écœurement abominable des mêmes actions toujours répétées ; heureux ceux qui ont la force de recommencer chaque jour les mêmes besognes, avec les mêmes gestes, les mêmes meubles, le même horizon, le même ciel, de sortir par les mêmes rues où ils rencontrent les mêmes figures et les mêmes animaux. Heureux ceux qui ne s'aperçoivent pas avec un immense dégoût que rien ne change, que rien ne passe et que tout lasse. Faut-il que nous ayons l'esprit lent, fermé, et peu exigeant pour nous contenter de ce qui est. Comment se fait-il que le public du monde n'ait pas encore crié : « Au rideau ! », n'ait pas demandé l'acte suivant avec d'autres êtres que l'homme, d'autres formes, d'autres fêtes, d'autres plantes, d'autres astres, d'autres inventions, d'autres aventures.

Vraiment personne n'a donc encore éprouvé la haine du visage humain toujours pareil, la haine du chien qui rôde par les rues, la haine surtout du cheval, animal horrible monté sur quatre perches et dont les pieds ressemblent à des champignons.

C'est de face, qu'il faut voir un être pour en juger la plastique. Regardez de face un cheval, cette tête informe, cette tête de monstre plantée sur deux jambes minces, noueuses et grotesques! Et quand elles traînent des fiacres jaunes, ces affreuses bêtes, elles deviennent des visions de cauchemar. Où fuir pour ne plus voir ces choses vivantes ou immobiles, pour ne pas recommencer toujours, toujours, tout ce que nous faisons, pour ne plus parler et pour ne plus penser?

***

Vraiment nous nous contentons de peu. Est-ce possible que nous soyons joyeux, rassasiés? Que nous ne nous sentions pas sans cesse ravagés par un torturant désir de nouveau, d'inconnu?

Que faisons-nous? A quoi se bornent nos satisfactions? Regardons les femmes surtout. Le plus grand mouvement de leur pensée consiste à combiner les couleurs et les plis des étoffes dont elles cacheront leur corps, pour le rendre désirable. Quelle misère!

Elles rêvent d'amour. Murmurer un mot, toujours le même, en regardant au fond des yeux un homme. Et voilà tout. Quelle misère!

Et nous, que faisons-nous? Quels sont nos plaisirs?

Il est, paraît-il, délicieux de se tenir d'aplomb sur le dos d'un cheval qui court, de le faire sauter par-dessus des barrières, de savoir lui faire exécuter des mouvements quelconques avec des pressions de genou?

Il est, paraît-il, délicieux de parcourir les bois et les champs avec un fusil dans les mains et de tuer tous les animaux qui s'enfuient devant vos pas, les perdrix qui tombent du ciel en semant une pluie de sang, les chevreuils aux yeux si doux, qu'on aimerait caresser, et qui pleurent comme des enfants? Il est, paraît-il, délicieux de gagner ou de perdre de l'argent en échangeant, avec un autre homme, des petits cartons de couleur, suivant des règles acceptées? On passe des nuits à ces jeux, on les aime d'une façon désordonnée!

Il est délicieux de sauter en cadence ou de tourner en mesure avec une femme entre les bras? Il est délicieux de poser sa bouche sur les cheveux de cette femme, quand on l'aime, ou même sur le bord de ses vêtements.

Voilà tous nos grands plaisirs! Quelle misère!

***

D'autres hommes aiment les arts, la Pensée! Comme si elle changeait, la pensée humaine?

La peinture consiste à reproduire avec des couleurs les monotones paysages sans qu'ils ressemblent même jamais à la nature, à dessiner des hommes, toujours des hommes, en s'efforçant, sans y jamais parvenir, de leur donner l'aspect des vivants. On s'acharne ainsi, inutilement, pendant des années, à imiter ce qui est; et on arrive à peine, par cette copie immobile et muette des actes de la vie, à faire comprendre aux yeux exercés ce qu'on a voulu tenter.

Pourquoi ces efforts? Pourquoi cette imitation vaine?

Pourquoi cette reproduction banale de choses si tristes par elles-mêmes? Misère!

Les poètes font avec des mots ce que les peintres essayent avec des nuances? Toujours pourquoi?

Quand on a lu les quatre plus habiles, les quatre plus

ingénieux, il est inutile d'en ouvrir un autre. Et on ne sait rien de plus. Ils ne peuvent, eux aussi, ces hommes, qu'imiter l'homme! Ils s'épuisent en un labeur stérile. Car l'homme ne changeant pas, leur art inutile est immuable. Depuis que s'agite notre courte pensée, l'homme est le même; ses sentiments, ses croyances, ses sensations, sont les mêmes, il n'a point avancé, il n'a point reculé, il n'a point remué. A quoi me sert d'apprendre ce que je suis, de lire ce que je pense, de me regarder moi-même dans les banales aventures d'un roman?

Ah! si les poètes pouvaient traverser l'espace, explorer les astres, découvrir d'autres univers, d'autres êtres, varier sans cesse pour mon esprit la nature et la forme des choses, me promener sans cesse dans un inconnu changeant et surprenant, ouvrir des portes mystérieuses sur des horizons inattendus et merveilleux, je les lirais jour et nuit. Mais ils ne peuvent, ces impuissants, que changer la place d'un mot, et me montrer mon image, comme les peintres. A quoi bon? Car la pensée de l'homme est immobile.

Les limites précises, proches, infranchissables, une fois atteintes, elle tourne comme un cheval dans un cirque, comme une mouche dans une bouteille fermée, voletant jusqu'aux parois où elle se heurte toujours. Nous sommes emprisonnés en nous-mêmes, sans parvenir à sortir de nous, condamnés à traîner le boulet de notre rêve sans essor.

Tout le progrès de notre effort cérébral consiste à constater des faits insignifiants au moyen d'instruments ridiculement imparfaits qui suppléent cependant un peu à l'incapacité de nos organes. Tous les vingt ans, un pauvre chercheur qui meurt à la peine, découvre que l'air contient un gaz encore inconnu, qu'on dégage une force impondérable, inexplicable et inqualifiable en frottant de la cire sur du drap, que parmi les innombrables étoiles ignorées il s'en trouve une qu'on n'avait pas encore signalée dans le voisinage d'une autre vue et baptisée depuis longtemps. Qu'importe?

Nos maladies viennent de microbes? Fort bien. Mais d'où viennent les microbes? et les maladies de ces invisibles eux-mêmes? Et les soleils, d'où viennent-ils?

Nous ne savons rien, nous ne voyons rien, nous ne pouvons rien, nous ne devinons rien, nous n'imaginons rien, nous sommes enfermés, emprisonnés en nous. Et des gens s'émerveillent du génie humain!

Notre mémoire ne peut même pas contenir le dix millième des confuses et misérables observations faites par nos savants et enregistrées dans des livres. Nous ne savons même pas constater notre faiblesse et notre incapacité; car, ne faisant que comparer l'homme à l'homme, nous mesurons mal son impuissance générale et définitive.

Il n'est pas de remède. Les uns voyagent. Ils ne verront jamais autre chose que des hommes, des arbres et des animaux.

C'est en voulant aller loin qu'on comprend bien comme tout est proche, et court et vide. — C'est en cherchant l'inconnu qu'on s'aperçoit bien comme tout est médiocre et vite fini. — C'est en parcourant la terre qu'on voit bien comme elle est petite et toujours pareille.

Heureux ceux dont les appétits sont proportionnés aux moyens, qui vivent satisfaits de leur ignorance et de leurs plaisirs, ceux que ne soulèvent point sans cesse des élans impétueux et vains vers l'au-delà, vers d'autres choses, vers l'immense mystère de l'Inexploré.

Heureux ceux qui s'intéressent encore à la vie, qui la peuvent aimer ou supporter.

***

Le romancier J. K. Huysmans, dans son livre stupéfiant, qui a pour titre *A Rebours,* vient d'analyser et de raconter de la façon la plus ingénieuse, la plus drôle et la plus imprévue, la maladie d'un de ces dégoûtés.

Son héros, Jean des Esseintes, ayant touché à tous les

plaisirs, à toutes les choses réputées charmantes, à tous les arts, à tous les goûts, trouvant insipide la vie, odieuses les heures monotones et semblables, se fabrique, à force d'imagination et de fantaisie, une existence absolument factice, absolument cocasse, vraiment à rebours de tout ce qu'on fait ordinairement.

Voici d'abord, pour donner l'idée de l'état d'esprit de ce singulier personnage : — « Il songeait simplement à se composer, pour son plaisir personnel et non plus pour l'étonnement des autres, un intérieur confortable et paré néanmoins d'une façon rare, à se façonner une installation curieuse et calme, appropriée aux besoins de sa future solitude.

« ...Lorsqu'il ne resta plus qu'à déterminer l'ordonnance de l'ameublement et du décor, il passa de nouveau en revue la série des couleurs et des nuances.

« Ce qu'il voulait, c'étaient des couleurs dont l'expression s'affirmât aux lumières factices des lampes...

« Lentement il tira, un à un, les tons.

« ... Ces couleurs écartées, trois demeuraient seulement : le rouge, l'orangé, le jaune.

« A toutes, il préférait l'orangé, confirmant ainsi par son propre exemple, la vérité d'une théorie qu'il déclarait d'une exactitude presque mathématique : à savoir qu'une harmonie existe entre la nature sensuelle d'un individu vraiment artiste, et la couleur que ses yeux voient d'une façon plus spéciale et plus vive.

« En négligeant en effet le commun des hommes dont les grossières rétines ne perçoivent ni la cadence propre à chacune des couleurs, ni le charme mystérieux de leurs dégradations et de leurs nuances ; en négligeant aussi ces yeux bourgeois, insensibles à la pompe et à la victoire des teintes vibrantes et fortes ; en ne conservant plus alors que les gens aux pupilles raffinées, exercées par la littérature et par l'art, il lui semblait certain que l'œil de celui d'entre eux qui rêve d'idéal, qui réclame des illusions, sollicite des voiles dans le coucher, est généralement caressé par le bleu et ses dérivés, tels que le mauve, le lilas, le gris de perle, pourvu toutefois qu'ils demeurent attendris, et ne dépassent pas la lisière où ils aliènent leur personnalité et se transforment en de purs violets et de francs gris.

« ... Enfin, les yeux des gens affaiblis et nerveux, dont l'appétit sensuel quête des mets relevés par les fumages et les saumures, les yeux des gens surexcités et étiques, chérissent, presque tous, cette couleur irritante et maladive, aux splendeurs fictives, aux fièvres acides : l'orangé. »

*
* *

Alors, par une suite de transpositions, de tromperies voulues de l'œil, de l'odorat, de l'ouïe, du goût, Jean des Esseintes se procurait une série de sensations déplacées, à rebours, qui prenaient pour lui un charme subtil, raffiné, pervers, dans la déviation même des organes trompés et des instincts dévoyés. Ainsi « le mouvement lui paraissait inutile (pour voyager) et l'imagination lui semblait pouvoir aisément suppléer à la vulgaire réalité des faits ».

Du moment que les vins habilement travaillés vendus dans les restaurants renommés, trompent les gourmets au point que le plaisir éprouvé par eux en dégustant ces breuvages altérés et factices est absolument identique à celui qu'ils goûteraient en savourant le vin naturel et pur, pourquoi ne pas transporter cette captieuse déviation, cet adroit mensonge dans le monde de l'intellect. Nul doute qu'on ne puisse alors, et aussi facilement que dans le monde matériel, jouir de chimériques délices, semblables en tous points aux vraies, et même beaucoup plus séduisantes pour un esprit désabusé, par cela même qu'elles sont factices. Donc, à son avis, il était possible de contenter les désirs réputés les plus difficiles à satisfaire dans la vie normale, et cela par un léger subterfuge, par une approximative sophistication de l'objet poursuivi par ces désirs mêmes.

Alors commence une série d'expériences bizarres et cocasses. — « Comme il le disait, la nature a fait son temps; elle a définitivement lassé, par la dégoûtante uniformité de ses paysages et de ses ciels, l'attentive patience des raffinés. Au fond, quelle platitude de spécialiste confiné dans sa partie, quelle petitesse de boutiquière tenant tel article à l'exclusion de tel autre, quel monotone magasin de prairies et d'arbres, quelle banale agence de montagnes et de mers! »

Que fait-il? Il voyage, par exemple, au moyen des odeurs : « Actuellement, il voulut vagabonder dans un surprenant et variable paysage, et il débuta par une phrase sonore, ample, ouvrant tout d'un coup une échappée de campagne immense. Avec ses vaporisateurs, il injecta dans la pièce une essence formée d'ambroisie, de lavande, de Mitcham, de pois de senteur, de bouquet, une essence qui, lorsqu'elle est distillée par un artiste, mérite le nom qu'on lui décerne « d'extrait de pré fleuri »; puis, dans ce pré, il introduisit une précise fusion de tubéreuse, de fleur d'oranger et d'amande, et aussitôt d'artificiels lilas naquirent, tandis que des tilleuls s'éventèrent, rabattant sur le sol leurs pâles émanations que simulait l'extrait de tilia de Londres... »

Avec des odeurs de produits chimiques il évoque une ville d'usines, des ports de mer avec des senteurs marines et goudronneuses : il rappelle les jardins en fleurs, change de latitude, fait naître en sa pensée « une nature démente et sublimée, pas vraie et charmante, toute paradoxale, réunissant les piments des tropiques, les souffles poivrés du santal de la Chine et de l'hédiosmia de la Jamaïque aux odeurs françaises du jasmin, de l'aubépine et de la verveine, poussant en dépit des saisons et des climats, des arbres d'essences diverses, des fleurs aux couleurs et aux fragrances les plus opposées, créant par la fonte et le heurt de tous ces tons, un parfum général, innommé, étrange, dans lequel reparaissait, comme un obstiné refrain, la phrase décorative du commencement, l'odeur du grand pré éventé par les lilas et les tilleuls ».

406

***

Je ne pourrais tenter l'analyse complète du livre de Huysmans, de ce livre extravagant et désopilant, plein d'art, de fantaisie bizarre, de style pénétrant et subtil, de ce livre qu'on pourrait appeler « l'histoire d'une névrose ».

Mais pourquoi donc ce névrosé m'apparaîtrait-il comme le seul homme intelligent, sage, ingénieux, vraiment idéaliste et poète de l'univers, s'il existait?

(Gil Blas, 10 juin 1884.)

LE DIVORCE ET LE THÉÂTRE

Voici que le divorce entre dans la loi, à la grande joie d'une infinité de ménages ; mais ce qui va être particulièrement intéressant, c'est de le voir entrer dans les mœurs.

Il entre dans la loi, tant mieux. Il était vraiment peu logique que cette loi, qui ne permet pas à un homme de prononcer des vœux religieux, qui ne lui permet point de prendre vis-à-vis de lui-même, un engagement aussi long que son existence, trouvât au contraire juste et sage et naturel de le lier jusqu'à sa mort à un autre être, de l'ensaquer dans le mariage, de le river au boulet de l'amour à perpétuité et de l'accouplement à vie.

Cette obligation de la fidélité, ordonnée par le maire, dont on tenait compte d'ailleurs autant que de la défense de marcher sur les gazons du Bois de Boulogne, va devenir, sinon plus respectée, du moins plus respectable, par cela même qu'on pourra s'affranchir légalement de cette contrainte, au moyen de quelques voies de fait.

Etant donné que la loi humaine est destinée à contrarier nos instincts qui constituent la loi naturelle, il est bien juste qu'on laisse, entre les articles coercitifs, entre les textes rédigés pour réprimer nos gaietés, pour contraindre nos penchants, pour modérer nos goûts, pour restreindre nos libertés, quelques échappatoires de compensation ou de consolation. Le divorce sera un des plus appréciés parmi ces articles de consolation.

Chez nous d'ailleurs, on tombe dans le mariage comme dans un puits sans garde-fou. Il semble équitable qu'on jette au moins dedans une corde à nœuds pour permettre aux imprudents, aux naïfs et aux imbéciles de s'en tirer.

Alors qu'il est si difficile d'assortir deux chevaux pour un attelage, on vous assortit deux êtres à l'aveuglette, au petit bonheur, pour le plus grand malheur de l'un et de l'autre. Chez les peuples nos voisins, on tolère des épreuves préliminaires, des expériences de caractère et de vie commune au moyen de voyages d'essai, de flirtations et de familiarités limitées qui peuvent être suffisamment révélatrices sans devenir des acomptes. On respire la fleur sans la cueillir.

Chez nous, rien. On se regarde une ou deux fois en présence des parents et des grands-parents. C'est tout juste si on peut s'assurer de la rectitude des yeux et de la taille ; on ne s'apercevrait certes pas d'un défaut de prononciation, car on échange à peine les paroles nécessaires pour se convaincre que la jeune fille n'est pas muette, mais on ne découvrirait point qu'elle est bègue. Quant à toutes les autres accordances indispensables pour vivre ensemble sous le même édredon, on les néglige.

Et le prêtre et le maire vous déclarent enchaînés l'un à l'autre jusqu'à la mort, jusqu'à la mort désirée de celui qui délivrera son compagnon de misère. Voilà.

**

Donc, le divorce a du bon ; et pour beaucoup d'autres raisons encore qui ont été énumérées à satiété depuis que l'honorable M. Naquet est parti en guerre contre le mariage indissoluble, à la façon du chevalier Don Quichotte, le plus noble, le plus généreux et le plus désintéressé des hommes. Mais il va être tout à fait curieux d'observer quelle sera l'influence de cette ressource sur les mœurs, sur la littérature et sur le théâtre en particulier.

La littérature et les mœurs ont toujours marché de front. A l'époque où on écrivait *Manon Lescaut, Thémidore* ou *Le Sopha,* la morale française n'était point la même qu'à l'époque d'*Antony*. Il suffirait aujourd'hui de lire le roman si remarquable et bien typique d'Alphonse Daudet, *Sapho,* pour comprendre que nous ne ressemblons guère aux hommes de 1830. Cependant, autrefois comme maintenant, c'est principalement dans l'adultère qu'ont travaillé les écrivains. L'impossibilité de rompre le lien conjugal a fourni à l'imagination rusée des auteurs une foule de situations, de péripéties et de dénouements. L'art dramatique surtout doit une vive reconnaissance aux articles du Code civil qui ligaturaient si bien les époux.

Que va-t-il advenir de la situation nouvelle? Changera-t-elle l'optique littéraire?

Mais d'abord il faut qu'elle déplace définitivement le point d'honneur marital.

Avec les unions indissolubles, l'époux trompé, se jugeant déshonoré, se trouvait contraint ou de tuer, moyen odieux, ou de fermer les yeux, complaisance indigne et lâche, ou de pardonner, compromis ridicule peu fait pour rendre facile la vie commune par la suite.

Aujourd'hui, il lui suffira de battre sérieusement sa femme pour créer un cas de divorce, et s'en faire débarrasser par la loi.

Mais les drames de la vie conjugale ainsi simplifiés, il se peut que les auteurs dramatiques se trouvent maintenant tout à fait à court de dénouements. Ils seront donc forcés de s'ingénier, d'inventer des combinaisons adroites ou tragiques, de diversifier par des procédés astucieux, de mouvementer cette fin d'acte monotone et plate du divorce prononcé.

Ils trouveront d'ailleurs mille moyens encore inattendus dans la présence et l'intervention des enfants. Et la Justice divine apparaîtra par la voix d'un mioche de dix ans qui maudira son père ou sa mère suivant l'origine des torts.

En somme, le premier résultat du divorce sur les

Lettres va être de diminuer considérablement la mortalité dans les livres et sur les planches, car les auteurs pouvant se débarrasser facilement, par un moyen aussi simple, de personnages gênants pour conduire le héros à d'autres aventures, négligeront de plus en plus le vieux procédé tragique du suicide ou de l'assassinat.

Ils auront toujours, d'ailleurs, la grande et éternelle ressource de la jalousie, car Othello n'a rien de commun avec George Dandin.

*
* *

A ce point de vue même, le divorce ouvrira un horizon nouveau; il va éveiller dans les cœurs une jalousie encore ignorée, la jalousie du passé.

Nous apportons dans les affaires du cœur une manière de voir très spéciale, déterminée par la tradition et par le tempérament français.

Quand nous nous décidons à nous marier, après avoir pas mal roulé, suivant l'expression consacrée, nous n'admettons pas que la jeune fille choisie par nous puisse avoir le plus léger soupçon du système organique de la vie. Elle doit être tellement ignorante, innocente et naïve, que ces trois qualités ne pourraient se trouver réunies, poussées à ce point, que grâce à une extrême bêtise. Nous tolérons la bêtise de notre fiancée, nous la déclarons même adorable, mais nous nous révoltons absolument au plus léger doute sur son parfait aveuglement.

Nous n'admettons même pas qu'une simple amourette ait traversé son cœur avant notre apparition; et la pensée qu'un cousin a pu troubler ses rêves, la croyance qu'un autre homme a dû l'épouser, l'aventure chuchotée d'un mariage manqué pour des raisons inconnues, souvent pour des raisons de dot, nous la fait considérer comme défraîchie, comme avariée, comme dépréciée.

Or, si nous ne tolérons pas qu'une jeune fille ait été même effleurée par le désir d'un autre homme, comment consentirions-nous à prendre une femme notoirement entamée par un précédent possesseur en titre?

411

Et les veuves, dira-t-on?

Le cas est différent. Le prédécesseur n'existe plus. Et puis la veuve n'est-elle pas un peu considérée chez nous comme un objet d'occasion. Les veuves épousent en général des veufs, des vieux militaires éclopés, des célibataires goutteux, tous les débris de la race mâle.

Il se peut donc que la femme divorcée perde beaucoup de sa valeur à nos yeux, de sa valeur commerciale.

Enfin, admettons que ce préjugé, assez vif dans les premiers temps, s'efface par la suite, comme tous les préjugés, quelle sera l'attitude du second mari s'il est d'un tempérament jaloux?

Shakespeare, dans *Othello*, n'a pas dit toute la jalousie. Elle est tantôt sourde et tantôt brutale; tantôt elle attaque le cœur d'un choc impétueux, tantôt elle glisse, elle rampe, elle ronge, elle a des ruses, des perfidies, des dessous.

Comme il souffre, l'homme jaloux! celui que la jalousie travaille incessamment, comme un mal secret, un mal honteux et dévorant.

Dans le mariage tel qu'il existe, la jalousie peut prendre deux formes.

Tantôt l'homme, le possesseur légal, n'est jaloux que du fait, de l'adultère possible, ou même des attentions physiques des hommes, de leur galanterie, de leurs compliments, de leurs regards, de leurs intentions apparentes.

Mais tantôt il est jaloux de l'âme même de sa femme, et celui-là endure un supplice abominable.

Sa femme, il la guette sans cesse, inquiet de tout, de ses gestes, de ses paroles, de ses regards.

Oh! ne pas savoir! Aimer et suspecter toujours! Etre le maître de par la loi, le maître violent de ce corps, et ne jamais savoir quelle pensée se cache derrière ces yeux clairs! Il la serre dans ses bras, il ne la tient jamais. Sait-il où est son désir, où va son caprice?

La voilà, si près de lui, si loin peut-être? Elle sourit! A qui? à lui ou à un rêve, à un autre qu'il ne connaît pas, qu'il ne voit point, qu'elle appelle de toute sa tendresse, à qui elle se donne sous les baisers conjugaux?

Oh! misère! ne jamais pouvoir pénétrer dans cet esprit, tenir, sentir, serrer cette chair et jamais cette âme! Songer que sa bouche peut mentir, que son abandon peut mentir, que ses caresses peuvent mentir, qu'il n'aura jamais autre chose que l'illusion physique et vaine de la possession; et qu'elle peut, avec sa grâce séduisante, le tromper tant qu'il lui plaît dans le secret impénétrable de son cœur?

Que lui importe même la chasteté du corps; ce qu'il veut, c'est le consentement ravi de son désir! L'a-t-il eu jamais? L'aura-t-il jamais?

Il connaît cette torture atroce du soupçon incessant qui harcèle, s'évanouit une seconde, revient plus vif, qui cherche des preuves, tend des pièges, et toujours, toujours, épie la pensée, la seule pensée. Il a sans cesse cette odieuse sensation d'être trompé, non par le fait, mais par l'âme.

C'est au torturé de cette nature que le divorce réserve d'indicibles angoisses. Que fera-t-il, cet homme, s'il a pris pour compagne intime de tous les instants une femme qu'un autre a déjà possédée?

Un amant a le droit de se dire : « Cette femme est bien à moi, puisqu'elle s'est donnée librement, bravant tous les risques et tous les enseignements de la morale. »

Mais le mari, celui qu'on a choisi peut-être pour des raisons pratiques, pour un nom, pour sa fortune, pour d'autres motifs encore, par fatigue, par dépit, a le droit aussi de toujours douter que sa femme lui appartienne dans le secret de son cœur.

Or, si cette femme a déjà appartenu à un autre, quelle forme prendra la jalousie chez lui, et comment naîtra-t-elle? C'est ici que l'art dramatique découvrira une Californie de situations nullement soupçonnées jusqu'à ce jour. Nous en pouvons, à première vue, noter plusieurs, les unes comiques, les autres tragiques.

Les deux nouveaux mariés sont tranquillement assis

au coin du feu. Ils parlent de la pluie et du beau temps. Elle dit : « Duhamel, mon premier mari, avait un cor qui le tracassait beaucoup les soirs d'orage. »

Le nouvel époux devient sombre, un premier frisson le parcourt, ce qui le fait rêver à d'autres choses, etc.

Une femme rusée et méchante pourra sans cesse établir tout haut des comparaisons morales ou physiques tout à fait désobligeantes pour le second époux. Ce moyen scénique sera certainement souvent employé.

Certains maris seront obsédés par le souvenir du premier et ne cesseront de questionner leur femme, jour et nuit, sur ce qu'il faisait, sur ce qu'il disait, sur ce qu'il pensait, sur toute sa manière d'agir et de se comporter dans toutes les situations de la vie. Ils finiront même par l'appeler de son petit nom tout court : « Qu'est-ce qu'Octave aurait fait à ma place en cette circonstance ? »

Il y aura encore là, assurément, un gros élément de comique. Un grand nombre d'effets pourront être tirés de cette situation. Un mari, jaloux rétrospectivement, est torturé par la crainte que son prédécesseur n'ait été trompé par leur femme.

L'autre était bête, il le sait ; ridicule, il le sait ; brutal, il le sait ; sournois, il le sait ; certes, cela n'aurait pas été volé ; cependant il a une peur horrible que cet accident n'ait eu lieu, et il emploie toutes ses ruses à le découvrir.

Elle a, en parlant de l'autre, un petit ton méprisant et gai, tout à fait réjouissant, tout à fait favorable au successeur, mais aussi un peu inquiétant. Car enfin... si cela était arrivé... quelles garanties aurait-il, lui, le nouveau, pour la suite ?

Et puis, il veut bien épouser une femme qui a eu un mari, mais pas une femme qui a eu un amant !

Alors, à force d'astuce, à force de la questionner, de se moquer lui-même du numéro I, de le blaguer, de répéter : « Comme ce serait drôle si tu l'avais trompé, comme ce serait drôle ; c'est ça qui m'amuserait à savoir. En voilà un qui le méritait, hein, quelle brute ? », il finit par la faire avouer. Elle laisse comprendre. Elle sourit d'une telle façon, qu'il devine. Alors, tout à coup, mordu au cœur, exaspéré, il commence à la traiter de misérable, de gueuse, de fille, puis, vengeant l'autre, il la gifle, la bat, l'assomme et finit par l'abandonner, ne pouvant vivre avec cette idée qu'elle a trompé son prédécesseur.

Que de complications amusantes aussi avec l'introduction, dans le nouveau ménage, de tous les amis du premier ménage, avec les inquiétudes de l'époux numéro 2 devant ces visages qu'il ne connaît pas, qu'il suspecte? Que de points d'interrogation et de doutes dans son esprit! La scène à faire se passerait entre les deux maris. Le dernier occupant ne parvient point à découvrir tous les mystères du cœur de sa femme. Il reste devant elle comme devant un coffre à secret. Alors il se décide à aller demander quelques renseignements intimes et pratiques au premier, qui le renseigne avec la plus large complaisance et lui donne une multitude de détails précis, certains, terribles.

Grand dialogue plein de mouvements.

Et puis, que de piqûres morales à la pensée de la première intimité, au soupçon de choses mystérieuses que le second n'ose pas deviner.

Et puis, qu'arriverait-il si elle rencontrait par hasard le premier? Quel regard échangeraient-ils? Qui sait, la femme oublie si vite! Elle est si capricieuse!

Enfin, sous mille faces nouvelles, cette nouvelle situation pourra être envisagée. Il est probable que l'Ambigu y perdra, que le Gymnase n'y gagnera rien, mais que le Palais-Royal y fera fortune.

(*Le Figaro*, 12 juin 1884.)

SUR ET SOUS L'EAU

Qui de nous ne s'est demandé en passant auprès d'un pont, comment on avait pu enfoncer les fondations sous l'eau et planter ainsi, au milieu d'une rivière, ces lourdes piles qui portent les arches?

Puis, las de chercher par quels moyens les ingénieurs parviennent à ce résultat, on se dit : « Ils font le vide! » Et, la question ainsi résolue, on demeure tranquille et satisfait.

Mais comment font-ils le vide?

Au moyen de pompes à vapeur, n'est-ce pas? Cela semble simple. On construit une chambre avec une forte charpente de bois et on épuise l'intérieur.

Il est encore un autre moyen, beaucoup plus surprenant, beaucoup plus curieux.

Nous allons, s'il vous plaît, entreprendre un court voyage entre Paris et la Normandie, et chemin faisant, descendre au fond du fleuve par un procédé des plus étranges.

***

La lune allait disparaître, un peu mangée du côté gauche; il était minuit environ. Mon ami Pol et moi, nous regardions l'eau couler, moirée d'une lumière jaune et frémissante.

Nous devions partir, au point du jour, dans une de ces longues embarcations qu'on nomme des yoles, pour descendre la Seine jusqu'à Poses, et visiter les travaux du magnifique barrage, le plus puissant qui soit au monde, construit sur les plans et d'après les idées nouvelles de M. l'ingénieur en chef Caméré.

Nous étions assis sur l'herbe, respirant doucement l'air savoureux de la nuit chaude et la tiède humidité des berges. Et nous causions. A notre droite le vieux moulin de Maisons-Laffitte tendait sa lourde jambe de pierre au-dessus du petit bras, et, autour de l'arche, le remous rapide et tournoyant faisait, sous la lune, de gros bouillons de feu.

— Il ferait rudement bon sur l'eau, dit Pol.

— Voulez-vous que nous partions tout de suite? demandai-je.

— Oui, très volontiers.

— Allons!

Le mince bateau fut tiré de la cave qui lui sert de logis, et il glissa vivement dans l'eau sur les planches du débarcadère. Puis on embarqua dedans les deux paires d'avirons, nos valises car nous avions à faire quatre jours de rivière, la boîte à suif indispensable, la carte de la Seine de Paris à la mer, la peau de mouton qui capitonne le siège du barreur. Et nous voilà partis.

Il n'est rien de plus charmant, et de plus effrayant aussi, qu'un fleuve la nuit.

Aucun bruit qu'un vague murmure, un clapotis presque insensible, un frisson d'eau qui coule. On va vite, on glisse, on passe, sur cette chose froide, insaisissable, fluide, perfide, transparente et terrible.

On voit à peine les berges peuplées d'ombres, démesurément hautes ou toutes courtes. Parfois on file le long d'une armée de roseaux qui semblent parler bas, causer entre eux par le frémissement de leurs longues feuilles, se raconter des histoires inconnues, ces histoires du fond qu'ils savent, eux poussés dans les vases épaisses.

Parfois un pont semble barrer la route, ouvrant seulement comme un précipice, le trou clair et trompeur de son arche. Parfois encore on entend au loin, un bruit

417

sourd et continu, un grondement lourd qui semble venir des profondeurs du fleuve. C'est la chute d'un barrage. Et le bateau n'avance plus qu'à peine, et les deux hommes qui le montent, inquiets, sondent les ombres de l'œil, cherchant le point précis où il faut aborder.

Puis nous passons sur nos épaules la légère embarcation de l'autre côté de la cascade, qui luit sous la lune comme un immense bourrelet de neige; et nous repartons emportés follement par le courant tournoyant de la chute, soulevés par les remous, filant comme dans un rêve, silencieux, émus, anxieux et ravis.

La lune se couche. Des ténèbres opaques nous enveloppent. Nous allons toujours, sur l'eau noire qui fuit, le cœur un peu crispé par un délicieux sentiment de crainte. Des bruits légers nous font tressaillir, bruits inconnus, troublants, incompréhensibles. On dirait tantôt un cri humain, poussé très loin; tantôt des paroles basses, chuchotées tout près, quelque part, contre nous, dans le vide obscur qui nous entoure; le plongeon d'un poisson qui a sauté, l'appel fuyant d'un oiseau de nuit, la voix légère d'une bête inconnue qui semble scier une branche d'arbre, et qui continue indéfiniment cet étrange chant mécanique, monotone et régulier, d'autres rumeurs confuses, presque imperceptibles, nous font courir à tout instant un rapide frisson sur la peau.

Où allons-nous? Où sommes-nous? Où sont les berges?

Le rameur s'arrête à tout instant pour regarder à son tour dans le sombre, derrière son dos; et le barreur inquiet, les yeux grands ouverts sur les ténèbres, déclare:

— Je ne vois plus rien. S'il arrive quelque chose, je n'en suis pas responsable.

Et avec nous, sous nous, autour de nous, l'eau coule, muette et profonde. Elle coule sans cesse, sans s'arrêter; elle va, elle va comme la vie, l'eau rapide et lente, impénétrable et claire, dangereuse et charmante.

— En route, camarade; le hasard a des yeux pour nous!

Voici le jour. Le ciel pâlit; des formes se dessinent autour de nous; des oiseaux s'éveillent le long des rives; une buée fine, un voile blanc, épais et transparent, flotte à la surface du fleuve.

Nous reconnaissons la côte. Voici Carrières à gauche; Poissy, devant nous, jette en travers de la rivière son large pont couvert de maisons. Nous prenons les petits bras, pleins d'îles et pleins d'herbes. Deux canards sauvages s'envolent d'une touffe de joncs; plus loin, en face de Villennes, un héron, surpris par l'arrivée silencieuse et brusque de la yole, nous éclabousse en se sauvant et s'élève à longs coups d'ailes, en laissant traîner sous lui ses grandes pattes.

Voici Médan, avec la maison de Zola; voici Triel, puis Meulan, où nous déjeunons.

Repartis après le repas, nous amarrons le bateau le long d'une prairie entourée d'arbres, et, couchés dans le foin, sur le ventre, le dos au soleil et la tête à l'ombre, nous dormons du bon sommeil du plein air, du sommeil calme et fort des moissonneurs qui font la sieste.

Nous avons passé la nuit dans une auberge de Vétheuil, dans une auberge de rouliers et de mariniers. Il était tard. On nous servit des œufs au lard pour le souper; puis on nous fit entrer dans une chambre à quatre lits. Tous les quatre étaient faits; mais sur deux seulement on avait posé des bonnets de coton. Ceux-là nous étaient destinés.

Le lendemain, vers quatre heures du soir, nous arrivions à Vernon.

Le petit vapeur des ponts et chaussées, *Henri-Chanoine,* nous transporta, dès le lever du jour suivant, au barrage de la Garenne où nous devions descendre dans un caisson avec l'ingénieur en chef, M. Caméré, et le jeune ingénieur qui dirige les travaux, M. Clerc.

Si un architecte commençait une maison par le toit, pour la finir par les caves, il ferait un travail équivalent à celui d'un ingénieur qui construit un pont au moyen de caissons à air comprimé.

Donc il s'agit de planter une pile ou un radier au fond de la rivière, même plus avant sur le sol résistant, à sept ou huit mètres au-dessous du fond de l'eau.

On procède de la façon la plus singulière et la plus ingénieuse. On construit d'abord, juste au-dessus de la place où sera la pile, une immense caisse en fer, suspendue au-dessus de l'eau au moyen d'énormes pièces de bois piquées debout au fond du fleuve, et qui font au caisson un collier de poteaux.

Ce caisson, haut de deux mètres, long de seize environ, large de dix, vide en dessous, est surmonté de trois ou quatre grosses cheminées, comparables à celles des bateaux à vapeur, et coiffées d'une sorte de lanterne hermétiquement close, où l'on entre par une petite porte.

Quand cet immense appareil est terminé, on commence à bâtir dessus une énorme muraille, celle de la pile. Puis, dès que la hauteur du mur est suffisante, on laisse descendre la caisse au fond du fleuve.

Aussitôt qu'elle est entrée dans le sol vaseux on souffle dedans de l'air comprimé au moyen de puissantes machines. Cet air chasse l'eau, fait le vide dans l'intérieur de la colossale boîte de fer. Alors les ouvriers descendent dedans au moyen des cheminées, et ils se mettent à creuser.

Ils creusent, enlèvent la vase, enlèvent le sable, la terre, les pierres, le roc, tout ce qu'ils trouvent.

Et le caisson descend toujours, enfonce sans cesse, de jour en jour, d'heure en heure, de minute en minute, ses murs de fer, aigus comme un couteau, dans le sol sans cesse miné sous lui.

Et, pendant ce temps, les maçons travaillent au-dessus, bâtissent toujours le mur du pont, qui plonge de plus en plus, et force à plonger de plus en plus le caisson géant qui le supporte.

Et tout cela s'enfonce sans répit, les ouvriers, la boîte et la pile sous le poids grandissant, sous le poids formidable de la maçonnerie accumulée, qui écraserait tout, boîte de fer et ouvriers, si les machines, à mesure que la charge augmente et que l'appareil descend, n'augmentaient la pression de l'air comprimé qui oppose sa force invisible, sa force invincible à la force effrayante des blocs accumulés, et qui rend les parois du caisson inflexibles, inécrasables.

Mais il suffirait qu'une des machines cessât de fonctionner pour que la masse redoutable de la muraille broyât, au fond de l'eau, les hommes enfermés dans la prison de tôle, et mêlât une bouillie de chair et de sang à la bouillie de vase et de sable qu'ils travaillent.

Cet accident faillit arriver l'an dernier. Un caisson, cédant sous la charge, se fendit en deux. L'eau immédiatement se précipita, l'envahit. Quelques secondes de plus, les ouvriers étaient écrasés ou noyés. Ils eurent le temps cependant de gagner les cheminées et de remonter à l'air libre.

Un autre danger est à craindre. Quand les murs tranchants de l'appareil rencontrent tout à coup un sol mou, après le sol dur où ils pénétraient d'une façon lente et régulière, ils peuvent enfoncer brusquement d'un mètre. Alors toute l'immense machine chavire, et les travailleurs sont perdus.

En temps ordinaire, le mur et le caisson descendent d'environ vingt centimètres par jour.

Lorsqu'on arrive enfin au sol résistant, qu'on rencontre en Seine à sept ou huit mètres au-dessous du fond de l'eau, soit à dix mètres au-dessous du niveau de la rivière, on cesse de creuser; les terrassiers remontent, et les maçons descendent à leur tour dans la boîte. Alors ils se mettent à maçonner l'intérieur même du caisson; ils l'emplissent de pierres et de ciment, reculant d'heure en heure devant cette muraille qui emplit peu à peu la caisse, fuyant devant leur besogne jusqu'à l'entrée des cheminées, travaillant à genoux, à plat ventre, une chandelle à la main. Puis ils maçonnent l'intérieur de la cheminée elle-même, et remontent peu à peu au jour, chassés de là-dedans par le mur qui grandit sous leurs pieds, et lorsqu'ils arrivent à la lumière, la pile du pont est terminée, assise sur des fondations inébranlables.

***

On nous fit entrer d'abord dans une petite cabane en bois où on nous vêtit de blouses de toile nouées au cou et aux poignets, de culottes de toile nouées aux chevilles, et de gros souliers de cuir jaune ; puis, gagnant le milieu du fleuve par un étroit passage en planches porté sur pilotis, nous arrivâmes bientôt sur un radier en construction.

Quatre cheminées surmontées de leurs lanternes donnaient accès dans le caisson, qui se trouvait alors à huit mètres au-dessous du niveau de l'eau.

On ouvrit la petite porte d'une de ces lanternes, et nous passâmes l'un après l'autre, péniblement, par l'ouverture pour entrer dans une étroite chambre ronde, obscure, où nous nous serrâmes en cercle, comme des sardines dans leur boîte, autour d'une plaque de fer ronde, comparable à celles qui ferment les trous d'égout sur les trottoirs, mais beaucoup plus petite, si petite qu'on ne pouvait croire, en la voyant, qu'un homme pourrait descendre par là.

Nous étions six dans cette case : les deux ingénieurs, mon ami Pol, un contremaître, un terrassier et moi. On alluma deux bougies, puis on ferma la porte du dehors. Alors, un des ingénieurs nous donna des conseils, car nous allions subir une épreuve assez pénible. Il s'agissait de faire pénétrer dans la lanterne l'air comprimé du caisson pour égaliser la pression en haut et en bas. Donc, on ouvrit un robinet : un bruit de souffle furieux, un bruit de machine à vapeur se fit entendre, et brusquement nous ressentîmes, au fond des oreilles, une sensation étrange et douloureuse.

L'air comprimé, envahissant la chambre, tendait à les briser nos tympans, la pression intérieure de nos corps se trouvant tout à coup infiniment moindre que la pression extérieure.

Il faut alors serrer avec les doigts les narines, et faire le simulacre de souffler, pour tendre, du dedans au dehors, la peau légère du tympan, et lui permettre de résister à la force nouvelle qui la presse.

On procédait d'ailleurs avec prudence, car certains hommes ne peuvent supporter ce passage de l'air libre à l'air comprimé, et les accidents, bien que fort rares, sont possibles.

Au bout de quelques minutes, tout malaise avait disparu. Alors on ouvrit la petite trappe ronde que nous entourions, et j'aperçus, là-bas, très loin, au bout d'une longue cheminée, une lueur vague et des hommes qui remuaient.

Il fallait descendre par ce tuyau au moyen d'échelons en fer, gros comme le doigt. Un des ingénieurs plongea le premier dans ce trou gluant, dont les parois sont bourrées de vase car c'est aussi par là qu'on remonte toute la saleté du fond du fleuve.

Je le suivis, cherchant du pied dans l'ombre les barres de fer du dessous, cramponné par les mains à celles du dessus, m'appuyant des reins contre la paroi fangeuse ; et les hommes qui descendaient sur moi me faisaient tomber sur la tête une pluie de terre humide qu'ils détachaient, avec leurs dos, des murs de ce tube de tôle.

Au bout de deux ou trois minutes, après une gymnastique pénible pour changer d'échelles, les bouts raccordés ne se suivant pas, je mis le pied sur le sol — quel sol ! une bouillie où on enfonçait jusqu'à mi-jambes.

Alors j'aperçus une vaste cave, où travaillaient une trentaine d'hommes, tous Autrichiens et Italiens, car les Français refusent de descendre dans ces dangereuses machines, qui usent, en quelques mois, la santé d'un ouvrier.

J'allais, guidé par l'ingénieur qui dirige ce travail,

M. Clerc. Les murs de tôle, terminés en lame, doublés de maçonnerie pour augmenter leur résistance, reposent sur le sol liquide qu'ils pénètrent peu à peu à mesure que les hommes creusent et font monter les déblais par les cheminées.

L'eau ne peut entrer dans cette demeure souterraine, chassée par la puissance de l'air que les pompes insufflent sans cesse dedans. Quelques bougies éclairent à peine cette immense pièce lugubre, silencieuse, où les ouvriers s'agitent comme des ombres. Un vague bruit de machine, un ronflement monotone et continu en trouble seul le silence. On touche du front le plafond de fer qui supporte le pont, le pont qui grandit là-haut sous les mains des maçons, à mesure que sa fondation descend sous les mains des terrassiers.

M. Clerc me raconte un détail singulier. Cette vie dans l'air comprimé agit d'une façon dangereuse sur le système nerveux, et il suffit d'un séjour de quelques instants dans cette atmosphère pour éprouver des troubles cérébraux ou physiques très sensibles.

Ce phénomène a rendu jusqu'ici inutile ou plutôt inutilisable une découverte de M. Paul Bert.

Celui-ci, ayant constaté que le protoxyde d'azote perd ses propriétés toxiques dans l'air comprimé, a eu l'idée de construire une grande chambre claire où les chirurgiens pourraient opérer les malades endormis au moyen de ce gaz, sous une pression aussi faible que possible. Mais il arriva que les médecins perdaient là-dedans leur présence d'esprit, leur calme, leur sûreté de main; et il fallut renoncer à se servir de cette invention.

Enfin nous remontons par la même cheminée, laissant les terrassiers accomplir leur triste besogne.

Puis il fallut subir de nouveau l'opération du passage à l'air libre, en se bouchant les oreilles pour diminuer la tension intérieure du tympan, et nous reparaissons au jour, couverts de fange jaune des pieds à la tête.

***

Deux heures plus tard, nous arrivions au magnifique

barrage de Poses, construit sur les plans de M. l'ingénieur en chef Caméré.

Ce barrage, le plus haut qui soit au monde, retenant l'eau au moyen de rideaux ou plutôt de stores de bois, qui se déroulent, peut maintenir le niveau du fleuve à une élévation de cinq mètres, tandis que les anciens systèmes ne parviennent pas à soutenir trois mètres d'eau.

Le barrage de Poses, grâce à sa puissance, rendra navigable la Seine sur une distance de quarante kilomètres, sans un obstacle.

Rien de plus étonnant que les écluses et que le labyrinthe des couloirs où passera l'eau pour les emplir ou les vider. On songe là-dedans à des catacombes gigantesques, à des voûtes de cathédrales.

***

Et nous repartons, le soir même, pour Rouen, dans notre petite yole, qui glisse vivement le long des berges, en faisant fuir, comme des éclairs bleus, les rapides martins-pêcheurs.

(*Le Gaulois,* 30 juin 1884.)

LA FEMME DE LETTRES

Un éminent philosophe anglais, M. Herbert Spencer, a écrit dans son livre *L'Introduction à la science sociale* que la femme artiste est un monstre dans la nature; et, comparant les facultés et les fonctions de l'homme et de la femme, il conclut que la production cérébrale chez la femme, être destiné à la production de l'espèce, est aussi anormale que la faculté d'allaiter les enfants chez l'homme. On a pourtant rencontré quelquefois ces deux phénomènes : l'homme nourrice et la femme artiste; mais il ne faut pas admettre ces rares exceptions comme des règles.

M. Herbert Spencer examine et analyse ensuite les causes de l'impuissance générale et définitive du sexe à qui nous devons George Sand, en matière d'art.

Un autre philosophe, un Allemand, Schopenhauer, développant la même thèse avec une conviction passionnée, prend comme exemple de cette impuissance absolue deux arts où les femmes s'exercent autant que nous, sinon davantage, la peinture et la musique. Il n'a pourtant jamais existé un grand peintre ni un très grand musicien parmi les femmes, malgré leurs efforts, leur instruction et l'acharnement des concierges parisiens à envoyer leurs filles au Conservatoire.

Schopenhauer donne également les raisons de cet insuccès constant.

Pourtant il a existé et il existe des femmes écrivains qui ont eu ou qui ont du talent, beaucoup de talent. J'ai cité George Sand. D'où vient cette contradiction de la nature et cette bizarrerie fonctionnelle?

De ceci : qu'on peut être un homme ou une femme de lettres, qu'on peut être même un grand écrivain sans être un artiste, tandis que les grands musiciens et les grands peintres (je ne parle point de l'armée des médiocres) sont fatalement et essentiellement des artistes.

La distinction est subtile. Essayons pourtant de la noter.

Pour être un artiste, il ne suffit pas à un écrivain de penser avec puissance, de penser même avec génie, et d'exprimer sa pensée clairement et fortement.

Cela suffit pourtant pour être un grand homme.

L'artiste cherche à mettre dans son œuvre autre chose que de la pensée; il veut y mettre cette chose mystérieuse et inexplicable qui est l'Art littéraire. Qu'est-ce que cela qu'ignorent tant de romanciers? Comment l'expliquer au juste?

L'artiste ne cherche pas seulement à bien dire ce qu'il veut dire, mais il veut donner à certains lecteurs une sensation et une émotion particulières, une jouissance d'art, au moyen d'un accord secret et superbe de l'idée avec les mots.

Une chose très claire et très bien exprimée d'une façon peut cependant, en modifiant un peu la phrase qui la dit, en changeant seulement la place d'un mot, produire immédiatement un effet saisissant de beauté, de vie, s'animer, s'éclairer, devenir visible, émouvante, admirable.

L'artiste, que ce soit pressentiment ou science acquise, instinct ou raisonnement, poursuit sans cesse cette beauté, cette force plastique des mots qui deviennent vibrants, vivants dans sa phrase. Il sait que derrière ce qu'il veut dire, il peut dire autre chose encore, qu'il peut donner à certains lecteurs une émotion exquise, remuer leur âme, éveiller leur esprit, leur ouvrir des horizons rien que par des intentions obscures, cachées dans le style. Il met la délicate musique de l'expression sur la chanson de la pensée. Il sait qu'il suffit de poser un adjectif ici ou là, pour ajouter à l'idée même une puissance irrésistible, pour la revêtir d'une beauté presque physique; il sait qu'en modifiant un rien l'ordonnance seule de sa phrase, il peut en changer toute la signification secrète. Il sait qu'avec des mots on peut rendre visibles les choses comme avec des couleurs; il sait qu'ils ont des tons, des lumières, des ombres, des notes, des mouvements, des odeurs; que, destinés à raconter tout ce qui est, ils sont tout, musique, peinture, pensée, en même temps qu'ils peuvent tout; que lourds, et flasques, simples syllabes douées d'un sens, sous les doigts des lourdauds de lettres, ils deviennent sous la plume d'un artiste des êtres vivants, spirituels et beaux. Alors, voulant donner à ce qu'il dit une valeur complexe participant de tous les arts, l'écrivain jette des sous-entendus dans leurs sonorités combinées, indique des nuances dans leur disposition, glisse des insinuations dans leurs accords, met des intentions dans les virgules.

Faut-il un exemple? Thiers fut un historien clair, précis, méthodique et nullement artiste. On le comprend bien, on estime son talent.

Mais ouvrons Michelet, et nous voyons immédiatement les personnages d'autrefois vivants, comme s'ils apparaissaient devant nous, avec leur figure, leurs gestes, toute leur allure, évoqués par un seul mot, dressés debout dans l'histoire d'une façon définitive.

Sitôt qu'il touche à une époque, ce grand résurrecteur du passé, il la fait apparaître tout entière, rien que par quelques adjectifs. Par la vigueur du mot choisi, par la précision du verbe, par la justesse de l'épithète, par la contexture savante et bizarre de sa phrase, il réveille en quelques lignes tout un peuple disparu.

Celui-là, c'était un grand artiste. Cela, c'est l'art.

Pourtant, beaucoup d'hommes ont été de grands historiens sans être des artistes à la façon de Michelet.

Beaucoup de romanciers ne sont point des artistes puisque Balzac, le plus grand de tous, n'en fut pas un, puisque Stendhal n'en fut pas un.

La poursuite de cette beauté est autre que la recherche de l'intérêt ou que la préoccupation de la vérité.

Les femmes ont de l'imagination, de l'invention, du charme, du pathétique et du dramatique, mais elles n'ont jamais eu, elles n'auront jamais le sens divin de l'art. Et voilà pourquoi il n'y a jamais eu et il n'y aura jamais de femmes poètes. Car les poètes, comme les musiciens et comme les peintres, doivent être avant tout des artistes. Sans cela ils ne sont rien. Qu'on lise de Victor Hugo *Booz endormi,* de Leconte de Lisle *Les Eléphants,* pour comprendre ce dont est incapable l'esprit des femmes.

**

Ce qu'il y a de très remarquable chez les femmes intelligentes, c'est un sens de la vie bien supérieur en général à celui des hommes ; c'est pour cela qu'elles deviennent souvent d'admirables politiciennes. Douées d'une ruse native surprenante, d'un flair presque infaillible, d'une souplesse et d'une pénétration excessives, elles ont une manière de voir les choses et de se prêter aux événements, en rêveuses désillusionnées, qui nous étonne bien souvent.

George Sand, dont on publie en ce moment la correspondance, se montre à nous tout entière dans ses lettres, avec son grand esprit, sa large philosophie, un délicieux bon sens, une complète indépendance, et en même temps quelques-uns des défauts féminins. Ce qu'on remarque d'abord, c'est qu'elle n'a jamais même songé à être un artiste.

Elle parle de son *métier* en personne pratique avec la pensée constante de l'argent gagné, honnêtement gagné. Elle ne prononce jamais le mot *Art,* sauf dans une lettre à Flaubert, à la façon d'un écho. Jamais elle ne semble avoir senti le frisson sacré, l'émotion délicieuse, l'ivresse divine de la création artiste. Jamais la seule griserie de l'œuvre ne met du feu dans ses veines et de la folie dans sa tête. Elle confesse elle-même qu'elle *savate* ses romans, tant elle produit facilement, sans préoccupation de tout ce travail voilé, de tout ce travail d'intentions, qui rendait si compliquée la besogne de Flaubert.

Elle a même écrit : « J'ai au moins le bonheur d'être tout à fait étrangère à la littérature et de la traiter comme un gagne-pain. »

C'est donc la nécessité seule qui l'a faite femme de lettres, et non chez elle l'éclosion normale du talent qui germe et grandit, malgré tous les obstacles, quand sa graine mystérieuse a été jetée dans un être.

Mais aussi a-t-elle eu la faculté de ne jamais devenir un *homme de lettres*. Et voilà pourquoi elle nous apparaît si grande, charmante, sincère et bonne.

Si, en général, la femme artiste est un monstre dans la nature, l'homme de lettres en est un autre, un monstre autant par ses qualités que par ses défauts, car, en lui, aucun sentiment simple n'existe plus. Tout ce qu'il voit, tout ce qu'il éprouve, tout ce qu'il sent, ses joies, ses plaisirs, ses souffrances, ses désespoirs deviennent instantanément des sujets d'observation. Il analyse malgré tout, malgré lui, sans fin, les cœurs, les visages, les gestes, les intentions. Sitôt qu'il a vu, quoi qu'il ait vu, il lui faut le pourquoi. Il n'a pas un élan, pas un cri, pas un baiser qui soit franc; pas une de ces actions spontanées qu'on fait parce qu'on doit les faire, sans savoir, sans réfléchir, sans comprendre, sans se rendre compte ensuite. Il ne vit pas, il regarde vivre les autres et lui-même.

S'il souffre, il prend note de sa souffrance et la classe dans un carton. Il se dit, en revenant du cimetière où il a laissé celui ou celle qu'il aimait le plus au monde : « C'est singulier, ce que j'ai ressenti, etc. » Et alors, il se rappelle tous les détails, les attitudes des voisins, les gestes faux, les fausses douleurs, les faux visages, et mille petites choses insignifiantes, des observations artistiques, le signe de croix d'une vieille qui tenait un enfant par la main, un rayon de lumière dans une fenêtre, un chien qui traversa le convoi, l'effet de la voiture funèbre sous les grands ifs du cimetière, la tête surprenante d'un croque-mort et la contraction des traits, l'effort des quatre hommes qui descendaient la bière dans la fosse; mille choses enfin qu'un brave homme souffrant de toute son âme, de tout son cœur, de toute sa force, n'aurait jamais remarquées.

Il a tout vu, tout retenu, tout noté malgré lui, parce qu'il est avant tout, malgré tout, un monstre, un homme de lettres, et qu'il a l'esprit construit de telle sorte que la répercussion chez lui est bien plus vive, plus naturelle pour ainsi dire que la première secousse, l'écho plus sonore que le son primitif. Il semble avoir deux âmes, l'une qui recueille et commente chaque situation de sa voisine, l'âme naturelle commune à tous les hommes; et il vit condamné à être toujours, en toute occasion, un reflet de lui-même et un reflet des autres, condamné à se regarder sentir, agir, aimer, penser, souffrir, et à ne jamais souffrir, penser, aimer, sentir comme tout le monde, bonnement, franchement, simplement, sans s'analyser soi-même après chaque joie et après chaque sanglot.

Et s'il aime, s'il aime une femme, il la dissèque comme un cadavre dans un hôpital. Tout ce qu'elle dit, ce qu'elle fait est instantanément pesé dans cette délicate balance de l'observation qu'il porte en lui, et classé à sa valeur documentaire. Qu'elle se jette à son cou dans un élan irréfléchi, il jugera le mouvement en raison de son opportunité, de sa justesse, de sa puissance dramatique, et le condamnera tacitement s'il le sent faux ou mal fait.

Acteur et spectateur de lui-même et des autres, il n'est jamais acteur seulement comme les bonnes gens qui vivent sans malice. Tout, autour de lui, devient de verre, les cœurs, les actes, les intentions et il souffre d'un mal étrange, d'une sorte de désenchantement de lui-même qui fait de lui un être effroyablement vibrant, machiné, compliqué et fatigant.

431

Il n'a rien de franc, pas même la bonté, pas même la douleur. Son appareil d'observation lui sert d'âme après renseignement, de cœur après réflexion. Chez lui, l'intelligence remplace la nature.

Comme l'a dit George Sand elle-même : « Ils sont *hommes de lettres,* et pas *hommes.* »

***

Mais elle, comme elle est femme, bonne femme, vibrante, sincère, d'esprit élevé et large.

Elle s'explique elle-même dans une page charmante :

> Où est le modèle ? Je ne sais pas, je n'en ai pas connu *à fond* qui n'eût quelque tache au soleil, je veux dire quelque côté par où cet artiste touchait à l'épicier. Vous n'avez peut-être pas cette tache, vous devriez vous peindre. Moi, je l'ai. J'aime les classifications, je touche au pédagogue. J'aime à coudre et à torcher les enfants, je touche à la servante. J'ai des distractions et je touche à l'idiot. Et puis, enfin, je n'aimerais pas la perfection. Je la sens et je ne saurais la manifester...
>
> ... Je me désintéresse prodigieusement de tout ce qui n'est pas mon petit idéal de travail paisible, de vie champêtre, et de tendre et pure amitié. Je crois bien que je ne dois pas vivre longtemps, toute guérie et très bien que je suis. Je tire cet avertissement du grand calme, *toujours plus calme,* qui se fait dans mon âme jadis agitée. Mon cerveau ne procède plus que de la synthèse à l'analyse ; autrefois c'était le contraire. A présent, ce qui se présente à mes yeux quand je m'éveille, c'est la planète ; j'ai quelque peine à y retrouver le *moi* qui m'intéressait jadis et que je commence à appeler *vous* au pluriel. Elle est charmante, la planète, très intéressante, très curieuse, mais pas mal arriérée et encore peu praticable...

Et ailleurs, elle s'écrie :

> Il faut pourtant trouver un joint pour accepter l'honneur, le devoir et la fatigue de vivre ? Moi je me rejette dans l'idéal d'un éternel voyage dans des mondes plus amusants. La vie que l'on craint tant de perdre est toujours trop

longue pour ceux qui comprennent vite ce qu'ils voient. Tout s'y répète et s'y rabâche...

... L'idéal serait de vivre avec un bon et grand cœur comme toi. Mais alors on ne voudrait plus mourir, et, quand on est *vieux* de fait comme moi, il faut bien se tenir prêt à tout.

... J'aime tout ce qui caractérise un milieu, le roulement des voitures et le bruit des ouvriers à Paris, les cris de mille oiseaux à la campagne, le mouvement des embarcations sur les fleuves. J'aime aussi le silence absolu, profond, et, en résumé, j'aime tout ce qui est autour de moi n'importe où je suis. C'est de l'*idiotisme auditif,* variété nouvelle...

... Il n'y a d'intéressant dans ma vie à moi que *les autres*... L'impersonnalité, espèce d'idiotisme qui m'est propre, fait de notables progrès. Si je ne me portais pas bien, je croirais que c'est une maladie. Si mon vieux cœur ne devenait tous les jours plus aimant, je croirais que c'est de l'égoïsme ; bref, je ne sais pas, c'est comme ça.

Tout cela n'est-il pas bon enfant, vrai, sage, sain, charmant et contradictoire?

Elle raconte sa vie à Nohant, et parle des marionnettes si remarquablement manœuvrées par son fils, M. Maurice Sand :

. . . .

Ces pièces-là durent jusqu'à deux heures du matin et on est fou en sortant.

Je suis sûre que tu t'amuserais follement aussi, car il y a dans ces improvisations une verve et un laisser-aller splendides, et les personnages sculptés par Maurice ont l'air d'être vivants d'une vie burlesque, à la fois réelle et impossible, cela ressemble à un rêve.

Maurice me donne cette récréation dans mes intervalles de repos qui coïncident avec les siens. Il y porte autant d'ardeur et de passion que quand il s'occupe de science. C'est vraiment une charmante nature et on ne s'ennuie jamais avec lui. Sa femme aussi est charmante, toute ronde en ce moment ; agissant toujours, s'occupant de tout, se couchant sur le sopha vingt fois par jour, se relevant pour courir à sa fille, à sa cuisinière, à son mari, qui demande un tas de choses pour son théâtre, revenant se coucher ; criant qu'elle a mal et riant aux éclats d'une mouche qui vole ; cousant des layettes, lisant des journaux avec rage, des romans qui la font pleurer, pleurant aussi aux marionnettes quand il y a un bout de sentiment, car il y en a aussi. Enfin c'est une nature et un type : ça chante à ravir, c'est colère et tendre, ça fait des friandises succulentes *pour nous surprendre ;* et chaque journée de notre phase de récréation est une petite fête qu'elle organise.

La petite Aurore s'annonce toute douce et réfléchie...

....

Mais comme je bavarde avec toi ! Est-ce que tout cela t'amuse ? Je le voudrais pour qu'une lettre de causerie te remplaçât un de nos soupers que je regrette aussi, moi, et qui seraient si bons ici avec toi, si tu n'étais pas un cul de plomb qui ne te laisses pas entraîner *à la vie pour la vie.* Ah ! quand on est en vacances, comme le travail, la logique, la raison semblent d'étranges *balançoires.*

*
* *

Et partout, de page en page, on rencontre des idées éblouissantes comme des lumières, des vérités largement aperçues, d'admirables paysages, sincères et charmants. Et on aime cette grande femme si simple, géniale et modeste.

(*Le Figaro,* 3 juillet 1884.)

LA LUNE ET LES POÈTES

Un poète d'un talent bizarre, très aimé des Parnassiens, et peu compris des gens du monde, M. Stéphane Mallarmé, s'est déclaré l'ennemi de la lune. Il a peut-être raison. Mais il cherche, dit-on, les moyens de la détruire. Il est peu probable qu'il y parvienne.

Cet astre le gêne, le fatigue, l'obsède, l'exaspère, avec sa face de pleureuse, son air de veuve inconsolable, sa triste mine d'anémique et sa lumière jaune, toujours pareille.

La haine de M. Mallarmé se comprend quand on lit les poètes, les petits poètes, les bons petits poètes, les braves jeunes gens qui ouvrent leur cœur et célèbrent la rosée, la lune et les étoiles, tous les ans, au printemps, en des volumes qui ressemblent à des recueils de chansons.

Ils sont vraiment bien surprenants, les petits poètes. Ils s'aperçoivent un matin qu'il fait bon au lever du jour, et ils éprouvent aussitôt le besoin de nous raconter qu'ils ont découvert la rosée, et ils nous disent cela en de petites phrases terminées par des rimes, ce qui les gêne d'ailleurs beaucoup pour s'exprimer nettement. Ils découvrent de la même façon les roses, les ruisseaux, les prairies, la mer (avec son fond d'écume), les bois, les grands bois ombreux. Ils s'aperçoivent que les oiseaux chantent, et ils ont la gracieuseté de nous en prévenir aussitôt; puis ils rencontrent une jeune fille, et sont émus (quelle surprise!); alors, ils descendent en eux et

435

nous détaillent avec minutie toutes les particularités de leurs sensations.

Mais le soir vient, le soleil se couche, la lune se lève! Oh! alors ils délirent...

Ces bons jeunes gens ont l'étrange naïveté de nous raconter en vers toutes les opérations de la nature.

C'est tous les ans une pluie de strophes, de couplets, de stances, de petites ritournelles prétentieuses et vides, où les mêmes mots, rimant ensemble de la façon la plus banale, nous répètent, sous forme de litanies du jour et de la nuit, ce que chacun de nous peut voir, sans rimes et sans frais, de sa fenêtre.

Quelle démangeaison les force, tous ces honnêtes et braves garçons, à écrire ces balivernes et surtout à les publier? Que nous apprennent-ils de neuf, d'original, de singulier? Rien! Mais ils ne se peuvent tenir de nous faire savoir que la lune les a regardés, que les rivières ont du charme quand il fait chaud, qu'il est doux de se baigner dedans, que les fleurs sentent bon, et qu'on a généralement envie d'embrasser les jolies femmes. Ils sont, sur ce dernier thème, d'une loquacité infinie, comme s'ils étaient les seuls à subir l'influence d'un joli visage et d'une jolie taille. Et ils racontent cela, non pas en des poèmes où ils feraient preuve d'invention, d'imagination, de composition et d'art, mais en de petits vers médiocres qui ne disent rien de plus.

Et si on additionnait les volumes parus depuis vingt ans seulement, on en trouverait peut-être dix mille qui ne contiennent pas autre chose. Et tous les ans il naît de nouveaux poètes (?) pour célébrer la rosée, les roses, la jeune fille et la lune, qu'on dénommait Phoebé, naguère. Et c'est toujours la même petite ritournelle, plus ou moins bien tournée, plus ou moins niaise qui commence.

— Un matin qu'il faisait beau...
— Par une blonde matinée...
— Par un clair matin d'avril...
— Par un joli matin de mai...

436

Ça varie peu, très peu. Les rimes mêmes sont toujours pareilles.

* * *

Quant à la lune, à la pauvre lune, à la simple et bonne lune de Pierrot, qui faisait chanter :

> *Au clair de la lune,*
> *Mon ami Pierrot,*
> *Prête-moi ta plume*
> *Pour écrire un mot...*

ils l'ont accommodée à tous les rythmes; ils l'ont gâtée, salie, ils nous ont dégoûtés d'elle.

Et le vieil astre placide et triste, mangé aux vers comme un vieux fromage, n'inspire plus qu'une pitié haineuse à notre ami Stéphane Mallarmé.

On avait pourtant sur la terre une certaine sympathie pour la lune, sympathie de voisinage et reconnaissance d'amoureux; car tous, hommes et femmes, ici-bas, nous avons aimé au clair de la lune et ne l'avons point oublié.

Nous avions même pour la lune plus que de la sympathie, mais une certaine tendresse naturelle, une bonne amitié poétique.

Elle est d'abord la camarade de la terre, sa seule camarade un peu proche dans le grand pays des étoiles.

Elles vivent dans leur petit coin avec leur époux le soleil, qui les caresse de ses rayons. Mais la pauvre lune erre autour de lui, mélancolique et stérile, tandis que la terre féconde et vivante se couvre de fleurs, de bois et d'êtres sous les clairs baisers du mâle éclatant.

Triste lune! Est-elle trop vieille pour s'animer encore à ses caresses de feu? ou bien est-elle un astre vierge?

Un poète, qui l'aime, M. Edmond Haraucourt, pense qu'elle a passé l'âge de l'amour.

Il la plaint.

Puis ce fut l'âge blond des tiédeurs et des vents.
La lune se peupla de murmures vivants ;
Elle eut des mers sans fond et des fleuves sans nombre,
Des troupeaux, des cités, des pleurs, des cris joyeux :
Elle eut l'amour ; elle eut ses arts, ses lois, ses dieux.
    Et lentement rentra dans l'ombre.

Mais la terre, à son tour, s'épuise, et le soleil vieillit. Des taches se montrent dans sa chevelure de rayons, comme la peau d'un front qui se découvre ; et bientôt il s'éteindra, et plus froid qu'un cadavre demeurera immobile dans le sombre espace, auprès de ses deux épouses noires et glacées comme lui.

* * *

Mais, si certains soi-disant poètes sont en train de nous gâter la lune, d'autres, les vrais poètes, lui ont fait une fameuse réclame.

Nous inspirerait-elle, sans eux, l'émotion attendrie qu'elle nous donne encore, qu'elle nous donne toujours, bien que ses effets ne varient guère ?

Quand elle se lève derrière les arbres, quand elle verse sa lumière frissonnante sur un fleuve qui coule, quand elle tombe à travers les branches sur le sable des allées, quand elle monte solitaire dans le ciel noir et vide, quand elle s'abaisse vers la mer, allongeant sur la surface onduleuse et liquide une immense traînée de clarté, ne sommes-nous pas assaillis par tous les vers charmants qu'elle inspira aux grands rêveurs ?

Si nous allons, l'âme gaie, par la nuit, et si nous la voyons, toute ronde, ronde comme un œil jaune qui nous regarderait, perchée juste au-dessus d'un toit, l'immortelle ballade de Musset se met à chanter dans notre mémoire.

Et n'est-ce pas lui, le poète railleur, qui nous la montre aussitôt avec ses yeux ?

    C'était, dans la nuit brune,
    Sur le clocher jauni

438

> La lune
> Comme un point sur un i.

> Lune, quel esprit sombre
> Promène au bout d'un fil
> Dans l'ombre
> Ta face ou ton profil?

> Es-tu l'œil du ciel borgne?
> Quel chérubin cafard
> Nous lorgne
> Sous ton disque blafard?

Si nous nous promenons, un soir de tristesse, sur une plage, au bord de l'Océan qu'elle illumine, ne nous mettons-nous pas, presque malgré nous, à réciter ces deux vers si grands et si mélancoliques :

> *Seule au-dessus des mers, la lune voyageant,*
> *Laisse dans les flots noirs tomber ses pleurs d'argent.*

Si nous nous réveillons, dans notre lit, qu'éclaire un long rayon entrant par la fenêtre, ne nous semble-t-il pas aussitôt voir descendre vers nous la figure blanche qu'évoque Catulle Mendès.

> *Elle venait, avec un lis dans chaque main,*
> *La pente d'un rayon lui servant de chemin.*

Si, marchant le soir, par la campagne, nous entendons tout à coup quelque chien de ferme pousser vers l'astre placide sa plainte longue et sinistre, ne sommes-nous pas frappés brusquement par le souvenir de l'admirable pièce de Leconte de Lisle, *Les Hurleurs?*

Puis aussitôt nous nous mettons à murmurer d'autres vers de l'impeccable et superbe poète, ceux lus dernièrement dans ses *Poèmes tragiques* :

> *Par la chaîne d'or des étoiles vives*
> *La lampe du ciel pend du sombre azur*
> *Sur l'immense mer, les monts et les rives.*

Ou bien, un lamentable paysage surgit devant nous, avec un vieux loup blanchâtre levant vers la lune sa tête pointue :

Les lourds rameaux neigeux du mélèze et de l'aune.
Un grand silence. Un ciel étincelant d'hiver.
Le roi du Harz, assis sur ses jarrets de fer,
Regarde resplendir la lune large et jaune.

Les gorges, les vallons, les forêts et les rocs
Dorment inertement sous leur blême suaire,
Et la face terrestre est comme un ossuaire
Immense, cave ou plane, ou bossué par blocs.

Tandis qu'éblouissant les horizons funèbres
La lune, œil d'or glacé, luit dans le morne azur,
L'angoisse du vieux loup étreint son cœur obscur,
Un âpre frisson court le long de ses vertèbres.

***

C'est par un soir de rendez-vous. On va tout doucement dans le chemin, serrant la taille de la bien-aimée, lui prenant la main et lui baisant la tempe. Elle est un peu lasse, un peu émue et marche d'un pas fatigué.

Un banc apparaît, sous les feuilles que mouille comme une onde calme la douce lumière.

Est-ce qu'ils n'éclatent pas dans notre esprit, dans notre cœur, ainsi qu'une chanson d'amour exquise, les deux vers charmants :

Et réveiller, pour s'asseoir à sa place,
Le clair de lune endormi sur le banc !

Peut-on voir le croissant dessiner, dans un grand ciel ensemencé d'astres, son fin profil, sans songer à la fin de ce chef-d'œuvre de Victor Hugo qui s'appelle *Booz endormi* :

440

... Et Ruth se demandait,
Immobile, ouvrant l'œil à demi sous ses voiles,
Quel Dieu, quel moissonneur de l'éternel été,
Avait, en s'en allant, négligemment jeté
Cette faucille d'or dans le champ des étoiles!

Et, puisque nous parlons de Victor Hugo, qui donc a jamais mieux chanté la belle nuit galante et divine :

La nuit vint, tout se tut; les flambeaux s'éteignirent;
Dans les bois assombris, les sources se plaignirent,
Le rossignol, caché dans son nid ténébreux,
Chanta comme un poète et comme un amoureux.
Chacun se dispersa sous les profonds feuillages.
Les folles en riant entraînèrent les sages;

L'amante s'en alla dans l'ombre avec l'amant;
Et troublés comme on l'est en songe, vaguement,
Ils sentaient par degrés se mêler à leur âme,
A leurs discours secrets, à leurs regards de flamme,
A leurs cœurs, à leurs sens, à leur molle raison,
Le clair de lune bleu qui baignait l'horizon.

Mais nous oublions les anciens poètes, et cette si admirable invocation de l'Ane, dans Apulée, qui termine le livre des *Métamorphoses*.

Et vraiment, si la terre, si les hommes doivent de la reconnaissance à notre douce voisine la Lune, elle n'a pas à se plaindre de la place que nos poètes lui ont faite dans nos cœurs.

(*Le Gaulois*, 17 août 1884.)

TABLE DES MATIÈRES

Achevé d'imprimer en septembre 1994
sur les presses de l'Imprimerie Bussière
à Saint-Amand (Cher)

— N° d'édit. : 1213. — N° d'imp. : 2387. —
Dépôt légal : 1er trimestre 1980.

Nouveau tirage : septembre 1994.

Imprimé en France